D0773849

PARTI TÔT, PRIS MON CHIEN

Kate Atkinson est entrée dans la littérature par la grande porte, en 1996, avec un roman fascinant qui ne ressemblait à rien de connu, *Dans les coulisses du musée*, qui obtint le Prix Whitbread en Grande-Bretagne et le Prix du Meilleur Livre de l'année en France (*Lire*). Elle a publié depuis d'autres romans, aussi largement plébiscités en France qu'outre-Manche : *Dans les replis du temps* (1998), *Sous l'aile du bizarre* (2000), *La Souris Bleue* (2004) qui a obtenu le Prix Westminster du roman anglais, *Les choses s'arrangent, mais ça ne va pas mieux* (2006), *À quand les bonnes nouvelles ?* (2008), *Parti tôt, pris mon chien* (2010), ainsi que deux recueils de nouvelles : *C'est pas la fin du monde* (2003) et *On a de la chance de vivre aujourd'hui*. Elle vit actuellement à Édimbourg.

Paru dans Le Livre de Poche :

À QUAND LES BONNES NOUVELLES ?

C'EST PAS LA FIN DU MONDE

LES CHOSES S'ARRANGENT, MAIS ÇA NE VA PAS MIEUX

DANS LES COULISSES DU MUSÉE

DANS LES REPLIS DU TEMPS

ON A DE LA CHANCE DE VIVRE AUJOURD'HUI

LA SOURIS BLEUE

SOUS L'AILE DU BIZARRE

KATE ATKINSON

Parti tôt, pris mon chien

TRADUIT DE L'ANGLAIS PAR ISABELLE CARON

ÉDITIONS DE FALLOIS

Titre original :

STARTED EARLY, TOOK MY DOG
Publié par Doubleday, an imprint of Transworld Publishers,
au Royaume-Uni en 2010

Site Web : www.kateatkinson.co.uk

ISBN : 978-2-253-16183-7 – 1re publication LGF

Pour mon père.

Faute de clou, le fer fut perdu.
Faute de fer, le cheval fut perdu.
Faute de cheval, le cavalier fut perdu.
Faute de cavalier, la bataille fut perdue.
Faute de bataille, le royaume fut perdu.
Et tout ça, faute de clou de fer à cheval.

Poème traditionnel.

Je faisais juste un peu de ménage.

Peter SUTCLIFFE.

TRÉSOR

9 avril 1975

Leeds : « La ville autoroute des années 70. » Un slogan ambitieux. Aucune intention ironique. Éclairage au gaz vacillant dans certaines rues. La vie dans une ville du nord.

Les Bay City Rollers sont en tête du hit-parade. Des bombes de l'IRA éclatent partout dans le pays. Margaret Thatcher est le nouveau leader du parti conservateur. Au début du mois, à Albuquerque, Bill Gates fonde ce qui deviendra Microsoft. À la fin du mois, Saigon tombe aux mains de l'armée nord-vietnamienne. Les clichés racistes ont encore droit de cité à la télévision. John Poulson[1] est toujours en prison. *Bye Bye Baby, Baby Goodbye.* Tout ça n'empêchait pas Tracy Waterhouse d'avoir pour seul et unique souci son collant troué aux orteils. Le trou s'agrandissait à chaque pas. Un collant neuf en plus.

On leur avait dit que ça se trouvait au quinzième étage de l'immeuble de Lovell Park et – quelle poisse – les ascenseurs étaient en panne. Ils grimpèrent les marches

1. Promoteur immobilier qui fut au cœur d'un énorme scandale de pots-de-vin. *(Toutes les notes sont de la traductrice.)*

en soufflant et ahanant. Ne tardèrent pas à s'arrêter à chaque palier. L'agente Tracy Waterhouse, une grosse fille sans grâce qui venait de finir son année probatoire, et l'agent Ken Arkwright, un natif du Yorkshire blanc et corpulent avec un cœur de lard. Escaladant l'Everest.

Ils verraient tous les deux le début de l'orgie meurtrière de l'Éventreur du Yorkshire, mais Arkwright serait à la retraite bien avant la fin. Donald Neilson, la Panthère noire de Bradford, n'avait pas encore été arrêté et Harold Shipman avait probablement déjà commencé à tuer les patients qui avaient eu le malheur d'être confiés à ses soins au Pontefract General Infirmary. En 1975, le West Yorkshire grouillait de tueurs en série.

Même si elle refusait de l'admettre, Tracy Waterhouse manquait d'expérience. Ken Arkwright avait vu plus d'horreurs que la plupart des gens, mais restait paterne et optimiste. C'était un bon flic. Être prise sous son aile n'était pas ce qui pouvait arriver de pire à une novice. Il y avait des brebis galeuses dans le troupeau – le nuage noir de la mort de David Oluwale[1] continuait à peser sur la police du West Riding, mais pas sur Arkwright. Il pouvait se montrer violent quand c'était nécessaire et parfois quand ça ne l'était pas, mais lorsqu'il s'agissait de récompenser et punir, il ne tenait aucun compte de la couleur. Les femmes étaient des *garces* et des *putes*, mais il avait filé des clopes et du fric à quelques prostituées et il aimait sa femme et ses filles.

Malgré ses profs qui la suppliaient de continuer ses études et de « faire quelque chose de sa vie », Tracy avait

1. Immigré nigérian dont le corps fut retrouvé dans une rivière en 1969. Il avait été l'objet d'une campagne de harcèlement de la part de deux policiers de Leeds.

quitté l'école à quinze ans pour suivre des cours de secrétariat et, impatiente d'entamer sa vie adulte, était entrée tout de suite chez Montague Burton comme dactylo. « Vous êtes une fille intelligente, lui avait déclaré le chef du personnel en lui offrant une cigarette. Vous pourriez aller loin, qui sait, secrétaire de direction, assistante du P-DG. » Tracy avait des idées très brumeuses sur ce que tout ça recouvrait. Le chef du personnel la déshabillait du regard.

Seize ans, jamais été embrassée par un garçon, jamais bu de vin, pas même de Blue Nun, la piquette allemande. Jamais mangé d'avocat, jamais vu d'aubergine, jamais pris l'avion. C'était une autre époque.

Elle s'acheta un maximanteau en tweed chez Etam et un parapluie neuf. Fin prête. Ultra-prête. Deux ans plus tard, elle était dans la police. Rien n'aurait pu la préparer à ça. *Bye Bye, Baby.*

Tracy avait peur de ne jamais quitter la maison de ses parents. Elle passait ses soirées devant la télé avec sa mère pendant que son père buvait – avec modération – au club conservateur du coin. Tracy et Dorothy, sa mère, regardaient ensemble *Steptoe and Son* ou Mike Yarwood imitant Steptoe et son fils. Ou Edward Heath dont les épaules se secouaient quand il riait. Ç'avait dû être une triste journée pour Mike Yarwood quand Margaret Thatcher avait pris la tête du parti conservateur. Triste journée pour tout le monde. Tracy n'avait jamais compris le succès des imitateurs.

Son estomac gargouillait comme une vieille tuyauterie. Elle était au régime cottage cheese et pamplemousse depuis une semaine. Elle se demandait s'il était possible de mourir de faim tout en souffrant de surcharge pondérale.

« Putain de bordel de Dieu, souffla Arkwright plié en deux, mains sur les genoux, quand ils atteignirent enfin le quinzième étage. On me croira si on voudra, mais j'ai été ailier de rugby.

— Oui ben, à présent, t'es plus qu'un vieux qu'a de l'âge et du ventre, dit Tracy. Quel numéro ?

— Vingt-cinq. C'est au bout. »

Ils avaient reçu un coup de fil anonyme d'un voisin qui se plaignait d'une mauvaise odeur (« Une vraie puanteur ») provenant de l'appartement.

« Sans doute des rats crevés, avait dit Arkwright. Ou un chat. Tu te rappelles les deux chiens de la maison de Chapeltown ? Ah, non, c'était avant ton arrivée, jeune fille.

— J'en ai entendu parler. Le type était parti sans leur laisser à manger. Ils ont fini par se bouffer l'un l'autre.

— Pas l'un l'autre, corrigea Arkwright. *Un* des deux a bouffé l'autre.

— T'es un sacré pédant, Arkwright.

— Sacré quoi ? Petite effrontée. Allez, on y va. Bordel de merde, Tracy, on sent l'odeur d'ici. »

Tracy Waterhouse appuya sur la sonnette et garda son pouce dessus. Jeta un coup d'œil à ses horribles chaussures noires à lacets d'uniforme et agita ses doigts de pied dans son horrible collant noir d'uniforme. Son gros orteil était sorti du trou et une échelle montait vers un de ses gros genoux de footballeur. « Ça va être un vieux chnoque mort depuis des semaines. Je déteste, dit-elle.

— Moi, c'est ceux qui sautent des trains que je déteste.

— Les gosses morts.

— Ouais, c'est ça le pire », convint Arkwright. Les gosses morts vous achevaient à tous les coups. Tracy enleva son pouce et essaya de tourner la poignée. Fermé à clé. « Ah, putain, Arkwright, ça chlingue là-dedans. C'est un macchabée, aucun doute là-dessus. » Arkwright tambourina à la porte et cria : « Bonjour, c'est la police, y a quelqu'un ? Merde, Tracy, t'entends ça ?

— Des mouches ? »

Ken Arkwright se pencha et regarda par la fente de la boîte aux lettres. « Oh, putain » – et de reculer si vite que Tracy crut d'abord qu'il avait reçu quelque chose dans l'œil. C'était arrivé à un brigadier quelques semaines plus tôt : un dingue lui avait envoyé une giclée d'eau de Javel. Ça avait dégoûté tout le monde de regarder par les fentes de boîtes aux lettres. Mais Arkwright s'accroupit tout de suite, rouvrit le volet et se mit à murmurer des paroles apaisantes, comme on le ferait à un chien énervé. « Tout va bien, tout va bien maintenant. Est-ce que ta maman est là ? Ou ton papa ? On va t'aider. Tout va bien. » Il se releva et se prépara à enfoncer la porte. Il piaffa, expulsa l'air de sa bouche et dit à Tracy : « Prépare-toi, jeune fille, ça va pas être jojo. »

∽

Six mois plus tôt

La banlieue de Munich par un froid après-midi. De gros flocons paresseux voltigent comme des confettis blancs, tombent sur le capot de leur voiture allemande banale.

« Belle baraque », dit Steve. C'était un petit gars suffisant qui parlait trop. Il y avait fort à parier que Steve n'était pas son vrai prénom. « Grande avec ça, ajouta-t-il.

— Ouais, elle est grande et belle », convint-il plus pour lui clouer le bec que pour autre chose. Grande, belle et malheureusement entourée d'autres grandes et belles maisons, dans le genre de rue où les voisins sont vigilants et où les alarmes sortent des murs comme des furoncles. Deux des maisons les plus belles et les plus grandes avaient un portail sécurisé et des caméras de vidéosurveillance fixées aux murs.

La première fois, on reconnaît le terrain, la deuxième, on prête attention aux détails, la troisième, on fait le boulot. C'était la troisième fois. « Un peu trop germanique pour mon goût, bien sûr, dit Steve comme s'il épluchait un catalogue européen de biens immobiliers.

— Ce n'est peut-être pas étranger au fait qu'on soit en Allemagne, fit-il observer.

— J'ai rien contre les Allemands, note bien, dit Steve. Y en avait deux dans le Deuxième régiment. Des bons gars. Bonne bière, ajouta-t-il après plusieurs secondes de contemplation. Bonnes saucisses aussi. »

Steve expliqua qu'après avoir été dans les paras, il avait découvert qu'il n'arrivait pas à se réadapter à la vie civile et était entré à la Légion étrangère. *On se prend pour un dur et puis on découvre ce que dur veut vraiment dire.*

OK. Combien de fois avait-il entendu ce refrain ? Il avait rencontré quelques gars de la Légion en son temps – des ex-troufions qui ne supportaient pas la monotonie de la vie civile, des déserteurs du divorce et des actions en recherche de paternité, des fugitifs de l'ennui. Tous fuyaient quelque chose, aucun n'était tout à fait le hors-la-loi pour lequel il se prenait. Certainement pas Steve.

C'était la première fois qu'ils bossaient ensemble. C'était le genre fonceur doublé d'un branleur, mais il était bien, il faisait gaffe. Il ne fumait pas dans la voiture, ne demandait pas à écouter des stations de radio merdiques.

Certaines baraques faisaient penser à des maisons en pain d'épice, y compris la neige sucre glace qui frangeait les toits et les gouttières. Ils en avaient vu une à vendre au marché Christkindl où ils avaient passé la soirée précédente à flâner autour de la Marienplatz, à boire du *Glühwein* dans des chopes de Noël, tout comme des touristes ordinaires. Ils avaient dû laisser une garantie pour les chopes. Résultat : il avait rapporté la sienne au Platzl où ils étaient descendus. Un cadeau pour sa fille Marlee quand il rentrerait, même si elle la regarderait probablement d'un air méprisant, ou, pire, le remercierait d'un air indifférent et la reléguerait immédiatement au fond d'un placard.

« Tu étais sur ce boulot à Dubaï ? s'enquit Steve.

— Ouais.

— J'ai entendu dire que tout avait foiré.

— Ouais. »

Une voiture tourna le coin et ils vérifièrent tous les deux instinctivement leur montre. Elle glissa devant eux. C'était pas la bonne. « C'est pas eux », dit Steve inutilement.

Côté positif, ils avaient une longue allée qui s'incurvait passé le portail et rendait la maison invisible de la rue. L'allée en question était bordée d'un tas de buissons. Pas d'éclairage de sécurité ni de détecteur de présence. L'obscurité est l'amie des opérations secrètes. Pas aujourd'hui, ils opéraient de jour. Ni au grand, ni à la pointe, à la tombée. Entre chien et loup.

Une autre voiture déboucha au coin de la rue, cette fois, c'était la bonne. « V'là la gamine », dit Steve tout bas. Elle avait cinq ans, des cheveux noirs raides, de grands yeux bruns. Elle n'avait pas la moindre idée de ce qui l'attendait. Steve l'appelait *la petite Paki.*

« Égyptienne. À moitié, corrigea-t-il. Elle se prénomme Jennifer.

— Je suis pas raciste. »

Non, mais.

La neige continuait à voltiger, adhérait une seconde au pare-brise avant de fondre. Il eut soudain le souvenir inattendu de sa sœur rentrant à la maison en riant et secouant des pétales de ses vêtements, de ses cheveux. Dans ses souvenirs, la ville où ils avaient grandi était dépourvue d'arbres, mais sa sœur y vivait comme une jeune mariée avec une pluie de pétales semblables à des empreintes de pouce roses sur le voile noir de sa chevelure.

La voiture s'engagea dans l'allée et disparut de leur champ de vision. Il se tourna vers Steve : « Prêt ?

— Chargez, dit Steve en démarrant.

— Souviens-toi de ne pas faire de mal à la nanny.

— Sauf si je peux pas faire autrement. »

Trente-cinq ans plus tard… Mercredi

« Attention, v'là le dragon.

— Où ça ?

— Là. Elle passe devant Greggs. » Grant désigna Tracy Waterhouse sur un des écrans. L'air dans la salle de contrôle était toujours confiné. Dehors, il faisait un beau temps de mai, mais à l'intérieur l'atmosphère était celle d'un sous-marin qui aurait séjourné trop longtemps sous l'eau. La pause du déjeuner approchait, l'heure de pointe pour les vols à l'étalage. La police faisait des rondes toute la journée, quotidiennement. On voyait deux agents équipés de pied en cap – ceinturons volumineux, gilets pare-couteaux, chemisettes – en train d'« escorter » une femme dont les sacs étaient bourrés de vêtements qu'elle avait oublié de payer. Leslie s'endormait à regarder les écrans. Parfois elle refusait de voir. Tout le monde n'était pas à strictement parler un criminel. « Quelle semaine, dit Grant en faisant la grimace. Les vacances de mi-trimestre plus un jour férié. On va battre tous les records. Ça va être le carnage. »

Grant mâchouillait des Nicorette comme si sa vie en dépendait. Il avait une tache d'on ne sait quoi sur sa cravate. Leslie envisagea de lui en parler. Se ravisa. On aurait dit du sang, mais c'était plus vraisemblablement du ketchup. Il avait tellement d'acné qu'il avait l'air radioactif. Jolie et menue, Leslie avait une licence de génie chimique de la Queen's University de Kingston dans l'Ontario et ce travail d'agent de sécurité au centre commercial Merrion de Leeds était une courte parenthèse pas totalement désagréable. Elle effectuait ce que ses parents appelaient son « tour du monde ». Après Athènes, Rome, Florence, Nice et Paris – pas vraiment le monde –, elle avait fait escale à Leeds pour rendre visite à de la famille et décidé d'y passer l'été, car elle s'était mise à sortir avec Dominic, un étudiant en troisième cycle de philo qui travaillait dans un bar. Elle avait fait la connaissance de ses parents, était allée manger chez eux. La mère de Dominic lui avait réchauffé une barquette de « lasagnes végétariennes » de chez Sainsbury's pendant que le reste de la famille mangeait du poulet. La mère de Dominic était sur la défensive : elle s'inquiétait que Leslie emmène son fils sur un continent lointain, que tous ses petits-enfants parlent anglais avec l'accent canadien et soient végétariens. Leslie aurait voulu la rassurer, ce n'était qu'une amourette de vacances, mais ça n'aurait probablement pas été mieux accueilli.

Leslie « avec un *i* et un *e* à la fin », devait-elle sans cesse préciser à tout le monde, car en Angleterre son prénom s'écrivait avec un *y*. « Voyez-vous ça », avait dit la mère de Dominic, comme si Leslie était elle-même une faute d'orthographe. Leslie essaya de s'imaginer ramenant Dominic chez elle, le présentant à ses parents : ils ne seraient pas du tout impressionnés. Sa maison, son piano Mason and Risch, son frère Lloyd, son vieux golden retriever Holly et son chat Mitten lui manquaient.

Pas nécessairement dans cet ordre. Sa famille louait un cottage au bord du lac Huron tous les étés. Elle ne pouvait même pas commencer à expliquer cette autre vie à Grant. Non qu'elle en eût envie. Grant passait son temps à la dévorer des yeux quand il croyait qu'elle ne le voyait pas. Il voulait désespérément coucher avec elle. C'était assez drôle en fait. Elle aurait préféré s'enfoncer des couteaux dans les yeux. « Elle passe devant Workout World, dit Grant.

— Tracy est quelqu'un de bien, fit Leslie.

— C'est une nazie.

— Mais non. » Leslie avait l'œil sur un groupe de jeunes en sweat à capuche qui passaient en se bousculant devant l'opticien Rayner's. L'un d'eux portait un masque effrayant d'Halloween. Il lança un regard mauvais à une vieille femme qui tressaillit en le voyant. « Nous engageons toujours des poursuites, murmura Leslie, comme si c'était une plaisanterie pour initiés.

— Hé, regarde, dit Grant. Tracy entre chez Thornton's. Elle doit avoir besoin de compléter ses rations quotidiennes. »

Leslie aimait bien Tracy, on savait à qui on avait affaire avec elle. Pas de coups tordus.

« C'est une grosse truie, elle est grasse à lard, dit Grant.

— Elle n'est pas grasse à lard, elle est juste forte.

— Ouais, c'est ce qu'elles disent toutes. »

Leslie était menue et délicate. Une nana super, selon Grant. Spéciale. Rien à voir avec les salopes qui traînaient dans les parages. « Tu es sûre que tu ne veux pas prendre un pot après le boulot ? demanda-t-il toujours plein d'espoir. Il y a un bar à cocktails en ville. Un endroit sophistiqué pour les dames sophistiquées.

— Hé, regarde, fit Leslie. Y a des gosses louches qui entrent à City Cyber. »

∽

Tracy Waterhouse sortit de chez Thornton's en fourrant son butin dans le grand sac moche qu'elle portait en bandoulière sur sa poitrine volumineuse. Des truffes viennoises, son petit extra du milieu de semaine. Lamentable, en fait. Les autres allaient au cinéma, le soir, au restaurant, dans les pubs, les clubs, rendaient visite à des amis, s'envoyaient en l'air, mais Tracy avait hâte de se pelotonner sur son canapé devant *Britain's Got Talent*[1] avec un sachet de truffes viennoises de chez Thornton's. Plus un poulet bhuna qu'elle achèterait sur le chemin de la maison et qu'elle arroserait d'une ou deux canettes de bière. À moins que ce ne soit trois ou quatre, bien qu'on fût mercredi. Demain, y avait école. Ça faisait plus de quarante ans que Tracy avait quitté l'école. C'était quand, la dernière fois qu'elle était allée au restaurant avec quelqu'un ? Il y a deux ans ? Avec ce type de l'agence de rencontres, chez Dino's à Bishopgate ? Elle se souvenait de ce qu'elle avait mangé – pain à l'ail, spaghettis et boulettes de viande suivis d'une *crème caramel**[2] –, mais impossible de se rappeler le nom du mec. « Vous

1. Équivalent britannique de *Nouvelle Star.*
2. Tous les mots ou expressions en italique suivis d'un astérisque sont en français dans le texte.

êtes sacrément balèze, avait-il déclaré quand ils s'étaient rencontrés pour l'apéritif chez Whitelock's.

— Ouais. Vous me cherchez ? » avait-elle répondu. Après ça, franchement, les choses étaient allées de mal en pis.

Elle fit un saut chez Superdrug pour acheter de l'Advil en prévision de la gueule de bois du lendemain. La caissière ne la regarda même pas. Pour le service avec le sourire, faudrait repasser. Très facile de faucher chez Superdrug, toutes ces babioles qu'on pouvait glisser dans son sac ou sa poche – rouge à lèvres, dentifrice, shampoing, Tampax –, difficile de reprocher aux gens de voler, c'était comme si on les y invitait. Tracy jeta un coup d'œil aux caméras de vidéosurveillance. Elle savait qu'il y avait un angle mort au niveau de « Soins des ongles ». On aurait pu emporter des produits de manucure pour un an sans que personne s'en aperçoive. Elle mit une main protectrice sur son sac à main. Il contenait deux enveloppes pleines de billets de vingt livres – cinq mille livres en tout – qu'elle venait de retirer de son compte en banque. Il ferait beau voir qu'un clampin essaie de le lui arracher – elle se réjouissait d'avance à l'idée de le réduire en chair à pâté. À mains nues. À quoi bon peser son poids, raisonnait-elle, si on n'était pas prête à en faire usage ?

Les enveloppes étaient destinées à Janek, l'ouvrier qui agrandissait la cuisine de la maison mitoyenne d'Headingley qu'elle avait achetée avec l'argent de la vente du pavillon de ses parents à Bramley. Quel soulagement qu'ils soient enfin morts à quelques semaines de distance : leur corps, comme leur esprit, avait largement dépassé la date de validité. Ils étaient tous deux arrivés à quatre-vingt-dix ans et Tracy commençait à se demander s'ils avaient l'intention de l'enterrer. Ils avaient toujours eu l'esprit de compétition.

Janek commençait à huit heures le matin pour finir à six, travaillait le samedi – y a que les Polonais pour faire des trucs pareils. Tracy était follement attirée par Janek bien qu'il eût vingt ans et huit bons centimètres de moins qu'elle. Il était si soigneux et avait de si bonnes manières. Tous les matins, Tracy lui laissait du thé et du café accompagnés d'une assiette de biscuits recouverts de film alimentaire. Quand elle rentrait, tous les biscuits avaient été mangés. Ça lui donnait l'impression de servir à quelque chose. Elle partait en vacances pour une semaine vendredi et Janek lui avait promis que tout serait fini à son retour. Tracy ne voulait pas que ça finisse, enfin, si, elle en avait ras la casquette des travaux, mais elle ne voulait pas en finir avec *lui*.

Est-ce qu'il resterait si elle lui demandait de refaire sa salle de bains ? Il rongeait son frein, mourait d'envie de rentrer chez lui. Tous les Polonais retournaient chez eux à présent. Ils ne voulaient pas rester dans un pays en faillite. Avant la chute du mur de Berlin, on les plaignait, maintenant on les enviait.

Quand Tracy était dans la police, tous ses collègues – les hommes comme les femmes – supposaient qu'elle était une gouine. Elle avait la cinquantaine bien tassée, mais à l'époque où elle était entrée dans la police du West Yorkshire comme bleusaille, il fallait jouer les dures à cuire pour s'en sortir. Malheureusement, une fois votre réputation de garce intraitable établie, il était difficile de révéler la femme douce et tendre tapie au fond de soi. Et de toute façon, pourquoi vouloir révéler un truc pareil ?

Tracy avait pris sa retraite avec une carapace si épaisse qu'il ne restait quasiment plus de place à l'intérieur.

Crimes contre les mœurs, trafic d'êtres humains – les côtés les plus sordides de l'Unité Drogue et Crimes Majeurs –, elle avait tout vu et davantage encore. Être témoin de ce que le comportement humain a de pire était une excellente façon d'éradiquer toute douceur et toute tendresse.

Elle avait tellement de bouteille qu'elle était déjà un humble fantassin du temps où Peter Sutcliffe patrouillait les rues du West Yorkshire. Elle se souvenait de la peur, elle-même avait eu la pétoche. C'était avant les ordinateurs, quand le simple poids de la paperasserie suffisait à noyer une enquête. « Il y a eu une période sans ordinateurs ? s'étonnait un de ses collègues plus jeune et plus effronté. Waouh, c'était le jurassique. »

Il avait raison, elle était d'une autre ère. Elle aurait dû partir plus tôt, elle s'était accrochée uniquement parce qu'elle n'arrivait pas à imaginer comment remplir ses longues journées vides de retraitée. Dormir, manger, protéger, rebelote, c'était la seule vie qu'elle connaissait. Tous les flics se disaient : fais tes trente ans, casse-toi, trouve-toi un autre boulot, profite de ta retraite. Ceux qui restaient plus longtemps étaient considérés comme des imbéciles.

Tracy aurait préféré mourir à la tâche, mais elle savait qu'il était temps de partir. Elle avait été commissaire, maintenant elle était « retraitée de la police ». Ça faisait roman de Dickens, comme si elle était assise dans un hospice, emmitouflée dans un châle crasseux. Elle avait bien songé à du bénévolat dans une organisation qui faisait le ménage après les désastres ou les guerres. Après tout, elle avait le sentiment de n'avoir fait que ça toute sa vie, mais pour finir, elle avait pris le poste du Merrion Centre.

À son pot d'adieu très arrosé, on lui avait offert un ordinateur portable et un chèque-cadeau de deux cents livres pour le Waterfall Spa de Brewery Wharf. Elle avait été agréablement surprise, flattée même, qu'on ait cru qu'elle était le genre de femme à fréquenter un spa. Elle avait déjà un portable et savait que celui qu'on lui avait offert était un de ceux que Carphone Warehouse distribuait gratuitement, mais c'était l'intention qui comptait.

En prenant le poste de chef de la sécurité au Merrion Centre, Tracy s'était dit « on repart à zéro » et avait effectué certains changements : elle n'avait pas seulement déménagé, elle s'était fait épiler la moustache, laissé pousser les cheveux pour adopter une coiffure plus flatteuse, acheté des blouses à nœuds et à boutons de nacre, des escarpins à petits talons pour aller avec l'incontournable tailleur noir. Ça n'avait pas marché, bien sûr. Elle voyait bien que, avec ou sans chèque-cadeau de spa, les gens continuaient à la prendre pour une vieille virago hommasse.

Tracy aimait les contacts personnels avec le public. Elle passa devant Morrisons, le vide occupé auparavant par Woolworths, Poundstretcher – les enseignes préférées du lumpenprolétariat. Y avait-il une seule personne heureuse dans cet endroit sans âme ? Leslie peut-être, même si elle cachait son jeu. Comme Janek, elle avait une autre vie ailleurs. Ça devait être chouette de vivre au Canada. Ou en Pologne. Elle devrait peut-être émigrer.

Il faisait chaud aujourd'hui, Tracy espérait que le beau temps durerait pour ses vacances. Une semaine dans un cottage du National Trust[1], cadre merveilleux. Elle était

1. Organisme non gouvernemental qui assure la conservation de certains paysages et monuments historiques.

membre. Voilà ce qui arrivait quand on vieillissait et qu'on n'avait pas une vie épanouie : on devenait membre du National Trust ou d'English Heritage et on passait ses week-ends à faire des méandres dans des jardins et des manoirs qui ne vous appartenaient pas ou à contempler avec ennui des ruines qu'on essayait de reconstruire en esprit – on imaginait les moines morts depuis longtemps cuisinant, pissant, priant entre des murs de pierre froide. Et on passait ses vacances seule, bien sûr. Elle avait adhéré à un « club de célibataires », deux ans auparavant. Des gens de la classe moyenne entre deux âges qui n'avaient pas d'amis. Randonnées, cours de dessin, visites de musées, très plan-plan. Elle s'était dit que ce serait agréable de partir en vacances avec d'autres gens, mais ça n'avait pas marché. Elle passait son temps à essayer de les éviter.

Le monde courait tête baissée à sa perte. The Watch Hospital, l'horloger, Costa Coffee, Wilkinson's Hardware, le coutelier, Walmsley's, le marchand de meubles, Herbert Brown's (« Nous prêtons, Vous dépensez », drôle de slogan pour un prêteur sur gages, l'ami de toujours du quart-monde). La vie humaine dans toute sa diversité. La Grande-Bretagne – championne européenne du vol à l'étalage, plus de deux milliards de livres sterling perdues chaque année en « démarque inconnue », euphémisme ridicule pour ce qui était, somme toute, du vol pur et simple. Ajoutez à ça les chapardages du personnel et le chiffre doublait. Incroyable.

Songez au nombre de gosses affamés qu'on pourrait nourrir et éduquer avec ce manque à gagner, tout cet argent. Mais il ne s'agissait pas vraiment d'argent, pas de véritable argent. Le véritable argent n'existait plus, c'était juste une création de l'imaginaire collectif. Si nous tapons tous des mains et croyons… Bien sûr, les cinq mille livres qu'elle avait dans son sac ne profiteraient pas non plus au fisc, mais la fraude fiscale à modeste échelle était un droit du citoyen, pas un crime. Il y avait crime et crime. Tracy avait vu de nombreux exemples de l'autre sorte, ça commençait toujours par un p : pédophilie, prostitution, pornographie. Trafics en tous genres. Acheter et vendre, tout le monde ne faisait que ça. On pouvait acheter des femmes, des enfants, n'importe quoi. La civilisation occidentale en avait bien profité, mais son consumérisme effréné avait quasiment signé son arrêt de mort. Toutes les cultures ont une obsolescence programmée, non ? Rien ne dure éternellement. Sauf les diamants, peut-être, si la chanson disait vrai. Et les cafards probablement. Tracy n'avait jamais possédé de diamant et n'en aurait sans doute jamais. La bague de fiançailles de sa mère était en saphir, elle ne l'avait jamais quittée, elle lui avait été passée au doigt par son père quand il avait fait sa demande et ôtée par le croque-mort avant la mise en bière. Tracy l'avait fait estimer – deux mille livres, moins qu'elle n'espérait. Elle avait bien essayé de la glisser à son petit doigt, mais elle était trop petite. Elle traînait au fond d'un tiroir à présent. Chez Ainsleys, elle s'acheta un beignet qu'elle fourra dans son sac pour plus tard.

Elle vit sortir de chez Rayner's une femme qui lui disait quelque chose. Elle ressemblait à la mère maquerelle qui officiait dans une maison de Cookridge. Tracy y avait fait une descente du temps où elle était encore en tenue, bien avant d'être exposée à toutes les horreurs de la Brigade des mœurs. Tous les conforts du foyer : la tenancière offrait à ses « gentlemen » un verre de sherry, des coupelles de fruits secs, avant qu'ils ne montent à l'étage commettre des actes dégradants derrière les rideaux de dentelle. Elle avait un cachot dans l'ancienne cave à charbon. Les trucs qui se trouvaient là-dedans inspiraient à Tracy un sentiment de dégoût. Les filles étaient indifférentes, rien ne pouvait les surprendre. N'empêche qu'elles étaient mieux dans cette maison, derrière les rideaux de dentelle, que dans la rue. Avant, c'était la pauvreté qui amenait les femmes à faire le trottoir, maintenant c'était la drogue. Aujourd'hui, la quasi-totalité des filles étaient des toxicos. Shopmobility. Claire's Accessories. Chez Greggs, Tracy s'acheta un friand pour le déjeuner.

La tenancière de maison close était morte depuis belle lurette, elle avait eu une attaque au City Varieties où on filmait *Le Bon Vieux Temps*, ce spectacle de music-hall où les acteurs comme les spectateurs étaient en costumes de la Belle Époque. On l'avait retrouvée morte dans son fauteuil, parée de ses plus beaux atours 1900. On ne s'en était aperçu qu'à la fin. Tracy s'était demandé si l'instant de sa mort avait été capté par les caméras. On n'aurait jamais montré de cadavre à la télé à cette époque-là. Aujourd'hui, c'était une autre histoire.

Non, ce n'était pas le fantôme de la maquerelle morte, c'était l'actrice de *Collier.* Voilà pourquoi sa tête lui disait quelque chose. Elle jouait la mère de Vince Collier. Tracy n'aimait pas *Collier*, ce feuilleton à la con. Elle préférait *New York Unité spéciale.* L'actrice qui ressemblait à la tenancière de Cookridge faisait plus vieille qu'à l'écran. Elle était maquillée n'importe comment, comme si elle avait fait ça sans miroir, ça lui donnait un air légèrement désaxé. Elle portait de toute évidence une perruque. Elle avait peut-être un cancer. La mère de Tracy, Dorothy Waterhouse, était morte d'un cancer. Arrivé à plus de quatre-vingt-dix ans, on espère mourir de vieillesse. Il avait été question d'une chimio, mais Tracy avait fait valoir que c'était du gaspillage sur une personne aussi âgée. Elle avait envisagé de glisser un bracelet « Ne pas ranimer » au poignet de sa mère, mais voilà que celle-ci avait pris tout le monde de court en leur claquant dans les doigts. Tracy attendait ce moment depuis si longtemps qu'elle avait été déçue.

Dorothy Waterhouse se vantait du fait que son mari ne l'avait jamais vue sans maquillage, Tracy ne savait pas pourquoi, car on avait l'impression qu'elle ne l'avait jamais aimé. Elle déployait beaucoup d'efforts pour être Dorothy Waterhouse. Quand le croque-mort demanda à Tracy « Je la pomponne un peu ? », elle lui donna pour instructions de laisser sa mère *au naturel**.

Électricité partout. Toutes ces surfaces brillantes. L'époque où tout était en bois et éclairé par la lueur du feu et des étoiles était bien révolue. Tracy s'aperçut dans la vitrine de Ryman's, le papetier, vit les yeux hagards d'une femme qui tombait dans le vide. De quelqu'un qui avait commencé sa journée soigneusement assemblée et qui partait lentement en quenouille à mesure que les heures passaient. Sa jupe plissait aux hanches, ses mèches étaient d'un blond cuivré artificiel et son gros bide semblait une parodie de grossesse. La loi de la plus forte.

Tracy se sentit vaincue. Elle vérifia sa tenue et enleva une peluche de sa veste. Les choses ne pouvaient qu'empirer. Photo Me, Priceless. Sheila's Sandwiches. Elle entendait des cris de gosse quelque part – éléments incontournables de la bande sonore des galeries marchandes dans le monde entier. C'était un son qui avait le don de percer sa carapace comme une aiguille chauffée à blanc. Une bande d'ados ramollos en sweat à capuche rôdaient près de l'entrée de City Cyber : ils se bousculaient et se poussaient d'une façon qui passait chez eux pour de l'esprit. L'un d'eux portait un masque d'Halloween, un crâne en plastique. Ça la perturba un instant.

Tracy aurait bien suivi les jeunes dans le magasin, mais les cris de gosse se rapprochaient, mobilisaient son attention. Elle les entendait, mais ne voyait rien. La détresse du gosse était surprenante. Elle lui prenait la tête.

Des regrets, elle en avait quelques-uns. Pas mal en fait. Elle aurait aimé trouver quelqu'un qui l'apprécie, avoir des enfants, savoir s'habiller mieux. Elle aurait aimé ne pas quitter l'école, continuer peut-être, faire une licence. Biologie, géographie, histoire de l'art. Les trucs habituels. Au fond, elle était comme tout le monde, elle voulait aimer. Ce serait encore mieux si elle était aimée en retour. Elle envisageait d'avoir un chat. Elle n'aimait pas tellement ça, pourtant, ce qui pourrait poser un petit problème. Elle aimait bien les chiens – les chiens raisonnables, intelligents, pas les stupides chiens-chiens qui rentraient dans un sac à main. Un bon gros berger allemand peut-être, le meilleur ami de la femme. Ça valait toutes les alarmes de la terre.

Ah, naturellement… Kelly Cross. Ça expliquait les cris de gosse. Rien de surprenant. Kelly Cross. Prostituée, camée, voleuse, une vraie romano. Une femme qui n'avait plus que la peau sur les os. Tracy la connaissait. Tout le monde la connaissait. Kelly avait plusieurs gosses, la plupart à l'Assistance publique et c'étaient ceux qui avaient du bol, ce qui n'était pas peu dire. Elle arpentait l'axe central du Merrion Centre comme une possédée, sa colère sortait d'elle comme des couteaux. Elle dégageait une puissance étonnante vu son gabarit de poids plume. Elle portait un débardeur qui révélait quelques belles ecchymoses de prolo et une série de tatouages acquis en prison. Son avant-bras arborait un cœur grossier percé d'une flèche avec les initiales « K » et « S ». Tracy se demanda qui était l'infortuné « S ». Elle avait le portable collé à l'oreille, parlait insolemment à quelqu'un. Elle avait certainement piqué quelque chose. Les chances pour que cette femme sorte d'un magasin avec un ticket de caisse valide étaient pratiquement de zéro.

Elle tirait une gosse d'une main, la traînait littéralement parce qu'il était impossible à la gamine de suivre son rythme effréné. Vous veniez juste d'apprendre à marcher et on attendait de vous que vous couriez comme une dératée. De temps à autre, Kelly la soulevait violemment de terre et, l'espace d'une seconde, la mouflette avait l'air de voler. En hurlant. Non-stop. Comme une aiguille chauffée à blanc dans la carapace. Les tympans. Le cerveau.

Kelly Cross fendait la foule des gens qui faisaient leurs courses tel un Moïse impie partageant les eaux de la mer Rouge. Beaucoup étaient de toute évidence horrifiés, mais personne n'avait le cran de s'attaquer à une folle furieuse comme Kelly. On ne pouvait guère le leur reprocher.

Kelly s'arrêta si brusquement que la gamine continua à courir : on aurait dit qu'elle était attachée à un élastique. Kelly lui flanqua sur le derrière un grand coup qui la projeta en l'air comme si elle était sur une balançoire, puis, sans un mot, elle se remit à cavaler. Tracy entendit une voix bourgeoise étonnamment forte dire « Quelqu'un devrait faire quelque chose ».

Trop tard. Kelly avait déjà dépassé Morrisons et s'engageait dans Woodhouse Lane. Tracy lui emboîta le pas, au petit galop, pour ne pas la perdre de vue. Lorsqu'elle parvint enfin à la rattraper, à l'arrêt de bus, elle était au bord du collapsus pulmonaire. Putain, depuis quand était-elle en si mauvaise forme ? Une vingtaine d'années sans doute. Elle devrait ressortir ses vieilles cassettes de fitness des cartons entassés dans sa chambre d'appoint.

« Kelly », dit-elle d'une voix rauque.

Kelly pivota sur les talons en grondant : « Qu'est-ce que vous me voulez, putain ? » Une vague lueur apparut sur son visage venimeux tandis qu'elle foudroyait Tracy du regard. Tracy vit les rouages se mettre en branle dans sa petite tête et cracher le mot « flic ». La rage de Kelly décupla, si tant est que ce soit possible.

Elle était encore pire en gros plan – cheveux plats, peau d'un gris cadavérique, yeux de vampire injectés de sang et une nervosité de camée qui donna envie à Tracy de reculer, mais elle tint bon. La gamine, la bouille sale barbouillée de larmes, avait arrêté de pleurer et fixait Tracy bouche bée. Ça lui donnait l'air empoté, mais Tracy devina qu'elle avait des végétations. Le fait qu'elle avait une chenille verte de morve qui lui sortait lentement du nez n'arrangeait rien. Trois ans ? Quatre ? Tracy ne savait pas trop comment on évaluait l'âge des gosses. D'après les dents, peut-être, comme pour les chevaux. Ils étaient petits. Certains plus grands que d'autres. Il ne fallait rien lui demander de plus.

Avec ses vêtements de diverses nuances de rose et son petit sac à dos rose qui avait l'air d'une bernacle, la gamine ressemblait à un marshmallow difforme. Quelqu'un – sûrement pas Kelly – avait tenté de tresser ses cheveux tout en longueur. Le rose et les nattes signalaient son sexe, détail que ses traits grassouillets, androgynes ne rendaient pas immédiatement évident.

C'était une petite gosse mal dégrossie, mais elle avait une étincelle dans les yeux. De vie peut-être. Fêlée, mais pas brisée. Pas encore. Quelle chance avait cette mouflette avec une mère comme Kelly ? D'un point de vue réaliste ? Kelly tenait toujours la menotte de la gosse, ou plutôt elle la serrait dans un étau comme si la gamine allait s'envoler.

Un bus approchait, mettait son clignotant, ralentissait.

Une petite vanne céda à l'intérieur de Tracy. Un raz de désespoir et de frustration s'y engouffra tandis qu'elle envisageait la toile vierge, mais déjà souillée de l'avenir de la mouflette. Tracy ne savait pas comment ça se produisit. Une minute, elle était à l'arrêt de bus de Woodhouse Lane en train de contempler l'épave humaine qu'était Kelly Cross et, celle d'après, elle lui demandait : « Combien ?

— Combien quoi ?

— Combien pour la gamine ? » fit-elle, et de fouiller dans son sac et d'en exhumer une des enveloppes destinées à Janek. Elle l'ouvrit et en montra le contenu à Kelly. « Il y a trois mille livres là-dedans. Tu peux les avoir en échange de la gosse. » Elle gardait la seconde enveloppe contenant les deux mille livres restantes en réserve, au cas où elle devrait surenchérir. Ce ne fut pas nécessaire pourtant, car Kelly se dressa comme un suricate. L'espace d'une seconde, son cerveau parut se dissocier, elle darda un regard à droite et à gauche, puis avec une vitesse inattendue, elle s'empara de l'enveloppe. À la même seconde, elle lâcha la main de la gamine. Puis elle rit avec une jubilation non feinte tandis que le bus s'arrêtait dans son dos. « Merci beaucoup », dit-elle en sautant à bord.

Pendant que Kelly farfouillait pour trouver de la monnaie, Tracy éleva la voix pour demander : « Elle s'appelle comment ? Quel est le prénom de ta fille, Kelly ? » Kelly prit son ticket à la machine et répondit : « Courtney.

— Courtney ? » Un prénom typiquement racaille – Chantelle, Shannon, Tiffany. Courtney.

Kelly se retourna, ticket à la main. « Ouais, dit-elle. Courtney. » Puis elle lui lança un regard perplexe comme si elle avait un pète au casque. Elle commença à dire : « Mais elle… » Sur ce, le bus ferma ses portes et s'éloigna. Tracy le suivit du regard. Elle ne souffre pas de végétations, elle est empotée. Elle eut soudain une bouffée d'angoisse. Elle venait d'acheter un enfant. Elle resta sans bouger jusqu'à ce qu'une menotte tiède et collante se glisse dans sa main.

« Où est passée Tracy ? » demanda Grant en examinant la batterie de moniteurs.

Leslie haussa les épaules. « Je ne sais pas. Surveille-moi cet ivrogne qui est devant Boots, d'accord ? »

~

« Quelqu'un devrait faire quelque chose », se surprit à dire Tilly d'une voix forte. *Très* forte. Résolument bourgeoise. *Résonnez !* Elle entendait son vieux prof de diction au cours d'art dramatique s'exclamer : *Résonnez ! Votre poitrine est une cloche, Matilda !* Franny Anderson. *Miss Anderson*, on n'aurait jamais rêvé de l'appeler d'une façon plus familière. La colonne vertébrale droite comme un piquet, accent très chic. Tilly continuait à faire les exercices que Miss Anderson lui avait appris – *ar-aw-oo-ar-ay-ee-ar* – tous les matins au saut du lit, avant même d'avaler sa première tasse de thé. L'appartement où elle vivait à Fulham avait des murs épais comme du papier à cigarette, les voisins devaient la croire folle. Cela faisait plus d'un demi-siècle que Tilly avait été étudiante en art dramatique. Tout le monde croyait que la vie avait commencé dans les années 60, mais Londres dans les années 50 était un endroit palpitant pour une fille de dix-huit ans débarquant de Hull, fraîche émoulue du lycée. Dix-huit ans à l'époque, c'était plus jeune qu'aujourd'hui.

Tilly partageait un petit appartement avec Phoebe March à Soho, *Dame* Phoebe il fallait naturellement dire aujourd'hui – ça chauffait si on oubliait le titre. Elle avait joué Helena et Phoebe Hermia dans *Le Songe d'une nuit d'été* à Stratford, il y avait de ça, oh, mon Dieu, des dizaines d'années. Figurez-vous qu'elles avaient commencé sur le même pied et qu'à présent Phoebe passait son temps à jouer les reines d'Angleterre et à porter des robes longues et des tiares. Elle était bardée d'Oscars (du meilleur second rôle féminin) et de BAFTAs[1] pendant que, sanglée dans un tablier et en pantoufles, Tilly prétendait être la mère de Vince Collier. Eh oui !

Sur le même pied, c'était beaucoup dire. Le père de Tilly possédait une poissonnerie dans le Land of Green Ginger – une rue dont le nom (Pays du gingembre vert) était plus romantique que la réalité – tandis que Phoebe avait beau se dire « une fille du nord », elle venait en fait de la gentry – maison de John Carr de York près de Malton – et était la nièce d'un cousin du vieux roi,

1. British Academy of Film and Television Arts.

immense demeure à Eaton Square sur laquelle elle pouvait se rabattre si les choses se gâtaient à Soho. Les histoires que Tilly aurait pu raconter sur Phoebe – *Dame* Phoebe – avaient de quoi faire dresser les cheveux sur la tête.

Miss Anderson devait être morte depuis longtemps, bien sûr. Elle n'était pas le genre à pourrir en faisant des saletés dans la tombe. Tilly imaginait qu'elle avait dû se dessécher, se transformer en une momie sans yeux et toute ratatinée, légère comme une fougère morte. Mais toujours avec une diction parfaite.

Tilly savait que son indignation était vaine, ce n'était pas elle qui allait saisir à bras-le-corps l'effrayante femme tatouée. Elle était trop vieille, trop grosse, trop lente. Trop effrayée. Mais quelqu'un d'autre devrait le faire, quelqu'un de plus courageux. Un *homme*. Les hommes ne sont plus ce qu'ils étaient. Si tant est qu'ils l'aient jamais été. Agitée, elle lança un regard autour d'elle. Mon Dieu, quelle abomination, ce centre commercial ! Elle n'y serait jamais revenue, mais il fallait qu'elle aille chercher sa nouvelle paire de lunettes chez Rayner's. Elle n'y aurait même jamais mis les pieds si une assistante de production, une gentille fille prénommée Padma – Indienne, toutes les gentilles filles étaient du sous-continent à présent –, ne lui avait pris un rendez-vous. *Voilà, Miss Squires, je peux faire quelque chose d'autre pour vous ?* Quel ange. Tilly s'était assise sur ses vieilles lunettes. Rien de plus facile. Sans elles, elle était complètement miro. Difficile de conduire le vieux tacot quand on n'y voyait goutte.

Après être restée enterrée tout ce temps à la campagne, elle avait eu envie de voir la ville. Mais pas nécessairement Leeds. Guilford ou Henley, peut-être, un endroit civilisé.

Ils l'avaient collée en rase campagne pour la durée du tournage. Elle avait décroché un contrat d'un an pour jouer dans *Collier* : son personnage était tué à la fin, chose qu'elle ignorait à la signature. *Oh, chérie, tu dois accepter*, avaient dit tous ses amis théâtreux. *Ce sera amusant – et pense à l'argent !* Tu parles si elle y pensait ! Elle vivait plus ou moins au jour le jour à présent. Trois ans qu'elle n'avait rien fait au théâtre. Les textes étaient retors, sa vieille mémoire n'était plus ce qu'elle avait été. Elle avait un mal de chien à les retenir. Avant, elle n'avait aucun problème, elle avait commencé dans une troupe à l'âge de dix-huit ans. Les rôles d'ingénue. (Le par cœur occupait la place d'honneur à son école, bien sûr, aujourd'hui, c'était passé de mode.) Une pièce différente chaque semaine, elle connaissait tous ses textes et ceux des autres aussi. Elle avait une fois, il y a fort longtemps, juste pour prouver ce dont elle était capable, appris par cœur le texte entier des *Trois sœurs*, alors qu'elle ne jouait que Natacha !

« Vieille bique sénile », avait-elle entendu dire la veille. C'est vrai que tout s'estompait, *Les lumières s'éteignent partout en Europe*[1], *Laissez venir à moi les petits enfants.* Devrait-elle aller chercher un agent ? Appeler Police-Secours ? La réaction semblait disproportionnée.

La dernière chose qu'elle avait faite pour la télé était *Casualty*[2] où elle jouait une vieille dame qui avait servi un canon de DCA pendant la guerre et était morte d'hypothermie dans son appartement situé dans une tour, ce qui amenait les autres personnages à se tordre les mains à l'envi (*Comment une chose pareille est-elle possible de*

---

1. Edward Grey (1862-1933), ministre des Affaires étrangères britannique de 1905 à 1916.
2. Feuilleton de la BBC qui montre la vie du service des urgences d'un hôpital général.

nos jours ? Cette femme a défendu son pays pendant la guerre. Et patati et patata). Bien sûr, elle n'avait pas vraiment l'âge du rôle. Elle était encore gamine pendant la guerre, elle ne se rappelait que certains détails épouvantables : Maman la poussant vers l'abri au beau milieu de la nuit, l'odeur de terre humide qui régnait à l'intérieur. Hull avait subi un véritable pilonnage.

Affligé de pieds plats, papa avait un travail de bureau dans une unité chargée du ravitaillement des armées. Il n'y avait pas grand poisson à vendre durant la guerre de toute manière, les chalutiers étaient réquisitionnés par la marine, ceux qui continuaient à pêcher étaient torpillés, les corps des pêcheurs sombraient en tournoyant dans les profondeurs froides, glaciales. *Perles sont devenus ses yeux*[1]. Elle avait joué Miranda au lycée. *Avez-vous songé à la scène, Matilda ?* Son proviseur ne la croyait pas bonne à grand-chose d'autre. *Vous n'êtes pas vraiment douée pour les études, n'est-ce pas, Matilda ?*

Tilly regrettait de ne pas avoir été en âge de combattre pendant la guerre, de ne pas avoir été une fille intrépide servant un canon de DCA.

Les producteurs de *Collier* l'avaient conquise au Club de l'Ivy devant un cocktail baptisé « Étincelle », nom des plus troublants pour Tilly car c'était celui que sa mère prude donnait aux parties génitales de la femme. Tilly préférait appeler une chatte une chatte. Hahaha. *Très drôle, Matilda.*

Quand elle avait remarqué la petite fille pour la première fois, elle sautillait en chantant *Étincelle, étincelle,*

1. Shakespeare, *La Tempête* (I, 2), trad. F.-V. Hugo, Classiques Garnier.

petite étoile. La chanson que fredonnent tous les enfants. Tilly repensa une fois de plus à sa mère. La petite fille serrait les poings (si minuscules !) et chaque fois qu'elle prononçait le mot « étincelle », elle les ouvrait comme des petites étoiles de mer. La gamine chantait juste, elle avait l'oreille absolue, quelqu'un aurait dû dire à sa mère que la petiote avait un don. Quelqu'un aurait dû dire quelque chose.

Quand Tilly les revit, dix minutes plus tard, la pauvre gamine ne chantait plus. La mère – une femme brutale aux tatouages grossiers et le portable rivé à l'oreille – lui hurlait : « Putain, Courtney, tu vas la fermer, oui ou merde ? Tu me fais chier ! » Elle était furieuse, la traînait derrière elle et lui criait après. On sait ce qui arrive à ces petits enfants une fois rentrés à la maison. À huis clos. Sévices à enfants. On coupait tous les petits bourgeons pour qu'ils ne puissent jamais fleurir.

Une petite chose noire dans la neige. C'était du William Blake, n'est-ce pas ? Non que la petite « Étincelle, étincelle » fût noire. Plutôt le contraire, on aurait dit qu'elle n'avait jamais vu la lumière du soleil. *Criè « R'moneur, r'moneur » d'un ton de douleur.* C'était étonnant qu'il n'y ait pas plus d'enfants rachitiques. Peut-être que si. La grand-mère de Tilly avait souffert de rachitisme, il y avait une photo d'elle, enfant, la seule, prise dans un studio situé dans une partie plate, sinistre de l'East Riding. *Moi, l'Humbre couve mon mal*[1]. Sa grand-mère, tout juste trois ans, ses petites jambes arquées dans des bottines. Le cœur saignait pour le passé. On ne peut pas changer le passé, seulement l'avenir, et le seul endroit où

1. *À sa prude maîtresse* d'Andrew Marvell, trad. Philippe de Rothschild, Seghers. La Humber est une rivière du Yorkshire.

on pouvait le faire, c'était maintenant. À ce qu'on disait. Tilly ne pensait pas avoir jamais changé quoi que ce soit. Sauf d'avis. Hahaha. *Très drôle, Matilda.*

Collier ne s'était pas avéré si « amusant » que ça, tout compte fait. Il n'y avait certainement rien de drôle à se les geler sur le plateau (un grand hangar à avions posé en pleine cambrousse) à six heures et demie du matin. Le décor était installé dans le parc d'un manoir appartenant au comte ou au duc Machin-Chose. Bizarre, mais aujourd'hui l'aristocratie courait sans cesse après l'argent. « Le décor a été conçu spécialement, lui avaient dit les producteurs. Il a coûté des millions, ça montre qu'on vise le long terme. » Au début. *Collier* passait une fois par semaine, maintenant c'était trois et il était question de quatre épisodes hebdomadaires. Les acteurs étaient comme des ânes tournant une roue.

Ils avaient engagé Tilly pour jouer la mère de Vince Collier parce qu'ils voulaient rendre le personnage « plus humain », plus vulnérable. Tilly avait déjà travaillé avec l'acteur qui jouait Vince Collier quand il était adolescent et elle n'arrêtait pas de l'appeler par son vrai prénom – Simon – au lieu de Vince. Sept prises aujourd'hui rien que pour lui dire « Au revoir » sur le pas de la porte. *Au revoir, Simon* six fois, à la septième prise, elle s'était contentée d'un *Au revoir, mon chéri.* « Putain de Dieu », s'était exclamé (un peu trop fort) le metteur en scène. Le prénom lui échappait sans cesse. (« Vince, *Vince*, avait grommelé le metteur en scène, c'est pourtant pas sorcier, non ? ») Elle l'avait sur le bout de la langue, mais rien à faire.

Un charmant garçon, ce Simon. Il lui faisait tout le temps répéter son texte, lui disait de ne pas se biler. Pédé comme un phoque. Tout le monde était au courant, c'était le secret le plus mal gardé de la télévision. Mais motus et bouche cousue parce que Vince Collier était censé être macho. Le petit ami de Simon, Marcello, était avec lui, dans une location plus agréable que Bluebell Cottage. Ils l'avaient invitée à dîner, gin à gogo et Marcello avait fait un poulet « à la sicilienne ». Après, ils avaient bu un excellent rhum que les garçons avaient rapporté de l'île Maurice et ils avaient joué aux cartes. Tous les trois merveilleusement pompettes. (Elle n'était pas une alcoolo comme Dame qui vous savez.) Une soirée charmante comme au bon vieux temps.

Elle croyait avoir signé pour toute la durée du feuilleton. (« Ma retraite », avait-elle murmuré devant son troisième cocktail Étincelle) et voilà que la semaine dernière on lui annonce que son contrat ne sera pas renouvelé et qu'elle mourra à la fin de la série. Il ne lui restait plus que quelques semaines à vivre. On ne lui avait pas dit comment elle allait passer l'arme à gauche. Ça commençait à la turlupiner d'une façon bizarrement existentielle, comme si la Mort allait surgir au tournant en brandissant sa faux et crier « Coucou ! » Enfin, peut-être pas coucou. Elle espérait que la Mort avait un peu plus de sérieux.

Tilly commençait à sentir qu'elle ne ferait pas de vieux os non plus. Certains jours, son vieux palpitant était un petit nœud dur dans sa poitrine, d'autres jours, il était un doux oiseau qui voletait et essayait de s'échapper de sa cage. Elle pressentait que son alter ego, la pauvre vieille Marjorie Collier, finirait mal, qu'elle n'expirerait pas dignement dans son lit. Et voilà qu'en sortant de chez l'opticien, elle avait rencontré la Mort exactement comme elle le redoutait. Elle avait cru rendre l'âme sur-le-champ, mais ce n'était qu'un imbécile de gamin avec un masque de crâne. Il se moquait d'elle d'un air méprisant, sautait comme un pantin. Ça ne devrait pas être permis.

Bluebell Cottage (Jacinthe des bois). C'était le nom de l'endroit où elle logeait. Un nom de toute évidence inventé. Ç'avait été la chaumière d'un ouvrier agricole. Pauvres paysans, couverts de boue, de sang et debout aux aurores avec les bêtes des champs. Elle avait joué dans une adaptation de Thomas Hardy, oh, il y avait des années de ça, pour la BBC, elle avait beaucoup appris sur les ouvriers agricoles durant le tournage.

On vous a trouvé un charmant cottage, lui avait-on dit, *loué en temps ordinaire à des vacanciers.* Ils avaient casé les acteurs et l'équipe de tournage un peu partout – dans des Bed & Breakfast, des hôtels bon marché, à Leeds, Halifax, Bradford, dans des maisons louées et même des caravanes. Ça leur serait revenu moins cher de construire un Travelodge sur place. Tilly aurait aimé un hôtel agréable, un trois étoiles lui aurait suffi. Ce qu'on ne lui avait pas dit, c'est qu'elle partagerait son cottage avec Saskia. On ne l'avait pas dit non plus à Saskia, à voir son expression. Non qu'elle eût quelque chose contre Saskia en soi. La peau sur les os, beaucoup trop mince, elle vivait de cigarettes et d'eau fraîche – le régime de Dame Phoebe March. « Ça ne vous dérange pas, hein ? avait-elle demandé à Tilly la première fois qu'elle avait sorti un paquet de Silk Cut. Il va sans dire que je ne fumerai que dans ma chambre, ou dehors.

— Oh, allez-y, mon petit avait répondu Tilly. J'ai vécu toute ma vie avec des fumeurs. » (C'était un miracle qu'elle soit encore en vie.) Elle ne voulait pas se fâcher avec elle. Tilly détestait se fâcher avec les gens. C'était drôle parce que Saskia était une vraie maniaque de la propreté (elle avait de toute évidence un problème de ce côté-là, elle avait déclaré la guerre aux germes à elle toute seule) et fumer est une habitude si répugnante. Les danseurs classiques sont les pires, naturellement, à peine sortis de leurs cours, ils fument comme des cheminées. Des poumons comme du noir de fumée. Tilly avait vécu avec un danseur. C'était après que Phoebe eut quitté l'appartement de Soho (en 1960 – qui avait inauguré une sacrée décennie pour elles deux) afin de mener la grande vie avec un metteur en scène à Kensington. Douglas. Il avait d'abord été à Tilly, mais Phoebe ne supportait pas que Tilly ait quelque chose qu'elle n'avait pas. Très bel homme. Il était à voile et à vapeur, bien sûr. Bique et bouc, comme on disait autrefois. Phoebe s'était servi de lui et l'avait laissé tomber au bout d'un an environ. Tilly et Douglas étaient restés attachés l'un à l'autre jusqu'à la fin. La sienne en tout cas.

Saskia jouait la comparse de Vince Collier, l'inspectrice-chef Charlotte (« Charlie ») Lambert. Soit dit entre nous, ce n'était pas la plus grande actrice du monde. Elle n'avait apparemment que deux expressions. La première était « inquiète » (avec une variante « très inquiète ») et la seconde, « bougonne ». Une gamme très limitée, la pauvre, même si, comme beaucoup de filles, elle passait bien à la télé. Tilly l'avait vue dans une pièce au National Theater. Elle était atroce, tout simplement atroce, mais personne n'avait paru s'en apercevoir. Les habits neufs de l'Empereur. (Une fois de plus, ça n'était pas sans évoquer Dame Phoebe.)

Maintenant qu'elle avait ses nouvelles lunettes et qu'elle y voyait enfin, c'était terrifiant. Mercredi était la demi-journée de fermeture. Son père baissait le rideau de fer sur la poissonnerie du Land of Green Ginger et allait vivre son autre vie mystérieuse avec ses amis Rotariens. Il passait aussi beaucoup de temps dans son jardin ouvrier, même s'il n'en rapportait jamais beaucoup de légumes. Plus de demi-journée de fermeture à présent, tout était ouvert tout le temps, *À gagner et dépenser, nous gâchons notre énergie*[1]. Où était passé tout l'argent ? On se couchait dans un pays prospère et on se réveillait dans un pays pauvre, comment c'était arrivé ? Où était l'argent et pourquoi ne pouvait-on pas le récupérer ?

Il fallait qu'elle sorte de ce maudit endroit et qu'elle se rende au parking. *Est-ce que vous devriez encore conduire ?* lui avait demandé un directeur artistique, parce qu'elle avait raté plusieurs fois sa marche arrière pour se garer sur l'emplacement qui lui était réservé et qu'il avait dû se charger lui-même de la manœuvre. Sacré culot ! De toute façon *un créneau* n'était pas la même chose que *conduire.* Elle n'avait que soixante-dix ans et des poussières, elle n'avait pas dit son dernier mot.

Tout là-haut au-dessus du monde ! Elle était lâche. Comment pouvait-on se montrer aussi horrible envers un enfant ? Un petit bout de chou. Pauvre pitchounette. Ça brisait le vieux cœur poussif de Tilly. Si elle avait eu un enfant, elle l'aurait emmitouflé dans de la laine d'agneau et traité comme un œuf, fragile et parfait. Elle avait perdu un bébé à l'époque de Soho. Une fausse couche, mais elle n'en avait jamais soufflé mot à personne. Enfin si, à Phoebe. Phoebe, qui avait essayé de la persuader de s'en débarrasser, disait connaître un homme à Harley Street. Ce serait comme aller chez le dentiste, affirmait-elle. Tilly n'aurait jamais songé à faire une chose pareille. Le bébé

1. William Wordsworth.

avait vécu presque cinq mois, lové en elle comme un loir, avant qu'elle le perde. C'était un vrai bébé. Aujourd'hui, on aurait peut-être pu le sauver. « Ça vaut mieux comme ça », avait dit Phoebe.

Ça ne s'était jamais reproduit et Tilly supposait qu'elle avait évité de tomber enceinte. Peut-être que si elle s'était mariée ou avait trouvé l'homme de la situation, si elle n'avait pas été aussi préoccupée par sa carrière, elle aurait une famille autour d'elle, un fils solide ou une fille amicale, des petits-enfants. Elle aurait une *vie*, au lieu d'être au milieu de nulle part. Bien que Tilly fût du nord (il y avait si longtemps de ça), l'endroit lui faisait peur maintenant, la ville comme la campagne. *Du nord*, comme le vent, comme la reine des neiges.

Tilly comprenait pourquoi les premiers hommes avaient quitté l'Afrique, mais qu'ils aient continué leur périple au nord des Home Counties[1] la dépassait. Elle était bête, elle aurait dû aller à Harrogate. Un peu de lèche-vitrines du côté des boutiques de mode et déjeuner chez Betty's. Elle aurait dû réfléchir. Aucun signe à présent de la femme tatouée ni de la pauvre gamine. On préférait ne pas penser au genre de vie qu'elle menait. Elle aurait dû faire quelque chose, vraiment elle aurait dû. Pleure, Tilly, pleure.

Chez le marchand de journaux, elle s'acheta un *Daily Telegraph*, un paquet de pastilles mentholées (pour s'entretenir le sifflet) et une tablette de chocolat Cadbury raisins secs noisettes pour le plaisir. Les jours de relâche, il n'y avait pas de camion-restaurant. Tilly adorait le camion-restaurant – les petits déjeuners avec des œufs au bacon, les vrais desserts accompagnés de

1. Comtés qui entourent Londres.

crème anglaise. Elle était une cuisinière abominable et, chez elle, à Fulham, se nourrissait de toasts au fromage.

N'ayant pas assez de monnaie, elle donna un billet de vingt livres à la caissière qui lui rendit la monnaie sur dix.

« Excusez-moi, dit Tilly d'une voix hésitante, parce qu'elle détestait ce genre de situation, mais je vous ai donné un billet de vingt. » La fille lui lança un regard indifférent et affirma : « Un billet de dix.

— Non, non, je suis désolée, de vingt », dit Tilly. Les affrontements lui nouaient les tripes et le reste. Ça venait de papa, toutes ces années auparavant. Il n'avait jamais tort. Un gros bonhomme à bourrasques qui claquait ses filets de morue sur son comptoir de marbre comme pour leur dire « Ça vous apprendra ». Il avait aussi appris à vivre à Tilly. Elle avait fini par s'enfuir, n'avait jamais remis les pieds au Land of Green Ginger, s'était réinventée à Soho, comme beaucoup d'autres filles avant elle. « C'était un billet de vingt, je vous assure », fit gentiment Tilly. Elle sentait la panique l'envahir. Du calme, du calme, se dit-elle. *Respire, Matilda !*

La caissière brandit un billet de dix livres qu'elle venait de prendre dans sa caisse comme s'il s'agissait d'une preuve irréfutable. Mais ç'aurait pu être n'importe quel billet de dix livres ! Le cœur de Tilly cognait désagréablement dans sa poitrine. « C'était un billet de vingt », répéta-t-elle. Elle entendait que son ton perdait de son assurance. Elle était allée au distributeur et il ne lui avait donné que des billets de vingt. Elle n'avait rien d'autre dans son porte-monnaie, raison pour laquelle elle avait donné un billet de vingt à la caissière. Elle entendit des murmures de mécontentement dans la queue derrière elle, une voix bourrue dire « Dépêchez-vous ». On aurait pu croire qu'au bout de toutes ces années sur scène, elle serait capable de se glisser dans un rôle, après tout, c'était dans la peau d'autrui qu'elle se sentait le mieux. Un personnage impérieux, plein d'autorité comme Lady Bracknell ou Lady Macbeth, saurait remettre cette fille à sa place, mais elle eut beau chercher, elle ne trouva que Tilly.

La fille la regardait comme si elle n'était personne, rien. Invisible.

« Vous n'êtes qu'une voleuse, dit soudain Tilly d'une voix trop perçante. Oui, j'ai bien dit, une voleuse.

— Va te faire voir, pauvre conne, ou j'appelle la sécurité », fit la fille.

Il allait lui falloir de l'argent pour sortir du parking à plusieurs niveaux. Où avait-elle fourré son porte-monnaie ? Tilly inspecta son sac à main. Néant. Elle regarda à nouveau. Toujours rien. Il y avait un tas d'autres trucs qui n'avaient rien à y faire. Récemment, elle avait remarqué l'apparition de toutes sortes d'objets mystérieux dans son sac – porte-clés, taille-crayons, couteaux et fourchettes, dessous de verre. Elle n'avait pas la moindre idée de la façon dont ils étaient arrivés là. Hier, elle avait trouvé une tasse *et* une soucoupe ! Les couverts et les tasses suggéraient qu'elle essayait de mettre la table. « On devient un peu klepto sur les bords, Tilly ? » avait lancé en riant Vince Collier l'autre jour à la cantine. « Qu'est-ce que tu veux dire par là, mon chou ? » avait-elle répondu. Vince n'était pas son vrai prénom. Il se prénommait en réalité... euh...

Maman gardait toujours une fourchette en cuivre à long manche pour griller le pain avec les accessoires de cheminée. Elle passait son temps à les astiquer. Elle astiquait tout. Papa aimait que tout soit propre, il se serait bien entendu avec Saskia. La fourchette avait les trois singes de la sagesse représentés au bout du manche. *Je ne vois pas ce qu'il ne faut pas voir.* Plein de choses qu'il ne fallait pas voir au domicile familial. Tilly avait coutume de s'asseoir près de la cheminée et de faire griller des petits pains briochés que maman beurrait. Les petits pains accrochaient aux dents de la fourchette. Papa l'avait une fois lancée sur maman. Comme une lance. Elle s'était fichée dans sa jambe. Maman avait hurlé comme un animal. *Un pauvre animal nu et fourchu*[1].

Elle vida le contenu de son sac sur le siège passager. Une cuillère mystérieuse et un paquet de chips – au fromage et à l'oignon. Elle ne l'avait pas acheté, elle n'aimait pas les chips, qu'est-ce qu'il fichait là ? Pas l'ombre d'un porte-monnaie. La peur lui étreignit le cœur. Où était-il passé ? Elle l'avait encore chez le marchand de journaux. Est-ce que cette horrible caissière le lui avait pris, mais comment ? Qu'allait-elle faire à présent ? Elle était coincée dans le parking. Coincée ! Téléphoner à quelqu'un ? Qui ? Inutile de téléphoner à Londres, on ne pourrait pas lui être d'un grand secours. La gentille assistante de production qui lui avait pris rendez-vous chez l'opticien, comment s'appelait-elle déjà ? Impossible de se rappeler. Un prénom indien et par conséquent plus difficile à retenir. Elle commença à réciter l'alphabet – A-B-C-D-E –, méthode qui l'aidait souvent à stimuler sa mémoire. Tout l'alphabet y passa et toujours rien. *Stupide Tilly.*

Elle avait peut-être seulement les nerfs à fleur de peau. C'est ce qu'on disait d'elle quand elle était petite. Le médecin de famille avait prescrit un fortifiant à base de

1. Shakespeare, *Le Roi Lear* (III, 4).

fer – un truc vert épais comme du mucus qui lui donnait des haut-le-cœur, même si ce n'était pas aussi mauvais que l'huile de ricin ou le sirop de figues. Mon Dieu, les trucs qu'on donnait dans le temps aux pauvres enfants souffrants. Les nerfs à fleur de peau ! Tempérament artistique, préférait penser Tilly. Comme si un fortifiant à base de fer pouvait vous guérir de ça.

Pense à autre chose, ça te reviendra. Espérons-le. Elle se regarda dans le rétroviseur, rajusta sa perruque. Qui eût dit que ça finirait comme ça ? C'était une très belle perruque qui venait de chez un grand faiseur, elle lui avait coûté une fortune. On n'y voyait que du feu. Ça la rajeunissait (enfin, l'espoir fait vivre), pas comme l'horrible moumoute qu'elle devait porter pour jouer la mère de Vince Collier. On aurait dit un tampon Jex. Elle n'était pas complètement chauve, pas comme maman au même âge (comme une boule de billard), elle avait simplement le sommet du crâne dégarni. Rien de plus risible qu'une femme chauve.

Padma ! Voilà comment se prénommait l'assistante. Bien sûr. Tilly tâtonna pour trouver son portable, elle ne savait pas très bien s'en servir, les touches étaient si petites. Elle chaussa ses nouvelles lunettes et examina l'appareil. Ce n'était pas les bonnes, il lui fallait ses lunettes de lecture et quand elle les eut sur le nez, impossible de se rappeler comment on se servait du téléphone, pas la moindre idée. Elle enleva ses lunettes et regarda les autres véhicules garés. Tout était une masse floue. Elle n'avait pas la plus petite idée de l'endroit où elle était.

Elle posa le portable sur le siège passager. *Respire, Matilda.* Elle regarda ses mains sur ses genoux. Que faire ?

Quand on était perdu, il vous fallait un plan. Ariane et son fil. Tilly avait un plan de Leeds trouvé chez un marchand de journaux. Elle réussit on ne sait comment à regagner le centre commercial. Il était bien éclairé, plus brillant que le soleil. Tilly aurait juré sentir l'électricité bourdonner dans ses os. Elle fut déconcertée d'entendre la voix de sa mère, venue des années lointaines de son enfance, lui dire dans les haut-parleurs : « Si tu te perds, adresse-toi à un agent de police. » Tilly comprit qu'elle devait être folle parce que la dernière fois que sa mère lui avait dit ça remontait à plus de soixante ans, sans parler du fait que sa mère était morte depuis plus de trois décennies et que, même si elle avait été en vie, il était hautement improbable qu'elle passe une annonce dans un centre commercial de Leeds.

De toute façon, il n'y avait pas le moindre policier en vue.

Le marchand de journaux lui disait quelque chose, elle y était certainement déjà venue. Elle mit ses lunettes et ouvrit son plan. Pourquoi ? Qu'est-ce qu'elle cherchait ? Une issue pour sortir du neuvième cercle de l'enfer. C'est là qu'étaient les traîtres, non ? C'était la place de Phoebe, pas de Tilly. Alors qu'elle sortait du magasin, le nez sur son plan, une fille au visage méchant qui mâchait du chewing-gum derrière le comptoir lui cria « Hé, vous là-bas ! » Tilly jugea préférable de l'ignorer, on ne savait jamais ce que ce genre de fille vous voulait.

Elle arriva au pied de l'escalator avec le plan qui pendait inutile dans sa main. Il faisait très chaud, la chaleur devait lui détériorer le cerveau. Elle s'éventa avec le plan. Un jeune au visage rouge d'acné comme l'intérieur d'une grenade surgit devant elle.

« Est-ce que vous avez réglé cet article, madame ? » s'enquit-il en désignant le plan. Le cœur de Tilly se mit à battre à tout rompre, comme un marteau-pilon annonçant la fin. Elle avait la bouche sèche, des bourdonnements dans les oreilles, l'impression qu'un insecte essayait de s'échapper de son cerveau. Remuant et ondulant, un rideau descendit devant ses yeux, c'était ainsi qu'elle se représentait l'aurore boréale bien qu'elle ne l'eût jamais vue. Elle avait toujours voulu aller au pôle Nord – une destination si romantique. Les lumières septentrionales. Elle était en ébullition, fiévreuse. *N'aie crainte, l'île est pleine de bruits*[1]. Pense à quelque chose de froid. Tilly se souvenait d'avoir frissonné sur les quais avec son père, l'hiver, à regarder les chalutiers rentrer au port après une campagne de pêche dans les eaux arctiques. Des endroits mystérieux – l'Islande, le Groenland, Mourmansk. Les ponts encore glissants de glace. Son père achetant du poisson au marché, de grands plateaux de morues, couchées sur de la glace pilée. De gros poissons, tout en muscles. Les pauvres, se disait-elle, nageant dans les eaux froides et profondes du nord pour finir sur l'étal de son père. *Du nord.* Comme le vent, comme la reine des neiges. La morue-reine.

« Vous avez un ticket de caisse pour cet article, madame ? » tonna la voix du jeune boutonneux avant de s'estomper. Le rideau de l'aurore boréale vibra et se réduisit à une tête d'épingle noire. « Veuillez m'excuser », murmura Tilly. Je tombe, songea-t-elle, mais une paire de bras costauds la rattrapa et une voix dit : « Du calme. Tenez bon. Ça va ? Vous avez besoin d'aide ?

— Non, merci, ça ira. » Elle s'entendait haleter. Comme un cerf. Son cœur battait à tout rompre comme celui d'une biche aux abois. *Si un cerf veut une biche,*

1. Shakespeare, *La Tempête* (III, 2).

qu'il aille trouver Rosalinde. Elle avait joué dans *Comme il vous plaira* à deux reprises dans sa jeunesse. Jolie comédie. Le cerf blanc était un signe avant-coureur de ruine pour les Celtes. C'est Douglas qui lui avait expliqué ça. Il savait tellement de choses ! Une mémoire merveilleuse. Le White Hart dans Drury Lane, elle allait parfois avec Douglas boire des pink gins dans ce pub. Plus personne ne buvait de pink gin, si ? Oh, mon Dieu, je vous en supplie, arrêtez tout ça !

« Je cherchais un agent de police, dit-elle à l'homme qui lui avait demandé si elle avait besoin d'aide.

— J'ai été policier », répondit-il.

L'ex-policier sympathique la guida. Le jeune boutonneux ouvrait la marche. Ils se retrouvèrent dans une petite pièce austère, peinte en diverses nuances de beigeasse. Ça lui rappela l'infirmerie de son école. Il y avait une table métallique à plateau de Formica et deux chaises en plastique rigide. Allait-on la questionner ? La torturer ? Une fille avait remplacé le jeune boutonneux, elle tira une chaise, dit à Tilly : « Ne bougez pas, je reviens dans une minute », et elle tint parole : elle apporta une tasse de thé bouillant et sucré et une assiette de biscuits RichTea.

« Je m'appelle Leslie, dit la fille, avec un "ie" à la fin. Vous en voulez un ? demanda-t-elle à l'homme qui avait été policier.

— Non, merci, dit-il.

— Vous êtes américaine ? » demanda Tilly qui faisait un effort pour engager poliment la conversation. Thé, biscuits, bavardage. Il fallait sauver les apparences.

« Canadienne.

— Ah, bien sûr, pardonnez-moi. » Tilly avait d'ordinaire l'oreille pour les accents. « Figurez-vous que j'ai perdu mon porte-monnaie, dit-elle.

— On ne va pas l'arrêter pour vol à l'étalage, n'est-ce pas ? » demanda l'ex-policier.

Vol à l'étalage ! Tilly gémit d'horreur. Elle n'était pas une voleuse. Elle n'avait jamais rien volé sciemment, pas même un crayon. (Tous ces couteaux, toutes ces fourchettes, tous ces porte-clés et ces paquets de chips n'avaient pas pu être volés parce qu'ils ne lui faisaient aucune envie. Absolument aucune.) À la différence de Phoebe. Phoebe passait son temps à « emprunter » bracelets, souliers, robes. Elle lui avait emprunté Douglas et ne l'avait jamais rendu.

« Vous êtes sûre que ça va aller ? demanda l'homme en s'accroupissant à côté d'elle.

— Oui, oui, merci infiniment », dit-elle. C'était si agréable de rencontrer un vrai gentleman de nos jours.

« Parfait, je vais y aller dans ce cas, l'entendit-elle dire à la fille.

— Vous vous sentez mieux maintenant ? demanda la fille prénommée Leslie, une fois l'homme parti.

— Vous allez me poursuivre ? » demanda Tilly. Elle entendit le tremblement dans sa voix. La fille devait la prendre pour une vieille toquée. Elle ne pouvait guère le lui reprocher. Elle était une vieille folle qui ne retrouvait plus son chemin. *Stupide Tilly.*

« Non, dit la fille. Vous n'êtes pas une criminelle. »

Le thé était merveilleux. Tilly en aurait pleuré quand elle but la première gorgée. Il la requinqua à tous points de vue. « Que je suis bête, dit-elle. Je ne sais pas ce qui s'est passé, j'ai eu un passage à vide, voyez-vous ? Non, bien sûr, vous ne voyez pas, ajouta-t-elle en souriant à la fille. Vous êtes jeune.

— Ça doit être le choc d'avoir perdu votre portemonnaie, dit Leslie avec bienveillance.

— Il y avait une femme, dit Tilly, elle était horrible envers une gamine. Pauvre petite puce. Je voulais trouver quelqu'un qui intervienne. Mais ça ne s'est pas fait. C'est sûr que vous n'allez pas m'arrêter ?

— Non, dit Leslie. Vous vous êtes oubliée, c'est tout.

— Exactement ! s'exclama Tilly que l'idée réconforta énormément. C'est tout à fait ça, je me suis oubliée. Et à présent la mémoire m'est revenue. Tout ira bien. Sûr et certain. »

∽

Dans son esprit, Leeds était un endroit où il pleuvait tout le temps, mais le temps était parfait aujourd'hui. Roundhay Park était rempli de gens impatients de voler une belle journée au climat anglais. Partout des hordes, personne n'allait donc au travail ? Il supposa qu'on aurait pu dire la même chose de lui.

Il tomba sur une image de bonheur inattendue. Un petit chien hirsute cavalait autour du parc comme s'il venait d'être libéré de prison. Il dérangea une volée de pigeons qui se disputaient un sandwich abandonné : ils s'envolèrent avec des battements d'ailes agacés lorsqu'il aboya tout excité après eux. Il se remit à courir à toute berzingue, fit un dérapage contrôlé et s'arrêta, une seconde trop tard, près d'une femme allongée sur une couverture. Elle hurla et lui lança une de ses tongs. Le chien attrapa la tong au vol, la secoua comme si c'était un rat, la laissa choir et courut vers une petite fille qui se mit à crier parce qu'il sauta pour essayer de lécher la glace qu'elle tenait à la main. Lorsque la mère de l'enfant le menaça des pires représailles, il se sauva et aboya longtemps après quelque chose d'imaginaire avant de trouver un bout de branche qu'il traîna en tournant en rond jusqu'à ce que son attention soit attirée par une odeur plus intéressante. Il farfouilla avec sa truffe et finit par en découvrir la source : la crotte séchée d'un autre chien. Il la renifla avec un plaisir de connaisseur avant de s'en désintéresser et de trotter vers un arbre contre lequel il leva la patte. « Fous le camp », cria un homme, non loin de là.

Le chien n'appartenait apparemment à personne, mais voici qu'un homme surgit et fonce sur le chien en vociférant « Salepetitclébardviensiciquandjet'appelle ! » C'était un sacré gaillard, à l'air méchant et au torse puissant, comme un rottweiler. Ajoutez à ça la boule à zéro, des muscles d'haltérophile, la croix de St George tatouée sur le biceps gauche, un tatouage de femme à moitié nue sur l'avant-bras droit et vous aviez le parfait gentleman anglais.

Le chien avait un collier, mais en guise de laisse, l'homme tenait un genre de corde à linge avec un nœud coulant à une extrémité. Sans prévenir, il attrapa le chien au lasso. Puis il le souleva et le pauvre toutou commença à suffoquer et à agiter désespérément ses petites pattes. L'homme laissa tomber le chien tout aussi soudainement et lui flanqua un coup de pied qui atterrit sur son petit arrière-train fragile. La pauvre bête eut un mouvement de recul et se mit à trembler d'une façon qui déchirait le cœur. L'homme tira sur la laisse-lasso et traîna le chien derrière lui en criant « Je vais te faire piquer, c'est ce que j'aurais dû faire à la minute où cette garce est partie ».

Des chiens et des Anglais fous de sortie sous le soleil de midi.

Il y eut très vite une bronca : les gens protestaient véhémentement contre le comportement de l'homme, un grondement confus de paroles indignées : *une pauvre créature innocente – attaque-toi à aussi gros que toi – fais gaffe, mon vieux.* Les gens sortirent leur portable et commencèrent à prendre l'homme en photo. Il sortit son iPhone. Il avait longtemps résisté aux tentations de la Pomme, mais avait fini par succomber. C'était une petite merveille. Il avait déjà huit ans quand ses parents avaient acheté une télé d'occasion qui donnait l'impression d'émettre de la planète Mars, avant ça ils n'avaient que la radio pour se distraire et s'informer. Au cours de son demi-siècle d'existence – une nanoseconde sur la pendule de la fin du monde – il avait été témoin des avancées technologiques les plus incroyables. Il avait commencé avec une vieille TSF dans un coin du salon et à présent il tenait dans sa main un téléphone sur lequel il pouvait faire semblant de jeter un morceau de papier froissé dans une poubelle. Le monde avait attendu longtemps pour en arriver là.

Il prit deux ou trois photos de l'homme frappant le chien. Une preuve photographique, on ne savait jamais quand on pourrait en avoir besoin.

Une voix stridente de femme couvrit les autres : « J'appelle la police », et l'homme de lancer rageusement « Occupe-toi de tes fesses, connasse » en continuant à traîner le chien le long du sentier. Il marchait si vite que le pauvre toutou boula deux ou trois fois avant de rebondir en raclant le revêtement en dur.

Ce châtiment cruel sortait de l'ordinaire. Sous une forme ou sous une autre et sans qu'il en fasse toujours les frais, il avait côtoyé la violence toute sa vie, mais il y avait des limites à tout. Un petit chien sans défense semblait en être une.

Il suivit l'homme hors du parc. Celui-ci se dirigea vers sa voiture garée à proximité, ouvrit son coffre, attrapa le chien et le jeta dedans. Le pauvre toutou se recroquevilla, tout tremblant et gémissant.

« Tu ne perds rien pour attendre, mon petit salaud », fit l'homme. Il avait déjà ouvert son portable et l'avait collé à son oreille tout en menaçant le chien du doigt au cas où il tenterait de s'échapper. « Hé, baby, c'est Colin », dit-il d'une voix mielleuse. On aurait dit un Roméo body-buildé.

Il fronça les sourcils en imaginant ce qui attendait le chien une fois à la maison. Colin. Vraisemblablement, rien de bon. Il s'avança, tapa sur l'épaule de « Colin » et dit : « Excusez-moi ? » Quand M. Testostérone se retourna, il lui dit : « En garde.

— Qu'est-ce que vous me voulez, putain » ? fit Colin, et il répondit « C'était de l'ironie » en lui balançant un uppercut aussi brutal que satisfaisant dans le diaphragme. À présent qu'il n'était plus soumis aux règlements institutionnels régissant la brutalité, il se sentait libre de frapper les gens à volonté. Il avait peut-être côtoyé la violence toute sa vie, mais c'était tout récemment qu'il avait commencé à voir son intérêt. Avant, il faisait plus de bruit que de mal, maintenant c'était le contraire.

Sa philosophie en matière de pugilat était d'éviter toute fantaisie. Un bon pain bien placé suffisait d'ordinaire à envoyer un homme au tapis. Le coup était motivé par un accès de colère noire. Il y avait des jours où il savait qui il était. Il était le fils de son père.

Comme il se doit, les jambes de Colin se dérobèrent sous lui et il s'écroula avec une expression de poisson en train de crever. Ses poumons émirent d'étranges petits cris perçants tandis qu'il cherchait à reprendre sa respiration.

Il s'accroupit à côté de Colin et dit : « Avise-toi de faire ça à un homme, une femme, un enfant, un chien, même un putain d'arbre – et t'es un homme mort. Tu ne sauras jamais si je te surveille ou pas. Compris ? » L'homme opina du bonnet bien qu'il n'ait toujours pas réussi à respirer, en fait il donnait l'impression qu'il ne le ferait plus jamais. Les gros durs sont toujours des lâches au fond. Son portable était tombé sur le trottoir et on entendait une voix de femme dire « Colin ? Col – tu m'entends ? »

Il se redressa et mit le pied sur le téléphone qu'il écrasa sur le trottoir. C'était inutile et ridicule, mais gratifiant d'une certaine façon.

Le chien était toujours recroquevillé au fond du coffre. Il ne pouvait guère le laisser là. Il l'attrapa donc et fut surpris de découvrir qu'il était tiède alors qu'il frissonnait de tout son petit corps comme s'il était gelé. Il le nicha contre sa poitrine et lui caressa la tête pour essayer de le rassurer : il n'était pas une autre brute qui allait le frapper.

Il s'éloigna avec le chien dans les bras, se retourna une fois pour vérifier que Colin était toujours en vie. Ça ne l'aurait pas trop dérangé qu'il soit mort, mais il n'avait pas envie de se retrouver accusé de meurtre.

Il sentait les petits battements de cœur effrayés du chien, son pouls contre sa poitrine. *Toc-toc-toc.* « Tout va bien, lui dit-il sur le ton qu'il utilisait pour calmer sa fille quand elle était petite. C'est fini maintenant. » Ça faisait longtemps qu'il n'avait pas parlé à un chien. Il essaya de dénouer la corde qu'il avait autour du cou, mais le nœud était trop serré. Il tourna la plaque d'identité du collier pour pouvoir la lire. « Voyons comment tu t'appelles », dit-il.

« L'Ambassadeur ? fit Jackson en regardant le petit chien d'un air dubitatif. Tu parles d'un nom ! »

Il allait à l'aventure, il était un touriste dans son propre pays, il ne s'agissait pas tant de vacances que d'exploration. Les vacances voulaient dire être allongé sur une plage ensoleillée dans un pays paisible avec une femme à ses côtés. Jackson avait tendance à prendre ses femmes là où il les trouvait. D'ordinaire, il ne cherchait pas.

Depuis ces deux dernières années, il vivait à Londres où il louait un petit appartement de Covent Garden dans lequel il avait brièvement partagé un bonheur conjugal bidon avec Tessa, son épouse bidon. Un homme du nom d'Andrew Decker s'était tué (en faisant pas mal de chantier) dans le salon de l'appartement et Jackson était surpris de voir combien ça le dérangeait peu. Une société spécialisée dans le nettoyage des scènes traumatiques était venue (s'il y avait une profession peu attirante, c'était bien celle-là) et une fois que Jackson eut changé la moquette et se fut débarrassé du fauteuil dans lequel Andrew Decker s'était brûlé la cervelle, on n'aurait jamais deviné qu'il s'était passé quelque chose de fâcheux. C'était une mort justifiée et Jackson supposait que ça faisait une différence.

L'identité officielle de Jackson appartenait entièrement au passé – armée, police, détective privé. Il s'était « retiré » un temps, mais avait eu l'impression d'être superflu. Maintenant, il se disait à la « semi-retraite » parce que c'était un terme qui recouvrait un tas de choses qui n'étaient pas toutes légales à strictement parler. Il n'était plus vraiment dans la course, acceptait des missions ici et là. Sa spécialité était la recherche de personnes disparues. Il ne les trouvait pas nécessairement, mais la moitié de l'équation valait mieux que rien. « Au fond, tu cherches ta sœur, disait Julia. Ton Graal personnel. Tu ne la retrouveras jamais, Jackson. Elle est partie. Elle ne reviendra jamais.

— Je sais. » Ça ne changeait rien, il continuerait à chercher toutes les filles disparues, les Olivia, Joanna, Laura. Et sa sœur Niamh, la première fille disparue (la dernière) alors qu'il savait parfaitement où elle se trouvait : à quarante-huit kilomètres de là, dans de l'argile froide et humide.

Jackson avait nettement revu ses exigences à la baisse en matière de voitures et été agréablement surpris par la Saab de troisième main qu'il avait achetée dans une vente aux enchères louche à Ilford. Elle contenait quelques indices inutiles sur ses précédents propriétaires – Une Vierge Marie lumineuse sur le tableau de bord et, dans la boîte à gants, une carte postale froissée de Cheltenham (*Tout va bien ici, Amitiés, N.*) et un bonbon à la menthe d'Everton tout pelucheux. La seule amélioration apportée par Jackson était l'installation d'un lecteur de CD. Il découvrit que c'était facile de vivre sur les routes. Il avait son téléphone, sa voiture et sa musique – qu'est-ce qu'un homme pouvait désirer de plus ?

Avant Tessa, Jackson aimait les belles bagnoles. L'argent que sa seconde épouse lui avait volé était un héritage inattendu – deux millions de livres léguées par une vieille toquée qui avait été sa cliente. La somme lui avait paru énorme à l'époque et semblait modique aujourd'hui comparée aux centaines de milliards perdus par les maîtres de l'univers, même si deux millions permettraient encore de s'acheter l'Islande.

« Comme d'habitude, tu as été l'artisan de ta ruine », avait dit Josie, sa première femme. Il ne s'était pas retrouvé totalement sans ressources. L'argent de la vente de sa maison en France était arrivé sur son compte en banque le lendemain du jour où Tessa l'avait vidé. « Jackson repart pour une nouvelle chevauchée », avait dit Julia.

Bien sûr, il n'avait jamais vraiment eu le sentiment d'avoir droit à cet argent et l'escroquerie de Tessa lui avait plus fait l'effet de voir tourner la roue de la fortune que d'un vol à l'état pur. Ce n'était pas une vraie épouse, c'était une illusionniste, une arnaqueuse. Elle ne se prénommait pas Tessa, évidemment. Elle l'avait vraiment mené en bateau – séduit, courtisé, épousé et dépouillé comme au coin d'un bois. Un policier qui épousait une criminelle, n'était-ce pas le comble de l'ironie ? Il l'imaginait allongée sur une plage quelque part dans l'océan Indien, un cocktail à la main, une fin cinématographique classique pour un casse. (« Les femmes toujours ont été trompeuses[1], Jackson », avait dit Julia dans ce qui ressemblait plus à un éloge qu'à une condamnation de son sexe.) Retrouver les gens était son fort, il était donc d'autant plus ironique que son épouse dévoyée continue à lui échapper. Il avait suivi des indices, des miettes de pain qui jusqu'à présent l'avaient conduit partout et mené nulle part. Il était compétent, mais Tessa lui damait le pion. Il l'admirait presque. Presque.

Il la cherchait toujours et déployait ses recherches aux quatre coins du pays, il la traquait comme un chasseur paresseux suivant une piste. Ce n'était pas tant qu'il vou-

1. Parodie de « Les hommes toujours ont été trompeurs » dans *Beaucoup de bruit pour rien*, Shakespeare.

lait récupérer son argent – une grande partie était investie dans des actions qui étaient tombées au trente-sixième dessous – mais il n'aimait pas qu'on le prenne pour un con. (« Pourquoi pas, si c'est le cas ? » disait Josie.)

En compagnie de sa Saab, il s'était rendu à Bath, Bristol, Brighton, sur la côte du Devon, était descendu dans l'orteil des Cornouailles, remonté dans le Peak District et la région des lacs. Il avait évité l'Écosse, la contrée sauvage où son cœur et sa vie avaient été à deux reprises en danger. (Le meilleur et le pire moment.) Jamais deux sans trois, soupçonnait-il. Mais il s'était aventuré au pays de Galles qui, à sa grande surprise, lui avait plu, avant de traverser la paix rurale étouffante du Herefordshire, du Wiltshire et du Shropshire, les grasses prairies du Gloucestershire et la dégradation postindustrielle des Midlands. Il avait zigzagué à travers les Pennines pour observer les ravages du thatchérisme. Plus de charbon, plus d'acier, plus de chantiers navals. Comme la plupart des pays, découvrit-il, le puzzle déconcertant qu'était sa patrie semblait brouillé avec lui-même. Un royaume désuni.

Depuis qu'il avait quitté l'univers impitoyable du travail, Jackson s'était découvert un goût croissant pour les chemins vicinaux. Il musardait sur les routes secondaires, suivait les veines capillaires sur la carte. Empruntait la route panoramique, teuf-teufait sur les chemins buissonniers, en quête de l'Angleterre pastorale disparue qui était logée dans sa tête et son cœur. Un âge d'or préindustriel. Malheureusement, ce passé arcadien n'était qu'un rêve.

« L'Arcadie » était un mot que Julia lui avait appris lors d'un week-end parisien qui lui paraissait remonter à une vie antérieure. Ils visitaient le Louvre et elle lui avait montré le tableau de Poussin intitulé *Les Bergers d'Arcadie* avec l'épitaphe « *Et in Arcadia ego* ». « Ça se prête à diverses interprétations, évidemment, avait-elle expliqué. Est-ce que ça signifie la mort est présente, même dans ce paradis tout simple, autrement dit, on n'y coupera pas, mec – un *memento mori*, si tu préfères, du genre "J'ai été autrefois comme toi" –, ou bien est-ce que ça signifie la personne qui est morte a eu, elle aussi, un jour la belle vie, ce qui revient au même au fond. Dans les deux cas, on est tous condamnés. Sauf que, bien sûr, les fariboles du *Da Vinci Code* sont venues tout compliquer, ce qui est agaçant au possible. »

Julia avait beau être instinctivement attirée par toutes sortes d'idioties, elle était au fond férue d'antiquité gréco-latine. Elle était aussi très *verbeuse* et Jackson avait cessé d'écouter bien avant la fin de ses explications. Le caractère poignant de l'épitaphe l'avait cependant frappé.

Et voilà qu'il était à la recherche de sa chaumière arcadienne personnelle. La recherche plutôt vague de Tessa s'était transformée en quelque chose de tout autre. Il était un homme en mission immobilière. Il cherchait une patère où accrocher son chapeau, il était un vieux chien à la recherche d'une niche qui ne soit pas souillée par le passé. Un nouveau départ. Elle existait quelque part. Il ne lui restait plus qu'à la trouver.

Il avait gardé le meilleur pour la fin. Le North Yorkshire, un comté splendide, le vortex autour duquel il décrivait des cercles depuis le début. Aucune étape de ses pérégrinations n'exerçait la même attraction sur la magnétite de son cœur que le North Yorkshire. Bien sûr, Jackson était un homme du West Riding, nourri de suie, de jeu à treize et de graisse de bœuf, mais ça ne voulait pas dire qu'il avait l'intention d'aller vivre là-bas. Le dernier endroit où il entendait finir ses jours était celui où ils avaient commencé, celui où toute sa famille était enterrée sans avoir trouvé la paix.

Il régla le GPS sur le cœur du soleil[1], ou, pour être plus précis, York. La voix du GPS de Jackson était « Jane », avec qui il entretenait depuis longtemps des relations conflictuelles. « Pourquoi tu ne coupes pas le son ? disait raisonnablement Julia. En fait, pourquoi tu as besoin d'elle, tu n'arrêtes pas de répéter que tu as un excellent sens de l'orientation. » Il avait bel et bien un bon sens de l'orientation, répondait-il sur la défensive. Il aimait bien avoir de la compagnie, c'est tout.

« Faut sortir, mon chou. »

« Va vers l'est, vieil homme[2] », avait-il dit entre ses dents en programmant les coordonnées dans Jane et en se préparant à franchir une fois de plus l'épine dorsale des Pennines pour regagner le berceau de la civilisation.

Légèrement au sud-est, le corrigea silencieusement Jane.

Il essayait de visiter tous les salons de thé de la chaîne Betty's – un à Ilkley, un à Northallerton, deux à Harrogate, deux à York. Un itinéraire très classe qu'un car de dames du troisième âge aurait approuvé sans réserves. Jackson était un fan de Betty's. On était sûr d'avoir une bonne tasse de café chez Betty's, mais ça allait au-delà du bon café et de la nourriture convenable et du fait que toutes les serveuses avaient l'air de gentilles filles (et femmes)

---

1. Parodie de *Set the controls for the heart of the sun* (Règle les commandes sur le cœur du soleil), chanson des Pink Floyd.

2. Parodie du célèbre « Go west, young man », Va vers l'ouest, jeune homme, formule du XIXe siècle incitant à la conquête de l'Ouest.

qui avaient été rangées dans des boîtes dans les années 30 et déballées le matin même. C'était la façon dont tout était comme il faut. Et propre.

« Plus tu vieillis, plus tu ressembles à une femme, disait Julia.

— Ah bon ?

— Non. » Bien que ce soit fini entre eux depuis longtemps, bien que Julia se soit mariée et ait eu un enfant qui, avait-elle longtemps prétendu, n'était pas le fils de Jackson, elle continuait à jaboter dans sa tête.

Si la Grande-Bretagne avait été dirigée par Betty's, elle n'aurait jamais connu d'apocalypse économique. Installé dans la succursale de St Helen's Square à York, devant un pot de mélange maison et une assiette d'œufs brouillés et de saumon fumé, Jackson fantasmait : le gouvernement était une oligarchie de Betty's, les membres du Conseil des ministres arboraient des tabliers blancs impeccables et faisaient passer des toasts à la cannelle autour de la table. Même quand il se la jouait macho, Jackson devait reconnaître que le monde se porterait mieux s'il était dirigé par des femmes. « Dieu a créé l'homme », lui avait déclaré sa fille Marlee, quelques semaines plus tôt, et Jackson avait cru un instant que son pessimisme adolescent l'avait conduite à se tourner vers une forme d'intégrisme chrétien. Elle avait remarqué son air alarmé et ri. « Dieu a créé l'homme, répéta-t-elle. Puis il a eu une meilleure idée. »

Hahahaha. Ou plutôt MDR, comme aurait dit sa fille.

À York, il avait passé de nombreuses heures dans le magnifique hangar aux proportions de cathédrale du National Railway Museum où il avait salué la mémoire de la *Mallard* fabriquée dans le Yorkshire : la locomotive à vapeur la plus rapide du monde, record qu'on ne pourrait jamais lui enlever. Le cœur de Jackson s'était gonflé de fierté à la vue des beaux flancs bleu brillant de la machine. Il ne se passait pas de journée sans qu'il regrette la disparition de l'ingénierie et de l'industrie. *No country for old men.* Non, ce pays n'était pas pour le vieil homme.

Outre les salons de thé, Jackson avait découvert au cours de son voyage un plaisir inattendu à « faire » les abbayes en ruine du Yorkshire – Jervaulx, Rievaulx, Roche, Byland, Kirkstall. Le nouveau passe-temps de Jackson. Les trains, les pièces, les timbres, les abbayes cisterciennes, les salons de thé Betty's, tout ça relevait d'un instinct masculin à demi autiste de la collection – d'un besoin d'ordre ou d'un désir de posséder, ou les deux.

Il lui restait encore à s'attaquer à Fountains, la mère de toutes les abbayes. Des années plus tôt (des décennies à présent) Jackson avait fait, événement rarissime, une excursion scolaire à Fountains. Son établissement scolaire n'était pas le genre à organiser des sorties. Tout ce qu'il se rappelait, c'était qu'il avait joué au foot dans les ruines jusqu'à ce qu'un prof y mette bon ordre. Ah oui, et aussi qu'il avait essayé d'embrasser une fille du nom de Daphne Wood au fond du car qui les ramenait chez eux. Et qu'il avait reçu un sacré marron pour sa peine. Daphne Wood avait un crochet du droit magistral. C'était elle qui lui avait enseigné qu'un coup bas éclair valait mieux que de tourner autour du pot avec des feintes de duelliste. Jackson se demandait où elle était à présent.

Rievaulx était sublime, mais son abbaye préférée jusque-là était Jervaulx. Propriété privée, un tronc à la porte en guise de caisse, aucun logo des Monuments historiques. Les ruines avaient touché un endroit de son âme sans voix, mélancolique, ce qui pour Jackson l'athée était ce qui se rapprochait le plus de la sainteté. Il regrettait Dieu. Mais il n'était pas le seul. En ce qui concernait Jackson, Dieu s'était éclipsé il y a belle lurette et il ne reviendrait pas, mais comme tout bon architecte, il avait laissé son œuvre derrière lui. Le North Yorkshire avait été conçu lorsque Dieu régnait dans toute sa gloire et chaque fois que Jackson y revenait, il était frappé par le pouvoir que le paysage et la beauté exerçaient sur lui.

« C'est l'âge », disait Julia.

Naturellement c'étaient ces riches et puissantes abbayes qui au Moyen Âge élevaient des moutons, les toisons d'or à l'origine du commerce de la laine et de la richesse de l'Angleterre, qui avait à son tour donné naissance aux « usines sataniques » du West Riding, et, partant, à la pauvreté, à la surpopulation, à la maladie, à l'exploitation des enfants sur une échelle qui dépassait l'imagination, à la mort et à la destruction du rêve arcadien. Faute de clou. Ces usines étaient aujourd'hui des musées et des galeries, les abbayes en ruine. La roue tournait.

Le jour où Jackson avait visité Jervaulx, l'abbaye était déserte à part les éternels moutons (les tondeuses à gazon de la nature) et leurs agneaux gras. Il s'était promené parmi les ruines paisibles d'où jaillissaient des fleurs sauvages et avait regretté que sa sœur ne repose pas dans un endroit comme celui-ci au lieu du banal cimetière municipal qui avait été son terminus sur cette terre. Il avait une affaire à régler là-bas, une promesse jamais faite à une sœur morte de venger sa mort absurde. Il supposait que Niamh le ferait toujours revenir au bercail, chant des sirènes entonné par les morts, jusqu'à la fin de ses jours.

« Tous les chemins mènent à la maison, disait Julia.

— Tous les chemins vous en éloignent », répondait Jackson.

Josie, sa première épouse, lui avait dit un jour que s'il s'enfuyait assez loin, il se retrouverait à son point de départ, mais Jackson ne pensait pas que l'endroit où il avait commencé existait encore. Il y était retourné quelques années auparavant, avait emmené Marlee voir sa famille morte et découvert que ce n'était plus la ville dont il avait le souvenir. Les terrils avaient été nivelés, les équipements miniers avaient disparu depuis longtemps, seule la roue du chevalement de la mine, coupée en deux et plantée sur un rond-point dans les faubourgs de la ville, subsistait, plus décorative que commémorative. Il ne restait pas grand-chose pour indiquer que c'était l'endroit où son père avait passé sa vie à trimer dans l'obscurité.

Niamh gisait six pieds sous terre depuis presque quarante ans – trop tard pour traquer les indices, flairer l'ADN, interroger les témoins. Le cercueil était fermé, l'affaire enterrée comme elle. Quand elle avait été assassinée, sa sœur avait tout juste trois ans de plus que sa fille aujourd'hui. Marlee en avait quatorze. Un âge dangereux, même si, regardons les choses en face, Jackson pensait que tous les âges étaient dangereux pour les femmes.

Dix-sept ans. La vie de Niamh avait à peine commencé quand elle s'était arrêtée. Sa sœur ne pouvant s'arrêter pour la mort, la mort s'était gentiment arrêtée pour elle. Emily Dickinson. De la poésie ? Jackson ? Le croira qui voudra.

Il s'était pris de passion pour la poésie deux ans plus tôt, lorsqu'il avait failli mourir dans un accident de chemin de fer. (Résumée, la vie de Jackson paraissait toujours plus tragique que la version longue un rien lassante.) Les deux choses n'étaient pas nécessairement liées, mais une fois ressuscité, il avait décidé de combler, un peu tard, les lacunes de son éducation au rabais. En matière de culture, par exemple. Quand il vivait à Londres, il s'était fixé un programme ambitieux, avait festoyé au généreux banquet offert par la capitale – galeries d'art, expositions, musées, et même de temps à autre un concert de musique classique. Il s'était découvert un certain goût pour Beethoven, les symphonies en tout cas. Luxuriantes et mélodieuses, elles semblaient s'adresser à l'âme. Il avait écouté la Cinquième aux Proms. Rebuté par le charivari chauvin de la dernière soirée, il n'était encore jamais allé aux concerts de la BBC du Royal Albert Hall et les « Promenaders » m'as-tu-vu s'étaient révélés des branleurs suffisants et hyperprivilégiés, mais Beethoven n'avait pas écrit sa musique pour eux. Il l'avait écrite pour Monsieur Tout le monde, sous la forme d'un vieux briscard surpris d'être ému aux larmes par le crescendo triomphant des cuivres et des archets.

Il n'était pas beaucoup allé au théâtre : Julia et ses amis comédiens avaient étouffé dans l'œuf toute espérance de ce côté-là. Il avait commis l'erreur d'emmener Marlee voir du Brecht : trois heures de crampes aux fesses à la fin desquelles il avait eu envie de crier « Ouais ! T'as raison, la terre tourne autour du soleil, tu l'as dit en arrivant sur scène et t'as pas arrêté de le répéter depuis. Ça va, j'ai pigé ! » Marlee avait dormi pendant la plus grande partie de la représentation. Il ne l'en aimait que plus.

Cette tentative d'amélioration de soi était allée au-delà de la peinture, des récitals de piano et des pièces de musée, il avait lu avec détermination les classiques de la littérature mondiale. La fiction n'avait jamais été son truc. La réalité n'était-elle pas un défi suffisant ? À quoi bon inventer ? Ce qu'il découvrit, c'est que les grands romans portaient sur trois choses – la mort, l'argent et le sexe. À l'occasion une baleine. Mais la poésie s'était glissée en lui sans y être invitée. *Un Crapaud peut mourir de Lumière !*[1] Dingue. Voilà qu'il songeait à sa sœur disparue depuis longtemps avec l'aide d'une femme qui sentait un enterrement dans son cerveau.

En quittant Jervaulx, Jackson avait mis un billet de vingt livres dans le tronc – c'était plus que le billet d'entrée le plus cher, mais il en avait eu pour son argent. En outre, il aimait que même à notre époque il y ait encore des gens prêts à croire à l'honnêteté de l'être humain.

Quand il avait treize ans, Jackson avait passé l'un des meilleurs étés de sa vie en lisière des Yorkshire Dales, dans une exploitation agricole du nom de Howdale. Il n'avait jamais très bien su s'il devait cette idylle rurale à l'Église ou à l'État – il supposait que c'était le prêtre de la paroisse ou son travailleur social qui l'avait organisée. Le travailleur social avait été une acquisition temporaire : il avait surgi un beau jour lors de la pire année de sa vie et disparu tout aussi mystérieusement quelques mois plus tard, alors que c'était toujours la pire année de sa vie. Le travailleur social était (apparemment) là pour l'aider et le guider durant cette terrible année de deuils qui avait commencé par la mort de sa mère minée par un cancer et s'était terminée par le suicide de son frère après le meurtre de leur sœur. (« Qui dit mieux ? » ronchonnait-il parfois intérieurement du temps où il était policier et écoutait le récit des malheurs moins impressionnants d'un inconnu.)

1. Emily Dickinson.

Les vacances à Howdale avaient été une bouffée d'air frais dans la sombre existence qu'il partageait avec son père, un homme en colère et au cœur de charbon. À l'époque, Jackson n'avait pas analysé son chagrin, pas plus qu'il ne s'était étonné qu'un homme âgé affable qu'il n'avait jamais vu auparavant (« Je suis ce qu'on appelle un bénévole, mon gars ») l'arrache à sa petite maison mitoyenne incrustée de suie pour l'emmener dans la verte campagne des Dales et le dépose dans une cour de ferme où un troupeau de vaches noir et blanc entrait dans la salle de traite. Jackson n'avait encore jamais vu une vache de près.

L'exploitation était dirigée par un couple du nom de Reg et Joan Atwell. Ils avaient un fils et une fille adultes, le fils travaillait dans une compagnie d'assurances à York et la fille était infirmière au St James's Infirmary de Leeds : ni l'un ni l'autre n'était intéressé par l'exploitation qui appartenait à la famille depuis cinq générations. L'enfant-loup que Jackson était devenu avait dû mettre la patience des Atwell à rude épreuve, mais ils s'étaient montrés d'une bonté et d'une tolérance exceptionnelles. Jackson espérait qu'il ne les avait pas déçus et, si c'était le cas, il en était vraiment désolé.

Il revoyait la cuisine avec sa cuisinière Rayburn toujours allumée, sur laquelle trônait en permanence une grosse théière brune contenant du thé qui avait la couleur de vieilles feuilles de chêne. Il sentait encore l'odeur des énormes petits déjeuners de Mrs Atwell : du porridge servi avec de la crème et du sucre roux, des œufs sur le plat, du jambon, du pain et de la confiture maison. Deux ouvriers agricoles se joignaient à eux au petit déjeuner, ils avaient déjà abattu une demi-journée de travail.

Il y avait un vieux canapé recouvert d'un jeté en crochet qui grattait, sur lequel ils s'asseyaient le soir. Les

Atwell vivaient pratiquement dans la cuisine. Le chien de berger, un border collie du nom de Jess, se couchait sur la carpette de Catalogne devant la Rayburn. Mr Atwell disait : « Fais une petite place au garçon, maman », mais le plus clair du temps, Jackson s'asseyait sur la carpette avec Jess. C'était la seule fois où Jackson s'était senti proche d'un chien. Sa famille n'avait jamais eu d'animal de compagnie et quand il avait eu lui-même une famille, son épouse Josie avait restreint les animaux domestiques au menu fretin de la Création – hamsters, cochons d'Inde, souris. Petite, Marlee avait un lapin du nom de Muffin, une énorme bête aux oreilles tombantes qui se mettait en garde devant Jackson comme s'il était sur un ring et prêt à aller jusqu'au bout. « Animal de compagnie » n'était pas le mot que Jackson aurait employé pour le décrire.

Il avait offert un border collie à Louise. Un chiot. Le choix avait été inconscient. Il avait fui l'Écosse et l'inspectrice divisionnaire Louise Monroe, et pour compenser son départ avait – sans s'en rendre compte – laissé une créature qui lui tenait à cœur. Elle avait gagné au change. Il ne pourrait jamais vivre avec Louise désormais. Elle était dans la légalité, il n'y était plus.

Il avait été question de le laisser à Howdale à la fin de l'été, mais malheureusement le mystérieux gentleman âgé l'avait ramené aux tristes réalités de son domicile. Jackson avait écrit aux Atwell (la première lettre qu'il ait jamais rédigée) pour les remercier de leur hospitalité, mais elle était restée sans réponse jusqu'à ce que, plusieurs mois plus tard, leur fille lui écrive (la première lettre qu'il ait jamais reçue) pour « l'informer » que ses parents étaient tous les deux morts à un mois de distance, d'abord son père, d'une maladie de cœur, puis sa femme le cœur brisé. Jackson ayant sucé la culpabilité dans le lait de sa mère catholique, s'était senti tacitement accusé d'avoir contribué à leurs morts prématurées.

Il se demandait parfois si les Atwell l'auraient gardé s'ils avaient eu le cœur plus solide. Serait-il devenu un ouvrier agricole, serait-il aujourd'hui en train de rouler dans les collines au volant d'un tracteur avec un chien de berger à ses côtés ? (Faute de clou.)

Pendant un moment, après son *annus horribilis* (c'est la reine qui lui avait obligeamment appris l'expression), Jackson avait fantasmé : il avait quelque part, dans la diaspora irlandaise, une autre famille que sa mère avait négligé de mentionner. Il l'imaginait revenant sur terre pour lui parler d'eux (*Ah, bien sûr, les McGurk à Pontefract, ils vont s'occuper de toi, Jackson*). Des gens tout à fait ordinaires, comme ceux qu'il voyait à la télé et dont il lisait les aventures dans les bandes dessinées et (à l'occasion) dans les livres – des cousins, cousines qui travaillaient dans des bureaux, des magasins, conduisaient des taxis, mettaient au monde des bébés. Des oncles qui posaient eux-mêmes leur papier peint et avaient des jardins ouvriers, des tantes qui faisaient de la pâtisserie et connaissaient la valeur de l'amour et de l'argent – ils existaient tous quelque part, habitants de son soap opera personnel, et attendaient qu'il les trouve pour le serrer à l'étouffer sur leur poitrine réconfortante. Mais ils ne se manifestèrent jamais et, les trois années suivantes, Jackson habita un vide existentiel, juste son père et lui murés dans le silence.

À l'âge de seize ans, Jackson s'engagea dans l'armée. Il embrassa sa nouvelle existence austère avec le zèle d'un moine combattant découvrant les vertus de la discipline. Il fut brisé et reconstruit, sa seule et unique allégeance alla à sa nouvelle famille brutale. L'armée était dure, mais ce n'était rien à côté de sa vie précédente. Jackson était soulagé d'avoir enfin un avenir. N'importe lequel.

Si sa mère était allée voir le médecin plus tôt avec son cancer au lieu de souffrir le martyre en bel archétype de la mère irlandaise, elle aurait peut-être frappé son frère Francis à la tête avec un journal roulé (forme de communication répandue dans sa famille), lui aurait dit de se remuer les fesses (il avait une gueule de bois carabinée) et de braver la pluie pour aller chercher sa sœur à l'arrêt de car. Niamh n'aurait alors pas été victime de l'agresseur inconnu qui l'avait violée et étranglée avant de jeter son corps dans le canal. Faute de clou.

Après la visite de Jervaulx, Jackson avait fait un pèlerinage à Howdale. Se fiant à son instinct, un peu aidé mais également retardé par Jane, son GPS, il emprunta des petites routes de campagne jusqu'au moment où il vit une pancarte annonçant *Ferme de Howdale, gîtes ruraux*. Il s'engagea dans ce qui avait été autrefois un chemin de terre boueux, mais était à présent une allée goudronnée de frais, et aperçut le bâtiment de ferme campé au bout. La laiterie adjacente et une poignée de chaumières d'ouvriers agricoles dont il avait oublié l'existence avaient été retapées et repeintes dans une harmonie des verts et des blancs. Pas l'ombre d'une vache ni d'un mouton, pas d'odeur de fumier ni de fourrage, ni l'habituel bric-à-brac de vieilles machines agricoles rouillées. L'endroit était devenu une ferme pasteurisée de livre d'images. Jackson avait jadis effacé son passé et voilà que son passé l'avait à son tour effacé.

Jackson descendit de voiture et regarda autour de lui. Il y avait une aire de jeux pour les tout-petits à l'endroit où Mrs Atwell étendait son linge, un large rayon de braquage gravillonné là où se dressait autrefois une vieille grange en ruine. Un groupe de gens de tous âges (ça s'appelait une famille, se remémora Jackson) se détendait verre à la main sur la pelouse qui avait été autrefois une cour de ferme. Il sentit une odeur primitive de viande en train de griller. À la vue de Jackson, les adultes eurent l'air mal à l'aise et un des hommes, prêt à en venir aux mains et brandissant une paire de pinces à barbecue comme une arme, éleva la voix pour demander « Je peux vous aider ? ».

Ne se sentant pas d'humeur bagarreuse dans ce cadre, Jackson haussa les épaules et dit « Non », réponse qui ne fit qu'accentuer la gêne du groupe.

Il remonta dans sa Saab et le rétroviseur lui renvoya l'image d'un homme des bois. Il ne s'était pas rasé depuis plusieurs jours et ses cheveux sales lui tombaient dans les yeux. Il avait un air maigre et affamé qu'il ne reconnaissait pas. Au moins avait-il encore ses cheveux. Tous les hommes aujourd'hui rasaient les quelques poils qui leur restaient sur le caillou dans l'espoir futile d'avoir l'air d'un dur plutôt que d'un type déplumé. Jackson venait d'avoir cinquante ans, réalité qu'il n'assumait pas encore complètement. *L'âge d'or.* (Ouais, bon.) « Une étape importante », avait dit Josie en riant comme s'il s'agissait d'une vaste blague. Il avait soigneusement évité de fêter l'événement et passé un week-end misérable en solo à Prague, à fuir les groupes d'Anglais ivres qui enterraient leur vie de célibataire. Dès son retour, il avait pris la route.

Sa définition d'âgé avait changé à mesure qu'il se rapprochait de la mort. Quand il avait vingt ans, les vieux, c'étaient les quadragénaires. Maintenant qu'il avait passé le cap du demi-siècle, la définition commençait à devenir plus élastique, mais il n'en restait pas moins qu'une fois quinquagénaire, il était difficile d'éviter le fait qu'on avait un aller simple pour un voyage sans arrêt jusqu'au terminus.

Conscient d'être suivi par des regards méfiants, il s'éloigna. Il comprenait, à leur place, il aurait réagi de la même manière.

À Knaresborough, Jackson chercha Mother Shipton's Cave, une des étapes de son excursion scolaire à l'abbaye de Fountains. L'écolier Jackson avait regardé ébahi les objets pétrifiés – parapluie, bottes, nounours. L'alchimie du puits pétrifiant était simplement due à la haute teneur en calcaire de son eau, pourtant aujourd'hui encore Jackson trouvait que la préservation de ces objets banals avait quelque chose d'étrangement touchant. Son moi plus jeune croyait que « pétrifié » signifiait « terrifié » et s'était demandé si, effrayé par quelque chose ou quelqu'un, il finirait comme ces objets de tous les jours inertes. Ça ne fonctionnait pas comme ça, il le savait à présent. Ce n'était pas celui qui était en proie à l'effroi qui se transformait en pierre, mais celui qui le semait.

Après avoir failli périr dans un accident de chemin de fer, Jackson avait été reconnaissant d'avoir survécu, mais une partie de lui avait redouté que le fait d'avoir été sauvé le ramollisse et le transforme en apôtre de la pensée positive (*Chaque jour est un don, je vais faire en sorte que mon passage sur cette terre compte*, etc.). Aussi avait-il été quelque peu surpris de voir émerger un nouveau Jackson plus froid et plus dur que prévu. « Le Jackson plus mince, plus vache, avait dit Julia en riant. Houlaaa, j'ai la frousse. » Peut-être qu'elle devrait.

Il ne se débarrasserait jamais d'elle maintenant que leur fils les unissait. *Two become one.* Comme diraient les Spice Girls.

Il avait vu Julia à Rievaulx. Il avait tendance à la rencontrer en terrain neutre désormais. Deux ans plus tôt, il s'était produit un incident fâcheux : un Jackson fatigué et émotif s'était présenté à la porte du cottage des Dales que Julia partageait avec son mari, l'hyper bobo Jonathan Carr (le genre artiste et plus bourgeois tu meurs), et lui avait « expliqué » sans détour que, contrairement à ce qu'il croyait, Nathan n'était pas son fils. Il avait des preuves pour appuyer ses dires, avait-il ajouté en lui agitant triomphalement sous le nez les résultats d'un test ADN.

Il y avait naturellement eu quelques coups échangés, mais ça ne comptait guère. Jackson avait menacé d'engager des poursuites pour obtenir la garde de l'enfant, mais il avait conscience de fanfaronner et Julia le savait aussi. (L'opinion de Jonathan Carr comptait pour du beurre, en tout cas pour Jackson.) Jackson ne voulait pas élever un autre enfant, avec ou sans Julia, il voulait seulement établir le principe fondamental de propriété.

Il y avait une délicatesse inexprimée dans leur relation triangulaire. L'homme qui avait engendré le garçon, celui qui l'élevait et, au sommet, la femme traîtresse. *My Son Calls Another Man Daddy.* On pouvait faire confiance à Hank[1] pour dire les choses comme elles étaient.

Il avait vu Julia et Nathan non pas à l'abbaye elle-même, mais sur l'esplanade qui la surplombe et offre une vue d'une beauté à couper le souffle. Elle avait fait ressortir l'âme romantique de Jackson, jadis terrée au fond d'un puits de mine sombre et profond, mais qui derniè-

---

1. *Mon fils appelle un autre homme papa*, chanson de Hank Williams (1923-1953), chanteur, guitariste et compositeur américain de musique country et rock.

rement se montrait sans honte au grand jour. Il s'était peut-être endurci extérieurement, mais son esprit était toujours capable de s'envoler. Rievaulx, la Cinquième de Beethoven, *Mother and child reunion*[1].

Ils avaient flâné entre les deux temples grecs – des folies construites pour amuser des aristocrates du XVIIIe siècle, aujourd'hui placées sous la sauvegarde du National Trust. « Sapristoche, avoir tout ça rien que pour pique-niquer, avait dit Julia. Rends-toi compte. » Sa voix était encore plus enrouée que d'habitude. « Le taux de pollen est élevé », expliqua-t-elle en lui agitant un paquet d'antihistaminiques sous le nez. Jackson était soulagé que Nathan n'ait apparemment pas hérité des poumons de sa mère (ni d'ailleurs de son côté cabotin).

« Personne ne devrait avoir le droit de posséder une vue pareille, fit Jackson.

— Ah, chassez le naturel collectiviste, il revient au galop.

— N'importe quoi.

— Ah oui ? »

Nathan gambadait dans l'herbe devant eux. Julia, débordante de bonhomie et d'amour, l'appelait « le garçon ». Le seul, l'unique. Les hommes étaient une présence constante dans la vie de Julia, mais leur importance était toujours périphérique, y compris, soupçonnait Jackson, son poseur de mari (chapeau à l'homme qui réussissait à rester marié à l'inconstante Julia). Mais pas « le garçon ». Le garçon irradiait au centre de son univers.

« Jonathan est au courant que tu es ici ? s'enquit-il.

— Pourquoi il devrait l'être ? répondit Julia.

— Pourquoi pas ? » fit Jackson.

1. *Retrouvailles d'une mère et de son enfant*, chanson de Paul Simon.

Elle ignora délibérément la question. Rien à faire, elle était impossible. (En cela, du moins, elle était constante.)

« Ruines des chœurs où chantèrent de doux oiseaux et tout ce qui s'ensuit, dit Julia en changeant de sujet. Shakespeare, la dissolution des monastères, ajouta-t-elle pour sa gouverne, ayant au fil des ans découvert que la culture générale de Jackson avait d'immenses lacunes.

— Je sais, je suis au courant. Je ne suis pas totalement inculte.

— Ah bon ? » fit-elle plus distraite qu'ironique. Toute son attention était concentrée sur le garçon, pas sur l'homme. Jackson avait en fait appris un tas de choses sur le choc et l'effroi de la Réforme au cours de ses déambulations dans les abbayes du Yorkshire, mais ça ne servait à rien de se montrer didactique avec Julia, elle en saurait toujours plus long que lui sur tout. Elle était le fruit d'une éducation solide et d'une bonne mémoire, deux choses qui, regardons les choses en face, faisaient défaut à Jackson.

Jackson ignora à son tour Julia et contempla d'un air méditatif (d'aucuns – surtout les femmes – auraient dit stupide) l'amphithéâtre, la merveilleuse cuvette naturelle qui contenait Rievaulx. Même en ruine, l'abbaye était sans pareille, céleste. *Trop mortelle*, dit la voix d'ado blasée de Marlee dans sa tête. Lorsque Nathan serait adolescent, Jackson serait sexagénaire. L'âge de diamant.

« Courage, mon chou, dit Julia, le pire n'est pas toujours sûr.

— Hélas, si », répondit sombrement Jackson.

Jackson devait se rappeler de temps à autre que son périple décontracté et sinusoïdal avait un troisième but.

Tout marchait par trois apparemment. Les Parques, les Furies, les Grâces, les Rois mages, les singes de la sagesse, Dieu en trois personnes.

« Les chiens à trois têtes, ajouta Julia. Pour les pythagoriciens, trois était le premier nombre réel parce qu'il avait, d'après eux, un début, un milieu et une fin. »

Jackson travaillait pour quelqu'un. Il avait beau ne plus être détective privé, ne plus avoir de clients, ne plus s'occuper d'affaires démoralisantes de divorce, de recouvrement de dettes et d'animaux domestiques disparus, il s'était, on ne sait comment, retrouvé avec une certaine Hope McMaster sur les bras, laquelle vivait aussi loin du Yorkshire qu'il était possible de le faire sans commencer à s'en rapprocher. C'est-à-dire en Nouvelle-Zélande.

Il aurait dû dire non, en fait, il était quasiment certain de l'avoir fait lorsque, tout à trac, Hope McMaster lui avait envoyé un long e-mail (trop long, l'histoire de sa vie) à la fin de l'année précédente. *Je suis une enfant adoptée et je me demandais si vous pourriez trouver des renseignements sur mes parents biologiques.* Comme ça lui paraissait simple à présent.

La façon dont Hope McMaster s'était procuré son adresse électronique n'était pas claire, mais à un certain niveau – comme c'était si souvent le cas – Julia semblait y être pour quelque chose (« l'ami d'un ami d'un ami »). Aucun endroit de l'univers n'était sûr. Julia avait sans doute des amis sur la lune (ou des amis d'amis d'amis, à l'infini). Et, allez savoir pourquoi, six degrés de séparation d'avec Julia aboutissaient toujours à Jackson.

Au cours de son odyssée nonchalante, Jackson avait pu faire concorder la traque de sa fausse épouse voleuse avec l'affaire Hope McMaster. Les Cornouailles, Gwynedd, Doncaster, Harrogate étaient des endroits où il avait essayé en vain de débusquer la mystérieuse identité de Hope McMaster. « Donc, dit Julia lorsqu'ils quittèrent l'esplanade pour se réfugier dans le giron réconfortant du Black Swan à Helmsley, tu cherches au fond deux femmes, la tienne et Hope McMaster, et tu n'as pas la moindre idée de qui elles sont vraiment.

— T'as tout compris », fit Jackson.

Dans les faubourgs de Leeds, il avait « fait » Kirkstall Abbey. C'était la première abbaye où il avait remarqué la pierre noircie par la suie industrielle de l'époque où toutes les toisons d'or se transformaient en rouleaux de tissu. Demain, il avait rendez-vous avec une certaine Linda Pallister, conseillère en adoption des services sociaux, avec laquelle Hope McMaster avait déjà eu des contacts. L'avocat de Hope à Christchurch avait donné à Jackson un pouvoir l'autorisant à agir au nom de sa cliente. Jackson plaçait ses espoirs dans Leeds. Leeds était la ville où tout avait commencé pour Hope McMaster et, il le souhaitait de tout cœur, où tout finirait.

Linda Pallister lui fit faux bond. « Linda a malheureusement dû rentrer chez elle. Une urgence familiale, lui expliqua la réceptionniste. Mais le rendez-vous est reporté à demain. »

Après ce contretemps, Jackson passa le reste de l'après-midi à explorer les lieux – comme un flâneur des boulevards – Briggate, The Calls, les Arcades. Le Corn Exchange, l'hôtel de ville (magnifique monument dédié au pouvoir municipal), le Merrion Centre, Roundhay Park – tous ces endroits constituaient une ville qui paraissait à la fois familière et des plus étranges. Il avait l'impression de chercher quelque chose qu'il ne reconnaîtrait qu'une fois qu'il l'aurait trouvé. Sa jeunesse perdue peut-être. Ou le jeune paumé qu'il avait été. La vieille ville sale de ses souvenirs était recouverte d'un vernis neuf et brillant. Ça ne voulait pas dire que la vieille ville sale avait disparu, bien sûr.

Sa dernière visite à Leeds devait remonter à plus de trente ans. Il avait coutume d'y venir quand la ville représentait l'apogée de la sophistication, non que le mot « apogée » fît partie de son vocabulaire à l'époque, et ladite « sophistication » consistait tout au plus à s'acheter un paquet de dix Embassy et à se glisser dans un cinéma pour voir un film classé X. Jackson se souvenait d'avoir piqué des trucs au Woolworths. Des babioles – des bonbons, des porte-clés, des piles. Son père l'aurait écorché vif s'il avait su, mais ça ne lui avait jamais paru être du vol, juste un pied de nez aux autorités. Aujourd'hui, Woolworths n'existait même plus. Qui l'eût cru ? Le magasin serait peut-être encore là si les gosses n'avaient pas barboté tous ces bonbons, ces porte-clés et toutes ces piles. Année après année, ce butin mal acquis devait représenter une fortune.

Au Merrion Centre, il avait volé au secours d'une vieille dame désorientée qu'une tête de linotte de la sécurité essayait d'embarquer. « Ça va ? lui avait-il demandé. Vous avez besoin d'aide ? » Jackson avait récité son mantra habituel : « J'ai été policier », qui parut la rassurer. Elle lui rappelait quelqu'un, mais il n'arrivait pas à mettre le doigt dessus. Sa perruque qui avait glissé sur le côté lui donnait un petit air malencontreusement guilleret. Jackson espérait que quelqu'un le tuerait avant qu'il n'en arrive là. Il supposait qu'il devrait se charger du boulot lui-même. Il avait l'intention de finir comme l'explorateur de l'Antarctique (*Je pourrais en avoir pour un moment*)[1] : il se coucherait sur la glace avec une bouteille du même millésime que lui et sombrerait dans le grand sommeil. Il espérait que le réchauffement de la planète ne saboterait pas son projet.

Le dernier haut lieu de Leeds auquel il avait rendu visite avait été Roundhay Park, une promenade décontractée, s'était-il dit, un peu de soleil et d'air frais à l'écart des foules. Il ne s'attendait pas à en repartir avec un chien. Le voyage interrompu, le cadeau inattendu, la rencontre imprévue. La vie avait ses intrigues.

Avec le recul, Jackson voyait que le rendez-vous annulé par Linda Pallister était le moment où tout avait commencé à partir en quenouille. Si elle l'avait honoré, il aurait passé une heure constructive, aurait éprouvé un sentiment de satisfaction et de résolution, serait peut-être même resté une nuit de plus à l'hôtel : il se serait fait apporter un repas dans sa chambre et aurait regardé un mauvais film sur une chaîne payante au lieu de faire la bringue, le plus clair du temps dans un brouillard alcoolisé, et de coucher avec la première venue. Faute de clou. C'était la faute à Linda Pallister. Au final, tout le monde s'accorderait sur ce point.

∽

1. Lawrence Edward Grace Oates qui en 1912 se sacrifia en sortant dans le blizzard pour ne pas compromettre les chances de survie de ses compagnons lors de l'expédition de Scott dans l'Antarctique.

Tracy téléphona pour brouiller les pistes. « Je suis un peu patraque, je crois que je vais rentrer chez moi plus tôt », et Leslie dit « Pas de problème, j'espère que vous allez vite vous remettre ». Puis Tracy retourna subrepticement au parking récupérer son Audi A4 et emmena Courtney dans un magasin Mamas and Papas à Birstall Shopping Park, où elle acheta un siège-auto pour enfant qui lui coûta la peau des fesses. Pendant toute la durée du trajet jusqu'au centre commercial, elle s'attendit à être arrêtée pour défaut de siège enfant et, dans un accès de paranoïa, obligea la gamine à s'allonger sur la banquette arrière comme une vraie victime d'enlèvement. Tracy avait l'impression qu'une enseigne lumineuse clignotante sur le toit de sa voiture proclamait « C'est pas la mère ! » Elle donna son friand à la mouflette pour l'occuper. Elle avait une vieille couverture écossaise dans son coffre et se demanda si la gamine paniquerait si elle la jetait sur elle. Probablement.

Un tour anxieux du magasin Mamas and Papas confirma ce que Tracy avait toujours soupçonné – les enfants, c'était la ruine. Elle aurait dû le savoir, elle venait d'en acheter un, même si elle l'avait eu à un prix avantageux. Les gosses étaient synonymes de commerce de détail. Quand on n'achetait pas ou ne vendait pas les gosses eux-mêmes, on achetait et on vendait en leur nom. Tracy eut soudain un pincement au cœur. Les deux mille livres qui restaient dans son sac lui pesaient lourd sur la conscience. Elle aurait dû remettre la totalité des cinq mille livres à Kelly Cross. Acheter la gosse à prix cassé lui semblait à présent une erreur.

Tracy laissa le siège-auto dans le magasin et se dirigea vers Gap, Courtney avançait à ses côtés comme un chien drogué. La gamine avait fait un tintouin pas possible dans le Merrion Centre, elle avait gueulé comme un putois, mais maintenant elle semblait marcher sur les traces d'Helen Keller.

Tracy était au plus haut point consciente des caméras de vidéosurveillance. Elle s'imaginait à l'émission *Crimewatch*, le visage de Courtney flouté et le sien grossi à l'attention du public : *Avez-vous vu cette femme ? Elle a enlevé un enfant devant un centre commercial de Leeds.* Elle avait franchi la frontière qui sépare les bons des méchants, elle était passée sans effort de chasseur à gibier.

Que dirait-elle si on l'arrêtait ? « D'accord, j'ai acheté la gamine, mais la transaction était tout ce qu'il y a de plus réglo » ? Ouais, ça passerait comme une lettre à la poste quand on l'embarquerait au violon. Elle était une voleuse d'enfant, une croque-mitaine, le cauchemar de toutes les mères. Mais pas pour Kelly. Kelly voyait probablement en elle son sauveur. Elle n'était certainement pas la première à vendre son enfant. Mais… mais si Kelly n'était pas la mère de la gosse ? Tracy ne comptait plus les enfants pondus par Kelly. Étaient-ils tous à l'Assistance publique ? Et si elle avait gardé la gamine de quelqu'un d'autre ? Dans ce cas, raisonnait Tracy – qui fourbissait déjà des arguments à l'attention des travailleurs sociaux, des policiers, des tribunaux –, quelle qu'ait été sa mère, elle ne s'était pas suffisamment souciée de confier Courtney à quelqu'un de fiable. Confier son enfant à Kelly Cross revenait à la confier à un pitbull. Conclusion : la gamine était en danger.

Elle se souvint de Kelly Cross debout sur la plateforme du bus, avant que les portes se referment, de son expression perplexe quand elle avait dit « Mais elle… » Quoi ? Est pas à moi ? Tracy ferma les portes du bus en esprit. Baissa un lourd rideau de fer. Elle n'avait rien entendu. Elle songea à la petite main chaude qui s'était glissée dans la sienne.

Elle connaissait quelqu'un qui pourrait éclairer sa lanterne. Linda Pallister. Elle s'occupait toujours de placements et d'adoptions, non ? Si elle n'était pas déjà à la retraite, elle pourrait se renseigner sur le statut des enfants de Kelly Cross.

Tracy ne se souvenait plus de la dernière fois où elle avait vu Linda Pallister. Ça devait être au mariage de la fille de Barry Crawford, il y a trois ans. Le commissaire Barry Crawford, un ex-collègue de Tracy. La fille de Linda, Chloe, était très amie avec Amy, la fille de Barry, et sa demoiselle d'honneur principale : dans sa robe en satin orange brûlée, elle était à mettre dans un cerisier. « Dans ma tête, je voyais plutôt du "bronze" pour leurs robes », avait dit d'un air contrit Amy Crawford à Tracy. Pauvre fille, elle n'avait plus que de la bouillie dans la tête depuis qu'elle habitait le pays des morts-vivants. Sa robe de mariée était la meringue blanche habituelle, son bouquet, des fleurs orange canaille et blanches. La boutonnière des hommes était un gerbera orange : on aurait cru un gadget de clown d'où allait gicler de l'eau. (« J'avais envie de quelque chose d'un peu différent », avait dit Amy.)

« C'est très gai », avait commenté Barbara Crawford, la mère de la mariée, en grimaçant devant tout ce tape-à-l'œil. Barbara était endimanchée avec goût dans une robe de soie turquoise. (« Paule Vasseur », murmura-t-elle à Tracy comme s'il s'agissait d'un secret.) Barry et Barbara n'avaient pas lésiné sur les moyens pour leur fille unique et adorée : ils avaient explosé le budget. Par politesse, personne ne fit remarquer que le ventre de la mariée tendait le tissu de sa robe.

Les escarpins des demoiselles d'honneur étaient orange brûlée aussi et leurs bouts pointus dépassaient de leurs robes longues qui ressemblaient à un coucher de soleil de fin du monde. Elles avaient chacune un bouquet accroché au bras par un ruban : on aurait dit un sac à main, un gros diffuseur de parfum, voire un boulet de canon de couleur vive. « J'ai essayé de suggérer autre chose, j'ai vraiment essayé, dit Barbara Crawford dans le *sotto voce* le plus indiscret que Tracy ait jamais entendu. Amy a toujours été extrêmement têtue. »

Le mari d'Amy se prénommait Ivan. Naturellement, Barry l'appelait toujours *Ivan le Terrible.* « Ivan ? C'est quoi ce prénom ? avait-il dit à Tracy après l'annonce des fiançailles de sa fille. Maudit Russe.

— En fait, je crois que c'est parce qu'il avait un grand-père norvégien, avait répondu Tracy.

— Norvégien ? » avait dit Barry incrédule comme si elle venait de lui annoncer que la famille d'Ivan venait de la lune. Ivan était conseiller financier, Tracy l'avait consulté quand elle se demandait comment investir son épargne. « Passez donc me voir pour en discuter, pour une amie de Barry, c'est gratuit », lui avait-il dit le jour du mariage. Il avait l'air d'un type plutôt sympa et assez inoffensif dans l'ensemble, que pouvait-on demander de plus à un être humain ? songeait Tracy. Malheureusement, il avait fait faillite peu de temps après son mariage et perdu son affaire. Personne ne voulait des conseils financiers d'un homme qui n'était même pas fichu de conserver son argent personnel. Barry laissa entendre qu'on soupçonnait une fraude, mais quand Tracy alla voir Ivan pour récupérer des papiers, il lui expliqua qu'il avait perdu une clé USB contenant toutes les coordonnées de ses clients. « Elle a dû tomber de ma poche », fit-il d'un air malheureux. La plupart de ses clients étaient partis après ce fiasco. « J'aurais fait la même chose », dit Ivan.

« Même pas le gâteau traditionnel, gémit Barbara lorsqu'elle tomba sur Tracy en train d'enfourner une part de gâteau de Savoie au chocolat recouvert de crème au beurre.

— Oui, mais il a au moins l'avantage de ne pas être orange », répondit Tracy.

Naturellement, Tracy était mal placée pour critiquer. Elle était boudinée dans un deux-pièces bleu layette en mélange polyester qui faisait tellement d'électricité qu'elle redoutait la combustion spontanée avant même qu'on ait coupé le gâteau. Elle s'était acheté un chapeau qu'elle ne portait pas parce qu'il lui donnait l'air d'un travelo. Tracy pouvait compter le nombre de mariages où elle avait été invitée sur les doigts d'une main, alors qu'elle ne comptait plus celui des obsèques auxquelles elle avait assisté. Des victimes de meurtres pour l'essentiel. Aucun baptême. Ça en disait long sur une vie, non ?

L'orange brûlée avait été un choix malheureux pour l'amie d'Amy, Chloe Pallister, qui avait des cheveux châtain terne et un teint cireux. « Mère de la demoiselle d'honneur, jamais de la mariée », avait dit Linda Pallister en se glissant à côté de Tracy avec un sourire plein d'espoir. Elle n'avait personne d'autre à qui parler. La tenue de Linda pour le mariage, un tee-shirt en velours noir et une jupe qui semblait tissée en toiles d'araignées tie-dye, n'aurait pu être plus inadaptée à l'occasion. Linda arborait aussi un vaste éventail de bagues et de bracelets en argent, ainsi qu'un énorme crucifix passé sur un lacet de cuir. Le crucifix faisait plus pénitence que religion. Linda était devenue chrétienne dans les années 80, décennie où l'évangélisme n'était guère de mode, même si, contre toute attente, Linda avait opté pour un anglicanisme passe-partout. Aucun signe de l'aîné de Linda, Jacob, au mariage. Tracy avait entendu dire qu'il était directeur de banque.

« Votre Chloe est à ravir », mentit Tracy.

Si Tracy téléphonait à Linda Pallister et commençait à la questionner sur les gosses de Kelly Cross, elle se signalerait à son attention, non ? *Quoi, un des enfants de Kelly Cross a disparu ? Voyons voir, l'autre jour Tracy Waterhouse me demandait de les compter !* Tracy avait piqué un gosse. Peu importait le prix qu'elle l'avait payé, peu importait qu'elle déguise la chose sous des dehors vertueux, ça ne la rendait pas légale.

Elle emmena la gamine déjeuner à Bella Italia. La mouflette dévora son pesant de penne et Tracy grignota un peu de pain à l'ail. Elle avait perdu l'appétit. Le régime de la kidnappeuse. Tracy les avait tous essayés – pamplemousse, ananas, chou, Atkins. Des tortures qu'on s'infligeait à soi-même. Elle avait été un gros bébé, une grosse gamine, une grosse adolescente, il y avait peu de chances pour qu'elle se transforme tout à coup en brindille après la ménopause.

Chez Gap, Tracy acheta des vêtements pour Courtney en les mesurant sur la gamine plutôt que de se fier aux étiquettes. « Tu as quel âge, Courtney ?

— Quatre ans », répondit Courtney sur un ton plus interrogatif qu'affirmatif. Elle rentrait sans problème dans du 2-3 ans. « Tu es menue pour ton âge, dit Tracy.

— Et toi, t'es grosse, fit Courtney.

— Je ne dirais pas le contraire », fit Tracy. Ne sachant pas trop comment on s'adressait à un petit enfant, Tracy avait décidé que le mieux était de converser comme si elles étaient toutes les deux adultes.

Elle lui acheta plus de vêtements que prévu, mais ils étaient si mignons, si jolis, c'était le genre de vêtements que Tracy n'avait jamais eus petite fille. Un demi-siècle auparavant, sa mère lui faisait porter des robes chasubles mollassonnes, des pulls en nylon et des chaussures marron à lacets, un look qui n'aurait guère mis en valeur une jolie gamine, alors elle, vous pensez. Ses parents avaient la quarantaine à sa naissance, ils étaient déjà vieux avant l'âge. « On n'y croyait plus, disait sa mère, comme si c'était un soulagement. Et puis tu es arrivée. »

Ses parents étaient trop à couteaux tirés pour s'occuper de leur enfant. Ils se livraient une guerre passive, murés dans un silence hostile pendant que Tracy vivait l'isolement cellulaire de l'enfant unique. Bien que née longtemps après, Tracy se voyait comme un bébé de la guerre.

Courtney essuya son éternel filet de morve sur la manche de son haut rose crasseux. Tracy allait devoir acheter des mouchoirs en papier, c'était le genre d'article que les gens qui s'occupaient d'enfants avaient tout le temps dans leur sac. Il devait y avoir une ribambelle de trucs indispensables pour les gosses, mais quoi, mystère et boule de gomme. Ce serait bien si les gosses vous arrivaient avec un mode d'emploi et une liste de fournitures à acheter.

Le dernier achat de Tracy pour Courtney fut un duffle-coat rouge soldé, vêtement que la petite Tracy, affublée d'une triste gabardine marron, avait toujours convoité. Le duffle-coat avait une doublure écossaise toute douce et des vrais boutons en bois. C'était un article qui montrait que quelqu'un s'intéressait à vous. S'il n'avait pas fait aussi chaud dans la boutique, elle aurait suggéré à la gamine de l'enfiler tout de suite, mais Tracy sentait la sueur lui dégouliner dans le dos et Courtney avait littéralement l'air de cuire dans son jus.

Tracy commençait à faiblir. Elle avait lu quelque part que les magasins et les musées étaient les endroits les plus fatigants. La gosse avait l'air flapie. « Tu veux que je te porte ? » proposa-t-elle.

Ses genoux faillirent flancher sous le poids. Qui eût cru qu'une gosse minuscule puisse être aussi lourde ? Elle avait la pesanteur et la densité d'une petite planète. Tracy retourna en chancelant chez Mamas and Papas, récupéra le siège-auto et l'installa dans l'Audi. Elle n'avait la gamine que depuis trois heures et elle se sentait complètement lessivée, pas étonnant que les parents qu'elle apercevait au Merrion Centre déambulent comme des zombies.

Elle aida Courtney à s'asseoir dans le siège enfant, fut surprise de voir la gamine s'attacher elle-même. C'était normal qu'elle sache faire ça ? Si elle était capable de boucler la ceinture, ça voulait dire qu'elle était aussi capable de la déboucler. « Pas touche, lui conseilla-t-elle. Y a un tas de chauffards sur la route. » La gamine murmura une sorte d'assentiment. Ses paupières étaient bleues de fatigue et elle avait l'air hagard que Tracy avait remarqué chez les enfants maltraités. On ne pouvait que s'interroger. Ce ne serait guère surprenant, en fait, ce serait plus que vraisemblable. Les trucs que les gens faisaient aux gosses avaient de quoi vous flinguer le moral. Aiguille chauffée à blanc, etc. À moins que, comme Tracy, la gosse soit simplement épuisée par la tournure des événements. Il était quatre heures de l'après-midi, mais le temps était devenu élastique, il étirait la journée à l'infini.

Elle regarda dans le rétroviseur et vit que Courtney était déjà endormie et émettait des petits bourdonnements comme une grosse abeille.

∽

Jackson se demanda de quoi un chien pouvait avoir besoin. De nourriture et d'une écuelle, supposa-t-il. Il trouva les deux dans un magasin du nom de Toutouboutique. Il sentit qu'il s'enfonçait en territoire inconnu. Il avait un nouveau rôle. Il savait qui il était, il était propriétaire d'un chien. Avoir un fils lui posait déjà des problèmes, alors un chien, vous pensez.

« Il est mignon le border terrier que vous avez là, dit la femme derrière le comptoir

— Ah bon ? » dit Jackson en examinant le chien. Il avait cru que c'était un bâtard et non un chien de race. En tout cas, il avait l'air d'un bâtard, et pas particulièrement avenant en plus. Le museau du chien et son pelage portaient des traces de sang et la femme s'exclama : « Oh, mon Dieu, il s'est battu ?

— Si on veut », fit Jackson.

La femme jeta un regard désapprobateur sur la corde qui tenait lieu de laisse au chien et demanda « Comment s'appelle cette pauvre petite bête ? »

Jackson parcourut mentalement une liste de noms plus appropriés que celui que le chien avait déjà, mais ne put rien trouver en dehors de « Jess », nom qui était à jamais la propriété du chien berger des Atwell.

« L'Ambassadeur, finit-il par dire. Il s'appelle l'Ambassadeur. » Les oreilles du chien se dressèrent. Jackson se demanda d'où lui venait ce nom. Il essaya de se représenter son armoire à glace d'ancien maître criant « Ambassadeur ! » au milieu d'un champ. À Roundhay Park, c'était un torrent d'injures qui avait jailli de la bouche de Colin. Ça devait être une plaisanterie, il imagina quelqu'un disant « L'Ambassadeur a besoin d'un toilettage », ou encore « L'Ambassadeur dort dans son panier ».

La femme haussa un sourcil sceptique et dit : « L'Ambassadeur ? J'aurais cru que c'était un nom pour un chien plus gros.

— Il a un cœur gros comme ça », répondit Jackson sur la défensive.

La femme balaya du geste son magasin et demanda « Vous désirez autre chose ? Que diriez-vous d'un manteau ? Pour le chien », ajouta-t-elle quand Jackson la fixa ébahi. Il lui semblait que la nature avait donné au chien un manteau parfait, il répondit donc « Non », mais acheta une laisse en cuir et partit avant de se laisser tenter par le petit uniforme de marin accroché derrière le comptoir. Il était vendu avec un petit béret à pompon assorti.

Jackson sortit son couteau de l'armée suisse et, le montrant au chien, lui dit « le meilleur ami de l'homme ». Le chien resta passif quand Jackson coupa la corde qui lui serrait le cou. « Bon chien », fit Jackson.

Quand Jackson avait aperçu le chien la première fois, il avait l'air indiscipliné, mais à présent, il semblait simplement plein d'entrain, marchait sagement sans tirer sur sa laisse ni faire le mariole, et paraissait ravi d'être en sa compagnie. Jackson se demanda si arpenter les rues avec un petit chien qui trottinait d'un pas résolu à ses côtés ne lui donnait pas l'air con. Qu'est-ce que les femmes pensaient des hommes qui avaient des petits chiens ? Allaient-elles croire qu'il était gay ? Le trouver plus digne de confiance qu'un homme sans chien ? (Hitler aimait les chiens, se remémora-t-il.)

Il se surprit à patienter au feu pour traverser. En temps normal, il aurait piqué un sprint héroïque (ou insensé, selon le point de vue – le sien ou celui des femmes de sa vie), mais il attendit stoïquement que le petit bonhomme passe au vert, redevenu parent par le simple fait d'être responsable de plus petit que lui.

Revenu aux alentours du Merrion Centre (il se demanda comment la vieille dame déboussolée s'en était tirée, il avait fait confiance à la jeune Canadienne pour ne pas appeler la police), il descendit dans un Best Western plutôt moche et demanda une chambre pour deux parce que l'idée d'être un homme seul dans une chambre pour une personne ne lui plaisait pas. (« Tu as l'air de mener une vie de VRP », avait dit Josie.

« Espérons que tu ne vas pas te transformer en insecte géant, avait observé Julia en riant.

— Hein ? » avait fait Jackson.)

L'hôtel lui donna une chambre à lits jumeaux, ce qui lui parut encore pire : pour on ne sait quelle raison, le lit inoccupé était comme un reproche.

Jackson était par nature un voyageur frugal. « Tu vis comme un rat », aurait dit son frère. On l'avait habitué à être prudent et économe, autrement dit élevé dans la pauvreté – et plus il vieillissait, plus il se découvrait du goût pour la parcimonie. Ça ne signifiait pas qu'il n'était pas capable de largesses surprenantes de temps à autre, envers les serveuses de Betty's par exemple.

Jackson était descendu dans quelques-uns des meilleurs hôtels de la planète, mais à présent il se contentait de dormir dans les chambres banales et bon marché des Travelodge et des Premier Inn qu'il rencontrait sur son itinéraire de nomade. C'étaient des endroits où on faisait une pause et dont on repartait sans qu'il vous en reste rien. Quand on se réveillait au milieu de la nuit, il y avait quelque chose de réconfortant dans le bruit de moteur de l'hôtel : on avait l'impression d'être sur un navire mettant le cap sur le matin. Jackson savait qui il était dans un hôtel, il était un client.

Au bout de six mois sur les routes, il commençait à se demander s'il avait même envie de s'arrêter. Jackson Brodie, l'homme aux semelles de vent. Le vagabond. Les hôtels devenaient ennuyeux, mais pourquoi pas une caravane ? Les parents de Josie possédaient une petite Sprite qu'ils avaient prêtée à Jackson et Josie à l'époque où on pouvait encore les qualifier de jeunes mariés, et Jackson qui venait de rentrer du Golfe et de quitter l'armée avait envisagé de s'engager dans la Légion étrangère si c'était ça, la vie qui l'attendait désormais – des vacances en caravane en compagnie d'Anglais chauvins et insulaires. Aujourd'hui pourtant, il trouvait que la manie de ses ex-beaux-parents, qui consistait à charger les chariots et à aller de l'avant, tels des pionniers sur la route de l'Ouest, avait un certain charme.

Il pourrait équiper une caravane (il imaginait le genre gitan plutôt que Sprite) aussi ingénieusement qu'un petit bateau et un Jackson ordonné ferait bouillir de l'eau sur un feu de bois, attraperait des lapins avec des petits pièges, s'endormirait avec l'odeur de fumée dans les cheveux. Hormis un lapin écrasé de temps à autre ou l'euthanasie d'une victime de la myxomatose, il n'avait jamais sciemment tué de lapin, mais supposait qu'il pourrait le faire par nécessité. Surtout si c'était un gros lapin du nom de Muffin.

À la réflexion, il n'était pas fait pour la caravane. À dire vrai, il commençait à se lasser de sa vie vagabonde. Il avait envie d'une maison. Il aimerait qu'il y ait une femme dans cette maison. Pas en permanence, il s'était trop habitué à sa propre compagnie pour la partager tout le temps. Il y avait eu une époque où il ne se sentait épanoui que lorsqu'il affrontait la vie épaulé par une femme. Il avait aimé le mariage, plus que sa femme peut-être. Sa vraie femme, pas l'arnaqueuse qui avait été sa seconde épouse. (« Une Fata Morgana, disait Julia. Un mirage. »)

Julia lui avait dit un jour que l'idéal serait quelqu'un qu'on puisse garder dans un placard et sortir quand ça vous chantait. Jackson doutait qu'il y ait des femmes qui acceptent d'être remisées dans un placard. Ça n'empêchait pas les hommes d'essayer d'en trouver.

Sentant que les chiens ne seraient pas les bienvenus au Best Western, Jackson avait vidé la moitié de son sac à dos sur le parking et invité le border terrier qui s'était fait prier à entrer dans l'espace sur mesure. Avec les encouragements de Jackson, il avait fini par s'installer dans les entrailles du sac. Il y avait quelque chose d'admirable dans le caractère de cette bête. « Bon chien », dit Jackson car l'éloge semblait s'imposer.

Une fois dans sa chambre, il le libéra de sa prison. Il ouvrit une boîte de nourriture pour chien qu'il flanqua dans l'écuelle achetée à Toutouboutique. Le chien l'engloutit comme s'il mourait de faim. Il y avait un « plateau de bienvenue » dans la chambre avec du thé, du café, un petit paquet de biscuits, une bouilloire et des tasses. Jackson prit une des soucoupes et la remplit au robinet de la salle de bains. Le chien siffla l'eau comme s'il mourait de soif.

Sur le chemin de l'hôtel, il était passé dans une pharmacie où il avait acheté une trousse de secours et il nettoya les écorchures du chien. Ce dernier supporta stoïquement l'épreuve et ne tressaillit que légèrement lorsque l'antiseptique lui piquait la peau ou que Jackson trouvait une ecchymose. « Bon chien », répéta Jackson.

Jackson alluma la bouilloire électrique et se fit une tasse de thé en partageant le petit paquet de biscuits avec le chien. Après ça, le border terrier sauta sur un des lits jumeaux, se coucha en rond et s'endormit sur-le-champ. C'était le lit que Jackson aurait choisi pour lui, car c'était celui qui se trouvait le plus près de la porte (pour Jackson, une pièce, c'était avant tout les issues) mais, malgré sa petite taille, il était clair que le chien ne bougerait pas.

Le téléphone de Jackson vibra dans sa poche comme une grosse guêpe prisonnière. Deux messages. Le premier était de Marlee qui lui demandait si elle pouvait avoir l'argent de son anniversaire plus tôt. Comme ledit anniversaire était dans six mois, Jackson eut l'impression que le mot « plus tôt » prenait un nouveau sens. C'était un message ouvertement intéressé avec un « Je t'aime » superficiel ajouté à la fin. Il se dit qu'il allait y réfléchir et la laisser mariner quelques jours. Quand sa fille était petite et infiniment, éternellement adorable, il n'aurait jamais cru qu'il aurait un jour des relations antagonistes avec elle.

Le second message était plus affable – c'était un e-mail de Hope McMaster. « *Comment ça se passe ? Ça fait un moment que je suis sans nouvelles.* » Il essaya de calculer l'heure qu'il était en Nouvelle-Zélande. Avaient-ils douze heures d'avance ? C'était le petit matin là-bas. Hope McMaster vivait demain – concept qui dérouta Jackson. Elle lui faisait l'effet d'être quelqu'un qui se levait de bonne heure pour envoyer des e-mails. À moins qu'elle ne soit insomniaque et ne devienne de plus en plus angoissée à mesure que Jackson se rapprochait du trou noir qui se trouvait au début de son existence ? (« C'est un vide », disait-elle.)

Jackson soupira et envoya un SMS : « *Suis à Leeds. R-V avec Linda Pallister demain.* »

Réaction immédiate de Hope McMaster : « *Génial ! Espérons qu'elle apportera quelques réponses.* »

« N'importe quoi, l'autre », dit Jackson au téléphone dans une imitation déconcertante de sa fille butée. « Non, avait-il décrété la dernière fois qu'ils s'étaient vus, pas question que tu aies un tatouage, même pas "un truc joli", ni d'anneau au nombril, ni de mèche bleue dans les cheveux, ni de petit ami. Surtout pas de petit ami. »

« *Oui*, tapa-t-il sur son téléphone en réponse à Hope McMaster. *Espérons-le.* »

L'affaire Hope McMaster s'était avérée être de longue haleine. Ça faisait des mois à présent que Jackson lui faisait son rapport : des e-mails intermittents, laconiques qui lui valaient immédiatement une réponse enjouée sur le temps qu'il faisait à Christchurch (« Il neige ! ») ou « Première journée du petit Aaron à la maternelle (Inutile de vous dire que j'ai versé toutes les larmes de mon corps une fois rentrée à la maison) ». Hope McMaster avait en commun avec Julia une foi (mal placée) dans le point d'exclamation. De l'avis de Jackson, l'enjouement ne se traduisait pas bien à l'écrit.

Il avait toujours vu les Néo-Zélandais comme une race plutôt morose – des Écossais à l'étranger – mais Hope McMaster semblait incroyablement guillerette. Bien sûr, la plupart des idées de Jackson au sujet des Néo-Zélandais lui venaient de *La leçon de piano.* Qu'il avait vu au cinéma, au début de son (vrai) mariage, avant d'avoir un bébé, avant que tout parte à vau-l'eau. Après la naissance de Marlee, ils louaient des vidéos et s'endormaient devant. Aujourd'hui, comme tant d'autres choses dans l'univers de Jackson, les vidéos étaient dépassées.

N'empêche que la Nouvelle-Zélande l'intriguait, pas seulement à cause de Hope McMaster mais parce que, l'an passé, il avait lu les journaux du capitaine Cook et été impressionné par l'héroïsme dont celui-ci avait fait preuve en sa qualité de navigateur et de meneur d'hommes. Il était le premier à avoir fait le tour du monde dans les deux sens. Comme pour la *Mallard*, c'était un record qui ne serait jamais battu. L'*Endeavour* et la *Mallard* étaient des exemples parfaits du genre féminin[1].

Cook était du Yorkshire, naturellement. Son premier voyage en vue d'observer le passage de Vénus devant le soleil et de découvrir le mythique continent austral, le magnifique voyage qui l'avait emmené à Tahiti, en Australie et en Nouvelle-Zélande ne pouvait qu'inspirer le plus grand respect. *Heart of oak*[2]. Parfois Jackson avait des regrets : il ne laisserait pas sa marque sur l'histoire, il ne cartographierait jamais de nouveau pays, il ne se battrait jamais dans une guerre juste. « Estime-toi heureux

1. Les bateaux et les locomotives sont du genre féminin en anglais.
2. *Cœur de chêne* est la marche officielle de la Royal Navy.

d'avoir une vie ordinaire », disait Julia. Julia qui d'une façon ou d'une autre avait toujours voulu être extraordinaire.

« C'est le cas, disait Jackson. Je t'assure. »

N'empêche.

Imaginez-vous entrant dans Poverty Bay pour la première fois, imaginez-vous commandant un héroïque petit trois-mâts jusqu'à l'autre bout du monde. Une terre neuve où le soleil se lève d'abord. « *Christchurch est en fait très anglais à bien des égards, vous savez*, lui écrivait Hope McMaster. *Je ne voudrais pas vous décevoir. Vous devriez venir ! Vous adoreriez la Nouvelle-Zélande !* » Était-ce si sûr ?

Elle n'avait que deux ans quand elle avait quitté l'Angleterre. Que lui en restait-il ? Rien. Que se rappelait-elle de sa vie avant son adoption ? Rien.

La prochaine étape prévue après Leeds était Whitby, terre d'élection de Cook. Jackson aurait bien aimé vivre au bord de la mer, il se voyait dans une vieille maison de pêcheur en bois de marine récupéré. Cœur de chêne. Il ferait une promenade vivifiante sur la plage tous les jours en compagnie du chien et descendrait une pinte le soir avec de vieux loups de mer. Jackson, le pêcheur en eaux troubles.

Whitby était l'endroit où Cook avait fait son apprentissage et où l'*Endeavour* avait commencé son existence de trois-mâts ventru en faisant le commerce de charbon le long de la côte est. Un charbonnier. Jackson gémit à ce mot. Il détestait *Collier*[1]. Un détective de télévision. Vince Collier, ce n'était pas un homme, c'était une construction mentale, un hybride de tout ce qui était

1. *Collier* signifie mineur et charbonnier.

mauvais, concocté par un comité et approuvé par un groupe de discussion.

« *Maman m'a dit que j'étais née Sharon Costello* », écrivait Hope. Ses parents adoptifs étaient un couple sans enfant de Harrogate – le Dr Ian Winfield, pédiatre au St James's de Leeds et son épouse, Kitty, un ex-mannequin. Les Winfield avaient rebaptisé Sharon « Hope » (Espérance).

« *Maintenant que maman est morte – cancer du poumon, une fin pénible – je me sens en droit de poser ces questions sur mes "origines"* », écrivait Hope McMaster. (« Elle a le goût du détail, hein ? » disait Julia.) Il semblait à Jackson que le meilleur moment pour trouver les réponses aux questions de Hope McMaster aurait plutôt été *avant* la mort de sa mère, mais il se garda bien de le dire.

Hope Winfield avait épousé Dave McMaster (« *Il dirige une agence immobilière qui marche bien* ») cinq ans plus tôt et cessé d'enseigner la géographie dans un établissement d'enseignement secondaire pour élever le petit Aaron et le deuxième enfant qu'elle attendait (« *la crevette – comme on l'appelle !* ») Au départ, c'était une simple question de « *curiosité* », disait-elle. Elle aimerait pouvoir « *en dire plus long aux gosses* » sur leur généalogie. « *Quand on a un enfant, on commence à s'interroger sur son héritage génétique et même si mes "vrais" parents seront toujours maman et papa, je ne peux m'empêcher d'être curieuse... vous savez ce que c'est, on a l'impression d'avoir perdu quelque chose sans savoir de quoi il s'agit.* »

Les mauvais gènes de Jackson avaient été modifiés chez Marlee (il l'espérait) par le droit d'aînesse plus tempéré de Josie. Mais quel espoir y avait-il pour Nathan ? Ce n'étaient pas seulement les poumons de Julia qui étaient douteux. Dire qu'elle venait d'une famille tuyau de poêle était un doux euphémisme. Trahie affectivement par ses parents, Julia avait perdu une brochette de sœurs : l'aînée Sylvia s'était suicidée, Amelia était morte d'un cancer et la petite dernière, Olivia, avait été assassinée... par Sylvia. Il y avait eu un autre bébé, Annabelle, qui n'avait vécu que quelques heures et que sa mère avait suivi peu de temps après dans la tombe.

Julia était la seule personne de sa connaissance qui lui damait le pion au jeu du malheur personnel. C'était ce qui les avait attirés l'un vers l'autre pour commencer, c'était ce qui avait fini par les séparer.

« Un par un, tous les petits oiseaux sont tombés du nid », disait Julia. Elle prétendait trouver « un certain réconfort dans les métaphores », point de vue que Jackson ne partageait pas. Il se garda de lui signaler qu'Amelia ressemblait plus à une outarde pesante et que Sylvia, suicidaire et meurtrière, était pire qu'un coucou.

« Le Christ pille le Nid – Merle après Merle – Passés en fraude au Paradis[1] », dit Julia et Jackson fit « Emily Dickinson », rien que pour voir son expression ébahie.

« T'es pas malade, demanda-t-elle. Ou fou ?

— Une Folie totale est divine Santé mentale[2] », répondit-il joyeusement.

« Le meurtre et le suicide ne sont pas *génétiques*, dit Julia en s'enfilant des sandwiches au Black Swan de Helmsley après leur visite de Rievaulx. Nathan n'est pas *prédisposé* à la tragédie. » Jackson n'en était pas aussi sûr, mais garda ses pensées pour lui.

---

1. Traduction de Charlotte Mélançon.
2. Emily Dickinson, *Poésies complètes*, trad. Françoise Delphy, Flammarion.

Selon Hope, John et Angela Costello de Doncaster avaient été tués par un camionneur ivre qui avait embouti l'arrière de leur voiture. Leur fille de deux ans, Sharon, n'était pas avec eux à ce moment-là, ce qui amenait à poser la question « Où était-elle ? » La jeune orpheline avait été adoptée par les Winfield qui l'avaient prénommée Hope et avaient émigré peu de temps après en Nouvelle-Zélande.

« Ils avaient perdu tout espoir d'avoir des enfants, disait Hope, et je suis arrivée comme un cadeau. » Certaines personnes faisaient don de leurs organes en mourant. John et Angela Costello avaient fait don de leur enfant.

Avec le recul, Jackson voyait que ses antennes avaient remué dès la première missive qui lui était tombée de l'éther (certains romans étaient plus courts et moins détaillés que les e-mails de Hope McMaster). Pas de famille ? Un passé effacé ? Un changement de nom ? Une enfant trop jeune pour se souvenir de quoi que ce soit ? Un déménagement soudain dans un pays lointain ?

« Enlevée », décréta Julia en se beurrant un scone, mais il faut dire qu'elle avait toujours eu le goût du drame.

Avant de commencer à enquêter sur le passé de Hope McMaster, il s'était senti obligé de lui rappeler ce que disent les proverbes : la curiosité est un vilain défaut, la curiosité tue le chat, etc.

« C'est la boîte de Pandore, dit Julia en s'emparant d'un deuxième scone avant d'avoir fini le premier. Bien que le grec *pithos* se traduise en fait par “grosse jarre”. Pandore a laissé les maux se répandre sur l'humanité et…

— Je sais, l'interrompit Jackson. Inutile de m'expliquer.

— Les gens ont besoin de trouver la vérité, dit Julia. La nature humaine ne supporte pas le mystère. »

Par expérience, Jackson savait que trouver la vérité – quelle qu'elle fût – ne faisait qu'épaissir le mystère de ce qui était réellement arrivé dans le passé. Peut-être que le petit Aaron de Hope et la crevette découvriraient une histoire familiale qu'ils auraient préféré garder sous clé, hors de portée de cette peste de Pandore.

« Oui, mais la question n'est pas d'*aimer* ce qu'on trouve, c'est de *savoir* », dit Julia.

Tous les instants passés avec Julia finissaient toujours par dégénérer en un mélange de familiarité réconfortante et de chamailleries agaçantes. Un peu comme le mariage mais sans le divorce. Ou les noces en l'occurrence.

Nathan était épuisé d'avoir couru sur l'esplanade et, après un sandwich et une coupe de glace, il s'endormit dans les bras de Jackson, ce qui permit à Julia de savourer son thé de l'après-midi sans entraves. Sentir le doux poids de son garçon comme un sac de sable dans ses bras était perturbant. Jackson n'était pas sûr de vouloir avoir le cœur chaviré par des liens infrangibles et sacrificiels.

Il avait été surpris d'être plus découragé qu'heureux quand Nathan s'était avéré être son fils. Comme quoi on ne sait jamais ce qu'on va ressentir avant de l'avoir ressenti.

Récemment, Julia avait laissé entendre que ce serait bien que Jackson « se conduise davantage en père » envers Nathan et qu'ils passent du temps « en famille » tous les trois. « Mais nous n'en sommes pas une, avait protesté Jackson. Tu es mariée à quelqu'un d'autre. » Forcé de décider avec lequel de ses rejetons passer le jour de Noël, Jackson avait (décision désastreuse) choisi sa fille à l'humeur changeante. Julia y avait vu, peut-être à juste titre, un cas clair et net de favoritisme.

« Le choix de Jackson, avait-elle dit.

— Je ne peux pas être dans deux endroits à la fois, se plaignit Jackson.

— Un atome en est capable, d'après la physique quantique.

— Je ne suis pas un atome.

— Tu n'es *que ça*, Jackson.

— Peut-être bien, n'empêche que je ne peux pas être dans deux endroits à la fois. Il n'y a qu'un Jackson.

— Ça, c'est bien vrai. Bon, eh bien, passe un très joyeux Noël. Dieu a tellement aimé le monde qu'il a donné son Fils unique et cetera. Jackson n'a même pas été fichu de donner un cadeau au sien le jour de Noël.

— Balivernes[1] », dit Jackson.

Au Black Swan, Julia lécha la crème qu'elle avait sur les doigts d'une façon qu'il aurait trouvée autrefois provocante. Elle portait jadis du rouge à lèvres écarlate, mais n'en mettait plus du tout à présent. De la même manière, sa crinière indisciplinée était tirée en arrière et retenue par une barrette. À certains égards, la maternité l'avait transformée en une version plus pâle d'elle-même. Jackson était surpris de constater à quel point il lui arrivait de regretter l'ancienne Julia. À moins qu'elle ne soit la même et que ce qu'il regrettait, c'était de ne plus vivre avec Julia. Il espérait que non. Il n'y avait plus de place dans son cœur de toute façon. L'espace (plutôt restreint) qui restait pour une femme dans le placard de

1. Expression célèbre de Scrooge dans le *Conte de Noël* de Dickens.

son cœur était presque entièrement occupé par la chandelle qui brûlait pour l'instrument de sa perte écossais : l'inspectrice divisionnaire Louise Monroe. Une vieille flamme qui tremblotait plus qu'elle ne flambait, privée d'oxygène par leur absence à l'un comme à l'autre. Ils n'avaient jamais couché ensemble, il ne l'avait pas revue depuis deux ans, elle était mariée à un autre homme avec lequel elle avait un enfant. Ce n'était pas ce que la plupart des gens considéreraient comme une relation. Quelqu'un devrait moucher cette maudite chandelle.

« Le cœur est infini, disait Julia. Il y a toute la place qu'on veut. » Dans le cœur de Julia peut-être, pas dans celui de Jackson, qui était contracté et rétrécissait comme peau de chagrin à chaque coup encaissé. *Un pauvre cœur déchiré, un cœur en lambeaux*[1].

« Sornettes », répondait Julia.

Le problème, c'était que John et Angella Costello, les prétendus parents de la petite Sharon, qui deviendrait bientôt Hope Winfield, n'étaient jamais retournés à la poussière. N'avaient jamais été ratatinés dans un accident de voiture, n'avaient jamais arpenté les rues sombres de Doncaster. Ils n'étaient pas morts pour la bonne raison qu'ils n'avaient jamais existé.

Pas d'accident de voiture, pas de certificats de décès, aucune trace d'un couple de ce nom ayant vécu à Doncaster. Il n'y avait pas d'acte de naissance pour une « Sharon Costello » avec des parents du même nom. Rien que pour en avoir le cœur net, Jackson avait retrouvé la trace d'une autre Sharon Costello, née le 15 octobre 1972, date de naissance de Hope McMaster, et vivant à

1. Emily Dickinson.

Truro. Elle s'était révélée une fausse piste et montrée surprise de l'intérêt qu'il lui portait.

Bien sûr, les Winfield avaient peut-être également changé la date de naissance de Hope. Jackson l'aurait fait s'il avait voulu masquer l'identité d'une enfant.

Les Winfield eux-mêmes avaient passé l'arme à gauche. Ils avaient bel et bien vécu à Harrogate, où se trouvait la maison mère de la chaîne Betty's, bonne excuse – non que Jackson en eût besoin – pour passer vingt-quatre heures agréables dans cette ville qui était peut-être un des endroits les plus civilisés qu'il ait jamais visités. Mais, naturellement, tout le monde savait, en particulier Jackson, que la civilisation n'est pas un vernis très épais.

Ian Winfield avait bien été pédiatre au St James's de 1969 à 1975, année où il était parti prendre un poste à Christchurch. Et il était bien marié à Kitty qui avait en effet été mannequin. Hope McMaster lui avait envoyé par e-mail quelques photos professionnelles – Kitty Gillespie, grosse frange Sixties et yeux maquillés, un type de femme pour lequel Jackson ressentait une attirance étrange et instinctive. Jackson avait vaguement le souvenir de « Kitty Gillespie, la Jean Shrimpton du pauvre ». Pauvre, c'était vite dit, elle avait un sacré look. Les Sixties n'étaient pas de l'histoire ancienne pour Jackson, ne le seraient peut-être jamais.

« *Maman était très chic, hein ?* écrivait Hope McMaster. *Rien à voir avec la petite boulotte que je suis – preuve évidente que j'ai été adoptée !* » Hope lui avait envoyé par e-mail de nombreux petits instantanés de sa famille – d'elle-même aujourd'hui, de Dave, d'Aaron, de leur chien (un golden retriever, évidemment), des Winfield et d'elle enfant (« *C'est Dave qui a tout scanné !* »)

Les Winfield semblaient en effet s'être donné beaucoup de mal pour adopter une enfant qui ne leur ressemblait pas du tout. Ils étaient grands, bruns et élégants, Hope était une robuste enfant blonde à l'air démodé qui s'était transformée en une robuste femme blonde à l'air démodé, s'il fallait en croire les photos. « *Première photo connue de moi !* » avait-elle légendé un cliché pris à l'arrivée des Winfield en Nouvelle-Zélande. La nouvelle petite famille se trouvait à une attraction touristique et Hope – visage potelé criblé de taches de rousseur et cheveux hérissés à la garçonne – faisait un grand sourire à l'objectif, l'image même du bonheur. Les photos peuvent mentir, se rappela Jackson. Tous ces enfants maltraités qu'on ne remarquait qu'une fois morts. Les journaux montraient toujours une photo d'eux souriant aux anges. Certains gosses avaient automatiquement ce réflexe devant l'objectif. *Un petit sourire !*

Ce qui avait commencé comme une requête anodine (*Je me demandais si vous pourriez me trouver des renseignements sur mes parents biologiques ?*) avait entraîné Jackson dans un labyrinthe qui débouchait à chaque tournant sur des impasses. Hope McMaster était une énigme existentielle. Elle existait peut-être présentement aux antipodes en tant qu'épouse de Dave et mère du petit Aaron. Elle suivait peut-être des cours de préparation à l'accouchement en compagnie de la crevette (« *des cours de Pilates – c'est miraculeux !* ») mais son incarnation précédente semblait le fruit de l'imagination. Mais de l'imagination de qui ? Là était la question.

Pandore avançait vers la boîte, le chat curieux avait l'air de courir un danger mortel. « Peut-être qu'il y a un chat *dans* la boîte comme celui de Schrödinger.

— Qui ça ? ne put s'empêcher de dire Jackson.

— Tu sais bien, le chat de Schrödinger. Dans la boîte. Vivant et mort en même temps.

— C'est une idée ridicule.

— En pratique peut-être, mais en théorie…

— C'est pas lié aux atomes par hasard ?

— *Verschränkung* », dit Julia avec délectation. Par bonheur, l'arrivée d'une théière à cet instant précis la détourna de ces mystères.

Hope avait demandé un extrait de naissance au tribunal de grande instance de Leeds. La semaine dernière, elle avait appris qu'il n'y avait pas d'acte de naissance. Ni trace de la moindre adoption.

« Tu vois – enlevée », fit Julia en servant le thé.

∽

Le téléphone sonnait quand elles entrèrent dans la maison. Tracy décrocha et dit « Allô ? » Silence. Il y avait quelqu'un à l'autre bout de la ligne, elle en était sûre, et elle engagea un dialogue muet, une sorte de bras de fer. L'autre s'avoua vaincu avant elle et elle entendit qu'on raccrochait le combiné. « Bon débarras », fit Tracy. Elle avait d'autres chats à fouetter. Une gosse enlevée par exemple.

Elles n'avaient pas fait de provisions – non que Tracy eût l'énergie de cuisiner, elle s'était contentée d'acheter des pizzas sur le chemin de la maison. Ne prends pas de risques, tous les gosses aiment la pizza, s'était-elle dit, ce n'est peut-être pas ce qu'il y a de plus sain, mais dans l'immédiat on s'en fout, tant que Courtney ne vomit pas.

Pour les légumes verts et les fruits, on verra plus tard. Plus tard était soudain un endroit qui faisait envie plutôt qu'un endroit où il faudrait batailler sans fin contre l'ennui au quotidien. Un endroit terrifiant au possible mais terriblement attirant.

Le placard était vide, pas d'os pour un chien, pas de haricots en conserve pour une gamine enlevée, juste des bananes qui noircissaient d'un air de reproche dans une coupe. Tracy n'avait pas vraiment cuisiné depuis que Janek s'était attaqué à la cuisine, elle vivait de plats à emporter et de plats surgelés qu'elle réchauffait au micro-ondes (ça ne changeait guère, de toute façon) mais en regardant autour d'elle, elle remarqua que les travaux étaient presque terminés : il ne restait plus qu'à faire les peintures et à installer le lino, quelques petites modifications ici et là. Le sac contenant les outils de Janek était soigneusement rangé dans un coin. Elle allait devoir retourner retirer de l'argent à la banque pour lui. Ce matin encore, l'idée qu'il serait bientôt parti la déprimait profondément, à présent ça ne lui faisait quasiment plus rien. Elle s'était embarquée dans une aventure inattendue et périlleuse et il était possible qu'elle n'en réchappe pas.

« Une autre tranche ? » demanda Tracy, et Courtney la regarda bouche bée, sans comprendre. Est-ce qu'elle allait devoir être opérée des végétations, ça se faisait toujours ? Elle n'était pas belle, mais Tracy savait ce que c'était. Il fallut quelques secondes pour que les paroles de Tracy parviennent au cerveau de Courtney (ce serait sans doute une bonne idée de lui faire faire aussi un examen de l'ouïe), puis la gamine se mit à hocher la tête et continua à le faire jusqu'à ce que Tracy lui conseille d'arrêter. Est-ce qu'elle avait une case en moins ? Est-ce qu'elle était *retardée* ? On n'avait plus le droit d'employer ce mot. Quelle importance, un gosse est un gosse.

Tracy était trop tendue pour manger. Seul l'alcool aurait convenu à son état d'esprit, mais elle ne voulait pas que la gamine la voie boire, sa courte existence s'était probablement déroulée au milieu de poivrots, Tracy se fit donc une sobre tasse de thé et regarda Courtney manger, imaginant des cours particuliers pour la mettre à niveau, de nombreuses visites au service ORL, un examen de la vision (elle louchait légèrement), une bonne coupe de cheveux, suivie d'une bonne école attentive aux besoins des enfants, peut-être une école baba cool – Linda Pallister pourrait en connaître. Après ça, qui sait, la gosse réussirait peut-être à entrer dans une de ces universités qui sont en fait des ex-IUT, et Tracy serait là quand elle recevrait son diplôme de licence en toge et mortier, boirait de la piquette après la cérémonie avec d'autres parents tout fiérots.

Une partie du cerveau de Tracy faisait toujours sa ronde dans le Merrion Centre et n'avait pas assimilé la bizarre tournure prise par les événements de la journée. Cette partie à la traîne de son cerveau parut soudain se réveiller et prendre acte de la situation. Mais bon sang, qu'est-ce qui se passe ? dit-elle. Tu fais des projets à long terme pour vivre dans l'illégalité ! Oui, répliqua Tracy à cette partie récalcitrante de son cerveau. C'est exactement ça. Elle était une ravisseuse. Elle avait ravi une gosse. Espérons qu'elle la ravirait dans l'autre acception du mot.

Comment allait-elle donc expliquer la soudaine apparition d'un enfant dans sa vie ? Ce serait plus facile de disparaître toutes les deux, de recommencer dans un endroit où personne ne les connaissait (*Je suis Mrs Waterhouse et voici ma petite fille, Courtney*). Plus facile de changer le prénom de la gamine pour quelque chose de plus bourgeois – Emily ou Lucy. De s'installer à la campagne, dans les Yorkshire Dales, peut-être ou la région des lacs – elles pourraient vivre confortablement avec la retraite que Tracy touchait de la police. La gamine pourrait fréquenter une petite école primaire de village et Tracy élever quelques poules, cultiver quelques légumes, cuisiner des repas nourrissants. Elle s'imagina à la kermesse du village, grimant les gosses, faisant des petits-fours (*Oh, Tracy est une mère fantastique*). Bien sûr, elle n'avait jamais confectionné le moindre petit-four de sa vie, mais il faut un commencement à tout.

Enfuis-toi dans les collines. Ou encore dans les Dales ou la région des lacs. Ça tombait rudement bien qu'elle ait loué ce cottage du National Trust pour une semaine à partir de vendredi, elle n'aurait pu mieux choisir son moment, même si elle avait su d'avance que sa vie serait chamboulée. Ça leur donnerait le temps de souffler. De réfléchir. Comme des renards se cachant de la meute dans un trou. Juste au cas où quelqu'un demanderait à les voir avant leur grande évasion. Quelqu'un comme Kelly Cross qui aurait changé d'avis sur leur transaction récente. *Caveat emptor.* Et après ça – rester ou se sauver ? Lutter ou fuir ? Commencer une nouvelle vie (*Mrs Brown et sa petite fille, Lucy*) ou tenter de continuer l'ancienne (*Butch Tracy et le kid*), risquer d'être découverte avec les conséquences qui en découlaient ?

Elle devrait non seulement changer de nom, mais de prénom, elle n'avait jamais aimé Tracy. Imogen ou Isobel, quelque chose de féminin et de romantique. Elle n'avait pas vraiment l'air d'une Imogen. Les Imogen étaient des filles de la bourgeoisie des Home Counties aux longs cheveux blonds et aux mères vaguement bohèmes. *Imogen Brown et sa petite fille, Lucy* marchant main dans la main vers un avenir plus blanc que blanc. Elle compenserait pour tous les autres gosses disparus. Un oisillon remis dans son nid.

Était-elle trop vieille pour passer pour une mère ? Une fécondation in vitro suivie d'un veuvage soudain et prématuré répondrait à beaucoup de questions. Nouveaux noms, nouvelles identités, ce serait comme dans un programme de protection des témoins. La seule chose bizarre, c'était que Courtney ne parlait pas de sa mère. Pas de « Où est maman ? » ni de « J'veux ma maman ». Rien n'indiquait que quelqu'un lui manquait. Était-elle une enfant abandonnée ou quelque chose de précieux qui avait été volé ?

« Courtney, dit-elle d'un ton hésitant, où est ta maman en ce moment ? » Courtney haussa les épaules jusqu'aux oreilles et s'enfila une autre tranche de pizza avant de répondre : « J'en ai pas. » (Ah bon ? Ça, c'était une bonne nouvelle. Pour Tracy en tout cas.)

« Enfin, maintenant si », fit Tracy. La gosse releva brusquement la tête et la fixa avant de lancer un regard méfiant autour de la cuisine.

« Où ça ? »

Tracy mit une main sur sa poitrine et dit héroïquement. « Ici. C'est moi qui vais être ta maman.

— Ah bon ? » fit Courtney dubitative. On l'aurait été à moins, songea Tracy. Qui faisait-elle marcher ?

« La dernière tranche ? » Courtney refusa en baissant le pouce comme un petit empereur au Colisée. Elle bâilla à s'en décrocher la mâchoire.

« Il est temps d'aller se coucher », fit Tracy qui essayait d'avoir l'air de savoir ce qu'elle faisait.

Elle donna un bain à l'enfant qu'elle avait ravie. Beaucoup de crasse mais pas de bleus, pas de signe évident de mauvais traitements. Des petits bras et jambes maigres, de fines omoplates qui ressemblaient à des embryons d'ailes. Une tache de vin bien visible, tatouée sur son avant-bras par quelque minuscule erreur de lecture du code génétique. La tache de vin avait la forme de l'Inde, à moins que ce ne soit l'Afrique. La géographie n'avait jamais été le fort de Tracy. *Des signes particuliers ?* Un sceau de propriété apposé sur la peau pour toujours. Un stigmate. Il y aurait peut-être moyen de l'enlever. Avec un traitement au laser peut-être.

Courtney se laissa faire pendant que Tracy la savonnait, la rinçait, défaisait ses nattes maigrelettes, lui lavait soigneusement les cheveux, l'enveloppait dans une serviette de toilette et la sortait de la baignoire. Tracy ne s'était jamais rendu compte à quel point les gosses étaient menus. Menus et vulnérables. Et lourds. C'était comme avoir la responsabilité d'un vase Ming, effrayant et exaltant à la fois. Dieu merci, Courtney n'était pas un minuscule bébé, Tracy ne pensait pas qu'elle aurait eu les nerfs assez solides pour ça.

La maison de Tracy avait été rénovée au début des années 80 – la décoration laissait à désirer – et les sanitaires de la salle de bains étaient d'une couleur avocat vaseux, comme Shrek. Tracy avait vu les trois DVD de *Shrek* toute seule. Quand on avait un gosse, on pouvait regarder des dessins animés, aller à la pantomime, visiter Disneyland sans avoir l'impression d'être une lamentable perdante. La simple vision du petit corps nu assis dans sa baignoire couleur de morve l'avait presque émue aux larmes. Elle fut surprise de découvrir (et put encore moins s'expliquer) l'existence de sources aussi profondes d'émotions primitives et inexploitées sous sa carapace calcifiée.

« Une petite seconde, ma puce », dit-elle en juchant une Courtney emmaillotée dans sa serviette sur le tabouret de la salle de bains. Elle fouilla dans l'armoire à pharmacie pour y trouver une paire de ciseaux. « Laisse-moi t'arranger un peu les cheveux », dit-elle en lui coupant une mèche toute molle. Elle eut l'impression de commettre une violation, mais ce n'étaient que des cheveux, se dit-elle.

Elle aida Courtney à enfiler son nouveau pyjama Gap et dit « Allez, hop, au lit, mon bouchon », et une fois de plus son cœur chavira lorsque Courtney grimpa tant bien que mal dans le lit, se coucha sur le dos et tira la couverture jusqu'à son menton. Putain, on pouvait faire faire n'importe quoi aux petits gosses, il suffisait de leur demander et ils obéissaient. C'était terrifiant.

Tracy regarda la pièce d'un œil neuf et s'aperçut que la petite chambre d'appoint avec son petit lit mesquin avait vraiment l'air vide et inhospitalière. Il y avait bien une troisième chambre, mais elle était encore encombrée de cartons de son déménagement ainsi que de vieilleries provenant de la maison de ses parents. Tracy n'avait pas eu l'énergie ni le goût d'y jeter un coup œil – tout un bric-à-brac de napperons brodés, d'assiettes ébréchées et de vieilles photos de parents non identifiables. Pourquoi déballer ? Elle pourrait se contenter de déverser le tout sur le trottoir devant un magasin Oxfam[1].

Elle aurait dû s'occuper des chambres avant de s'attaquer au rez-de-chaussée. Après avoir épluché *The World*

1. Organisation caritative britannique qui a des magasins qui vendent des articles d'occasion et d'artisanat au profit du tiers-monde.

of Interiors et *House and Garden* pendant des semaines, Tracy avait fait refaire le living-room, mais une fois les travaux terminés, elle s'était aperçue en regardant autour d'elle que la pièce ressemblait plus aux parties communes d'un hôtel sans âme qu'à un nid douillet. Sa chambre avait été tapissée par le précédent propriétaire d'un papier peint à motif de grosses fleurs écarlates à l'air vaguement obscène.

La petite chambre d'appoint, dont l'ennuyeux papier peint était parsemé de petits morceaux de bois, semblait avoir servi de bureau. La fenêtre avait de minces stores vénitiens et le sol était recouvert d'une moquette beige bon marché. Si seulement elle avait anticipé, elle aurait acheté des rideaux gais, un beau tapis moelleux et peint la pièce dans des couleurs pastel agréables. Ou en blanc. Pur et sans tache, la couleur des cygnes et du glaçage des gâteaux d'anniversaire. Une femme prévoyante aurait anticipé qu'elle allait enlever un enfant.

Lait chaud ? Ou cacao ? Tracy essayait d'inventer une enfance qu'elle n'avait jamais eue, ses parents égocentriques attendant d'elle qu'elle s'élève toute seule. Ils ne s'étaient jamais beaucoup intéressés à elle et ce n'est qu'à leur mort qu'elle s'était rendu compte qu'ils ne le feraient jamais. De meilleurs parents (des parents aimants) et elle aurait pu tourner autrement – être sûre d'elle et populaire, capable d'attirer le sexe opposé dans son lit ainsi que l'amour avec pour résultat qu'elle aurait aujourd'hui un enfant à elle au lieu d'une gamine d'occasion.

Chocolat chaud, décida-t-elle, l'idée qu'elle se faisait d'une gâterie. Quand elle revint avec un mug pour chacune, elle trouva Courtney assise dans son lit avec le contenu de son petit sac à dos rose étalé sur la mince couette Ikea. Elle avait, semblait-il, une collection d'objets totémiques dont la signification n'était connue que d'elle seule.

Un dé à coudre en argent terni
Une pièce chinoise trouée au centre
Un porte-monnaie arborant une tête de singe qui souriait
Une boule à neige contenant une maquette grossière du palais de Westminster
Un coquillage en forme de cornet à la crème
Un autre en forme de chapeau de coolie
Une noix de muscade entière

« Un vrai trésor », dit Tracy. La gosse leva les yeux de son wampum[1] et lui lança un regard indéchiffrable puis, pour la première fois depuis que Tracy l'avait achetée, elle sourit. Un sourire radieux qui était un vrai rayon de soleil. Tracy le lui rendit : une bulle d'émotions mélangées – où le ravissement le disputait à l'angoisse à égale et troublante mesure – creva et monta dans sa poitrine. Putain. Comment les parents se débrouillaient-ils avec ce genre de truc au quotidien ? Elle se surprit à battre des paupières pour refouler ses larmes. « Je n'ai pas d'histoire à te lire avant que tu t'endormes », s'empressa-t-elle de dire.

Tracy aimait les pavés de Jackie Collins. Elle ne l'aurait jamais avoué à personne, c'était comme un vice secret, un plaisir innommable comme la pornographie (ou Disney). Comme ce n'était guère une lecture appropriée pour une

1. Monnaie de coquillages des Indiens d'Amérique.

gamine, elle inventa un conte de fées sur mesure au sujet d'une pauvre petite princesse prénommée Courtney qui avait une méchante mère et était sauvée par une très bonne belle-mère. Elle ajouta tout un fatras mythique de rouets et de nains, et le temps qu'on procède à l'essayage de la pantoufle de verre sur le petit peton de la princesse Courtney, la mouflette était endormie.

Tracy l'embrassa timidement sur la joue. La gosse sentait la savonnette et le coton neuf. Tracy ne se souvenait pas d'avoir embrassé un enfant auparavant et une petite partie primitive en elle eut l'impression d'avoir enfreint une loi naturelle, d'être dans l'illégalité. Elle s'attendait plus ou moins à un prodige – à voir le ciel s'ouvrir en se brisant comme un œuf ou apparaître un ange – et quand ni l'un ni l'autre ne se produisit, Tracy poussa un soupir de soulagement. Elle eut l'impression d'être arrivée à quelque chose dans la vie, même si elle ne savait pas trop à quoi.

Quand elle redescendit au rez-de-chaussée, elle vit le répondeur clignoter alors qu'elle n'avait pas entendu la sonnerie du téléphone. Elle écouta le message, inquiète qu'il puisse lui annoncer sa chute. *Pouvez-vous confirmer que vous hébergez un enfant qui n'est pas à vous ?* Les enfants étaient des possessions, les gens n'aimaient pas qu'on leur vole leurs affaires. Pendant des années, son boulot avait consisté à veiller à ce que ça n'arrive pas. Dormir, manger, protéger, rebelote.

Elle fut soulagée qu'il ne s'agisse que de Linda Pallister, mais ce coup de fil inattendu était curieux. Que Linda la contacte au moment précis où Tracy envisageait de le faire donnait la chair de poule. Quand Linda Pallister l'avait-elle appelée à son domicile ? Jamais, autant que

Tracy s'en souvienne. Son message était encore plus curieux. *Tracy ? Tracy ? Je ne savais pas qui appeler. Il faut que je vous parle. Je crois que je, que j'ai des… ennuis.* Comment Linda Pallister pouvait-elle avoir des ennuis ? Et en quoi ça la concernait ? Il y eut un long silence, puis Linda se remit à parler : *C'est au sujet de Carol Braithwaite, Tracy. Quelqu'un m'a posé des questions sur elle. Rappelez-moi quand vous aurez eu mon message, s'il vous plaît. Je vous en prie.*

Carol Braithwaite ? songea Tracy perplexe. Au bout de toutes ces années ? Linda Pallister lui téléphonait au sujet de *Carol Braithwaite* ? Tracy avait rangé Carol Braithwaite dans une boîte, mis la boîte sur une étagère au fond d'un placard, fermé la porte du placard et ne l'avait pas ouverte depuis plus de trente ans. Et voici que Linda Pallister voulait lui parler d'elle. Linda Pallister, le sépulcre blanchi[1]. Linda Pallister qui avait fait disparaître un enfant. *Pouf.*

Le passé était le passé, se dit Tracy, et le passé était mort ou disparu tandis que le présent était bien vivant et dormait dans la chambre d'appoint. D'un autre côté… si elle rappelait Linda, elle pourrait glisser l'air de rien dans la conversation : *Linda, est-ce que vous savez si tous les enfants de Kelly Cross sont à l'Assistance publique ?* Mais lorsqu'elle fit le numéro de Linda, il n'y eut pas de réponse. Ouf, elle avait déjà assez de problèmes comme ça, elle se passerait volontiers de ceux de Linda. N'empêche… Carol Braithwaite. Tracy n'y avait pas repensé depuis longtemps. Cette horrible journée. Pauvre petit chou.

---

1. « Scribes et pharisiens, hypocrites, qui êtes semblables à des sépulcres blanchis. » Évangile de saint Matthieu.

Elle prit une canette de bière dans le frigo. La décapsula et composa le numéro de Barry Crawford, son ex-collègue. Il avait l'air bougon, mais c'était son mode par défaut.

« Je me demandais si tu avais croisé Kelly Cross récemment, Barry ?

— Marie-couche-toi-là ? Non, je suis trop haut placé dans la chaîne alimentaire pour rencontrer le menu fretin comme elle. Pourquoi cette question ? La rue te manque ?

— Non, non, pour rien. On n'a pas signalé de disparition d'enfant, par hasard ?

— D'enfant ? Je peux poser la question. Je ne sais pas si tu es devenue trop gaga pour t'en souvenir, mais tu as pris ta retraite il y a quelques mois.

— Ouais, ouais. »

Barry la rappela presque immédiatement. Nada. Rien, aucun oisillon n'était tombé du nid. Elle entendit le hurlement d'une sirène à l'arrière-fond, des bribes de conversation à demi audibles entre policiers. Un sacré enfer, mais ça lui manquait. « T'es où ?

— Dans le véhicule d'intervention. On a trouvé une femme morte dans une benne à Mabgate, dit Barry. Une professionnelle.

— Nous sommes toutes des professionnelles, Barry. Qu'est-ce que tu fabriques là-bas ?

— Je jetais juste un coup d'œil. J'étais de permanence et j'ai pris l'appel.

— Qui est chargé de l'enquête ?

— J'ai mis Andy Miller sur l'affaire, dit Barry. Un nouveau venu pour toi. Un diplômé du programme accéléré. Très brillant. » Il n'y avait rien du tout de brillant chez Barry. *Jurassique.* Comme Tracy. Éduqué à la dure école de la rue avant d'être diplômé de l'université de la vie.

« J'ai une nouvelle fille, une ancienne à toi, ce me semble. Elle était à la BRP. Gemma Machin-Chose.

— Gemma Holroyd. Elle est passée inspectrice principale, il y a deux trois mois. Pourquoi tu ne la charges pas de l'enquête ? Ce serait sa première.

— Une novice, non merci.

— Elle est bien et ce n'est pas une fille, Barry. On appelle ça une femme.

— Je croyais que c'était une goudou.

— Ouais, c'est aussi des femmes. » À quoi bon ? Dinosaure politiquement incorrect, Barry prendrait sa retraite et mourrait dans la peau d'un vieux macho, complètement déphasé par rapport à la vie actuelle. On aurait pu le réexpédier dans les années 70 et il aurait été parfaitement dans son élément. Gene Hunt[1] sans le charisme, Jack Regan[2] sans le centre moral dur.

« Vous soupçonnez qui dans cette affaire ? s'enquit Tracy. Un client, je suppose ?

— Qui veux-tu que ce soit d'autre ? » Barry pensait probablement que les prostituées n'avaient que ce qu'elles méritaient. En fait, c'était une certitude. Il disait toujours « les putes », absolument impossible de lui faire changer son vocabulaire. (« Politiquement correct ? Pour des putes ? Ça me ferait mal aux seins. »)

Tracy eut soudain le souvenir inattendu d'avoir eu la tâche ingrate de classer des fiches durant l'enquête sur l'Éventreur du Yorkshire. La police avait des agents qui relevaient les numéros de plaques d'immatriculation dans le quartier chaud, repéraient ceux qui venaient

1. Policier de la série télévisée *Life on Mars* qui a sous ses ordres Sam Tyler, un policier de 2006 qui s'est réveillé en 1973 à la suite d'un accident et emploie forcément des méthodes dernier cri.

2. Inspecteur principal de la série *The Sweeney*.

régulièrement, qu'on avait aperçus trois fois à Bradford, Leeds et Manchester. Sutcliffe faisait partie du lot, bien sûr – il avait été interrogé à neuf reprises et innocenté. Il y avait eu tant d'erreurs. Tracy était encore naïve, ne soupçonnait pas combien d'hommes avaient recours aux prostituées, des milliers venus de tous les horizons. Elle n'en croyait pas ses yeux. Le jeu, la boisson, les putes – les trois piliers de la civilisation occidentale.

Elle se rappelait encore la première fois qu'elle avait vu une prostituée. Elle avait douze ans et se trouvait au centre-ville de Leeds un samedi avec Pauline Barratt, une camarade de classe. Un burger au Wimpy était le summum de la sophistication à leurs yeux et l'application furtive d'eye-liner dans les toilettes de Schofields, le grand magasin, leur paraissait carrément audacieuse. Elles étaient allées voir *Love Story* au vieil Odeon de Leeds et après ça, dans une petite rue du côté de la gare, surgie du morne brouillard d'un crépuscule hivernal, elles avaient aperçu une femme saisissante. Elle se prélassait dans une embrasure de porte, cheveux blonds courts à la Myra Hindley[1] et minijupe révélant des cuisses pleines de cellulite, bleuies par le froid et les coups. Son fard à paupières vert brillant faisait penser à un serpent. « Une pouffiasse », avait sifflé Pauline et de terreur elles s'étaient sauvées.

Tracy n'avait jamais vu de femme moins séduisante, ce qui n'avait fait qu'approfondir un peu plus le mystère de ce que les garçons voulaient aux filles. Si elle pensait à sa mère refoulée et conventionnelle ou à son moi de douze ans qui ne payait pas de mine, elle comprenait que la

1. Assassina cinq enfants avec Ian Brady de juillet 1963 à octobre 1965.

créature de la nuit aux yeux verts ne représentait pas une concurrence très sérieuse.

« Tout ça ne va pas me manquer, dit Barry. Faire le pied de grue dans le froid à regarder des putes mortes.

— Le pied de grue ? Je croyais que t'étais dans le véhicule d'intervention. »

Barry poussa un profond soupir et dit tout à trac : « Le monde a changé, Trace.

— Ouais, en mieux, Barry. Qu'est-ce qui se passe ? On souffre d'effroi existentiel pour la première fois de sa vie ? » Ce n'était sans doute pas la chose à dire à un homme qui avait perdu un petit-fils et dont la fille était un légume. (« État végétatif persistant », corrigeait Barbara.) Certains matins, surtout si elle avait un peu trop forcé sur la bière la veille, Tracy se réveillait en se demandant si elle n'était pas elle aussi dans un état végétatif persistant.

« Je regrette le bon vieux temps.

— Il n'était pas bon, Barry. Il ne valait rien. » *Le Bon Vieux Temps.* Elle revit soudain la maquerelle de Cookridge, morte dans son beau fauteuil en velours du City Varieties. Barry se souviendrait peut-être de son nom, mais elle ne lui donnerait pas cette satisfaction. « Combien il te reste à tirer, Barry ? » Barry était resté encore plus longtemps qu'elle dans la police.

« Quinze jours. Je pars en croisière. Dans les Caraïbes. C'est une idée de Barbara. Dieu seul sait pourquoi. Je parierais que tu étais contente de partir, hein, Trace ?

— Tu l'as dit, bouffi, fit Tracy avec un rire forcé. Si j'avais su, je me serais cassée bien avant. » Menteuse, se dit-elle in petto.

« T'es au courant pour Rex Marshall ? demanda Barry.

— Il est tombé raide mort sur le terrain de golf. Bon débarras.

— Ouais, bon, c'était pas un mauvais patron, dit Barry sur la défensive.

— Avec toi, peut-être, fit Tracy.

— Tu n'iras donc pas aux obsèques samedi, si je comprends bien.

— Non, à moins qu'on me paie... Barry ? Y a autre chose.

— Y a toujours autre chose, Trace. Puis un beau jour tu meurs et y a plus rien. Naturellement, il se trouve qu'on n'a même pas besoin d'être mort pour ça, fit-il d'une voix abattue.

— Linda Pallister m'a laissé un message sur mon répondeur.

— Linda Pallister ? Cette cinglée ? » fit Barry qui ne put s'empêcher de pouffer de rire. Le rire se transforma en un immense soupir de mécontentement. Tracy savait ce qui se passait dans la tête de Barry – Linda Pallister lui faisait penser à Chloe Pallister, Chloe Pallister lui faisait penser à Amy, penser à Amy le plongeait dans un gouffre sombre.

« À quel sujet ? demanda-t-il. Qu'est-ce que disait son message ?

— Elle a des ennuis. Elle mentionnait le nom de Carol Braithwaite.

— Carol Braithwaite ? » fit Barry comme s'il n'avait jamais entendu ce nom. Barry mentait mal, ce n'était pas nouveau.

« Ouais, Barry, Carol Braithwaite. Le meurtre de Lovell Park. Rappelle-toi, fais pas semblant d'avoir oublié.

— Ah, cette Carol Braithwaite-là, dit-il avec une désinvolture très étudiée.

— Je ne sais pas, fit Tracy. Linda n'a pas précisé. J'ai essayé de la rappeler mais ça ne répondait pas. Elle t'a contacté ?

— Carol Braithwaite ?

— Non, Barry, dit patiemment Tracy, à moins qu'elle ne soit ressuscitée d'entre les morts. Linda *Pallister*, est-ce que Linda t'a téléphoné ?

— Non.

— Bon, ben si elle le fait, essaie de trouver de quoi il retourne. Peut-être qu'elle va cracher le morceau.

— Cracher le morceau ?

— Sur ce qui est arrivé à ce pauvre petit bout. »

Tracy ne savait pas pourquoi elle se mettait martel en tête. Elle avait d'autres chats à fouetter. Et ça ne la concernait plus du tout. Elle commençait une nouvelle vie. *She's leaving home*[1]. « Bon, en tout cas merci pour les infos, Barry, dit-elle brusquement. À plus.

— À moins que je t'aperçoive avant, vieille jument.

— En fait, je suis en vacances à partir de vendredi.

— Arrange-toi pour être de retour pour mon pot de départ.

— Quel pot de départ ?

— Haha. Fous-moi le camp. »

La journée n'en finirait donc jamais ? Apparemment, non.

Juste avant minuit, le téléphone se mit à sonner. C'était qui cette fois ? Des ennuis, voilà ce que c'était. Le cœur de Tracy se contracta. On l'avait découverte, on réclamait la gosse. Elle pensa à la petite chose sans défense qui dormait au premier dans la chambre d'appoint et son cœur se serra encore plus.

Elle respira à fond et décrocha le combiné. Pourvu que ce soit seulement cette folasse de Linda Pallister, pria-t-elle. Tracy fut soulagée que ce soit juste l'auteur

1. Chanson des Beatles.

des coups de fil silencieux. Ils s'écoutèrent pendant environ une minute. Le silence était quasiment apaisant.

∽

« Sauf si je t'aperçois avant, vieille jument. » Dans sa bouche, c'était quasiment affectueux. *On n'a pas signalé de disparition d'enfant, par hasard ?* C'étaient toujours les gosses qui l'achevaient. Ils achevaient tout le monde, mais Tracy avait cette marotte avec les enfants. Ça avait commencé à Lovell Park.

Carol Braithwaite n'était pas un nom que Barry s'attendait à voir ressurgir et voilà que cette pauvre conne de Linda Pallister lui téléphone tout à l'heure pour bredouiller qu'elle a des ennuis. Il ne lui avait pas parlé depuis les obsèques de Sam. Chloe avait été la demoiselle d'honneur principale d'Amy. Impossible d'aller par là, impossible de repenser à cette journée où il l'avait conduite à l'autel. Il n'aurait jamais dû, il aurait dû la garder. En lieu sûr.

« Mr Crawford, avait dit Linda. Barry ? Vous vous souvenez de Lovell Park ?

— Non, Linda, avait fait Barry. Je ne me souviens de rien.

— Quelqu'un pose des questions.

— Il y a toujours quelqu'un qui pose des questions, dit Barry. C'est parce qu'il n'y a jamais assez de réponses à fournir.

— Un détective privé du nom de Jackson est venu me voir, ce matin, avait poursuivi Linda Pallister. Il a posé des questions au sujet de Carol Braithwaite. Je n'ai pas su quoi dire.

— Je continuerais à la fermer, si j'étais vous. Vous avez réussi à le faire pendant trente-cinq ans. »

Et voilà que Tracy lui téléphone pour lui demander si Linda l'a contacté au sujet de Carol Braithwaite. Il avait menti, bien sûr. Qu'est-ce que c'était, s'était-il demandé, un coq qui chantait ? *Ressuscitée d'entre les morts*, avait dit Tracy. Un foutu gros coq. Une fois, deux fois, trois.

Tracy avait cassé les pieds de tout le monde avec Linda Pallister et Carol Braithwaite : elle prétendait que Linda avait fait « disparaître » l'enfant. À l'époque, il lui avait répondu qu'elle débloquait. Mais elle avait raison, naturellement : tout le monde en savait plus long sur Lovell Park qu'il ne voulait bien l'admettre, tout le monde, sauf Tracy. Elle était comme un limier, essayait de trouver le fin mot de l'histoire. Il y avait longtemps de ça. Tous ces types, le commissaire divisionnaire Walter Eastman, Ray Strickland, Rex Marshall, Len Lomax, il y avait une loi pour eux et une autre pour le reste de l'humanité. Eastman était mort depuis belle lurette et Rex Marshall avait fait sa dernière partie de golf aussi : il gisait dans une entreprise de pompes funèbres, les artères entartrées comme de vieilles canalisations en plomb. Ils tombaient comme des mouches. Il ne restait plus que Strickland et Lomax. Et lui, Barry. Qui serait le dernier ?

Barry aurait dû dire quelque chose, faire quelque chose, mais à l'époque une prostituée morte ne semblait pas très importante au regard du vaste univers. À mesure qu'on vieillissait, on s'apercevait que le moindre petit détail comptait. Surtout les morts.

Il remonta son col pour s'abriter du froid. Toute la chaleur de la journée avait disparu. Pourquoi les hommes de son âge ne portaient-ils plus de chapeau ? Ça s'était arrêté quand ? Son père portait une casquette. En tweed. Il aurait bien aimé en avoir une, mais Barbara ne l'aurait jamais permis. Elle avait la haute main sur sa garde-robe. Il préférait être dehors dans le froid à contempler le corps d'une pute morte dans une benne plutôt que d'être chez lui avec sa femme. Barbara devait être sur le canapé, très comme il faut, en train de regarder une merde quelconque à la télé, de bouillir de colère rentrée sous son maquillage. Elle avait passé trente ans à essayer de le changer, c'est pas maintenant qu'elle allait renoncer. C'était le boulot des femmes d'essayer d'améliorer les hommes. Et celui des hommes de résister à toute amélioration. C'est ainsi que le monde fonctionnait depuis toujours et ainsi qu'il fonctionnerait toujours.

Auparavant, avant la mort de son petit-fils, avant que sa charmante fille Amy ne soit réduite à une coquille vide, l'état de sa relation avec sa femme ne le préoccupait pas. C'était un mariage traditionnel avec ce que ça suppose : il allait au boulot, Barbara restait au foyer et le houspillait. La moitié du temps, il était en disgrâce pour une peccadille domestique ou autre. Ça lui était égal, il se contentait d'aller au pub.

Depuis l'accident, tout était dénué de sens. Tout espoir enfui. Mais il continuait à mettre un pied devant l'autre. Monsieur le gendarme dans *Oui-Oui*. À faire son boulot. Parce que, lorsqu'il arrêterait, il devrait rester à la maison avec Barbara tous les jours. Affronter la futilité de toutes choses. Foutue croisière dans les Caraïbes, comme si ça allait améliorer la situation.

« Patron.

— Ouais ?

— Les TSC disent qu'on peut enlever le corps.

— C'est pas mon affaire, mon gars, parles-en à l'inspecteur principal Miller. Je ne suis qu'un témoin innocent. »

∽

Dix-huit heures. Une soirée vide s'étendait devant lui.

Jackson songea à téléphoner à Julia, le dernier recours de l'insomniaque, une femme qui abhorrait le vide du silence. Elle vous endormait debout avec son bagou, elle valait tous les troupeaux de moutons et les somnifères de la terre. Puis il se rappela combien elle avait été agacée la dernière fois qu'il l'avait appelée tard le soir (« Je dois être sur le plateau à six heures du matin. C'est important ? ») et décida de ne pas encourir son ire.

L'ennui l'amena à lire la totalité des prospectus de l'hôtel, les instructions en cas d'incendie affichées à la porte, un numéro de *Yorkshire Life*, tout ce qui n'était pas cloué. Il envisagea puis rejeta l'idée de jouer à un jeu stupide sur son portable et alla même jusqu'à chercher la Bible dans le tiroir de la table de chevet, mais une fois qu'il l'eut trouvée, il s'aperçut qu'il n'était pas désespéré à ce point-là. Un Post-it jaune tomba de la Bible. Quelqu'un avait écrit au crayon « Le trésor ici, c'est vous ». Jackson colla le Post-it sur son front et mourut d'ennui.

Il ressuscita d'entre les morts au bout de dix minutes, tel Lazare ranimé par les coups de langue d'un sauveur canin. Le chien avait l'air inquiet. Un chien pouvait-il avoir l'air inquiet ? Jackson bâilla. Le chien l'imita. La vie devait avoir autre chose à offrir que ça. Il plia le post-it et le rangea dans son portefeuille au cas où il passerait l'arme à gauche et où les gens qui découvriraient son cadavre douteraient de sa vraie valeur.

« C'est l'heure de l'apéro, dit-il. Il est temps de dévaliser le mini-bar. » Avait-il l'habitude de parler tout haut ? Avant d'avoir le chien ? Il était presque sûr que non. *Ergo*, comme aurait dit Julia, il parlait au chien. C'était mauvais signe ? Le chien le regarda comme s'il s'intéressait à ce qu'il disait. Jackson soupçonna qu'il était en train de lui prêter des émotions qu'il ne ressentait pas.

Il vida une mignonnette de whisky suivie d'une deuxième. Leeds était renommée pour sa vie nocturne, se dit-il, pourquoi ne pas sortir y goûter un peu ? Ce n'est pas parce qu'il avait atteint l'âge d'or qu'il ne pouvait pas se lâcher un peu, renouer avec sa jeunesse d'argent brillant. Ça valait certainement mieux que de rester dans une chambre d'hôtel à parler à un chien.

Tous les samedis soir, sa sœur allait danser à Leeds avec des amis. Il était encore capable d'évoquer les samedis soir – Francis expédiant son dîner pour pouvoir sortir, boire et draguer les filles et Niamh, dans un nuage de laque et de parfum, s'inquiétant de rater son car. Elle rentrait toujours par le dernier. Jusqu'au jour où elle n'était pas rentrée du tout.

Par la suite, avant l'arrestation et les aveux de Peter Sutcliffe, lorsque ce dernier était encore l'Éventreur anonyme avec un large éventail de meurtres à son actif, Jackson s'était parfois demandé s'il n'était pas possible que Niamh ait été la proie de cet esprit du mal. Sa première victime datait de 1975, mais il avait commencé à agresser des femmes avant ça : on l'avait découvert armé d'un marteau et inculpé de « transport d'outils pouvant servir à un cambriolage » dès 1969 et c'est seulement avec le recul qu'on voyait à quoi le marteau était destiné. Manchester, Keighley, Huddersfield, Halifax, Leeds, Bradford, son terrain de chasse n'était qu'à une courte distance en voiture de la ville natale de Jackson. Niamh avait été étranglée. Les victimes de Sutcliffe étaient en règle générale assommées puis poignardées. Mais allez savoir quelles erreurs un homme pouvait commettre quand il était encore novice.

Pourquoi les hommes tuaient-ils les femmes ? Au bout de toutes ces années, Jackson ne connaissait toujours pas la réponse à cette question. Il n'était pas certain d'avoir envie de la connaître.

Il prit une douche rapide et tenta de se faire beau avant d'emmener le chien faire ses besoins du soir, dut recommencer tout le cirque avec le sac à dos. Il songea à acheter quelque chose de plus petit, un sac de la taille d'un terrier, il était presque sûr que Toutouboutique en vendait. Il avait bien essayé de mettre le chien dans son blouson, mais il avait l'air d'être enceint. Un look pas génial. Pour un homme en tout cas.

Jackson se sentit coupable quand le chien déposa une crotte brune fumante et il dut récupérer un vieux journal dans une poubelle pour la ramasser. Il n'avait pas réfléchi au problème, à présent il se rendait compte qu'il devrait acheter quelque chose pour ramasser la merde. C'était le premier inconvénient réel qu'il découvrait au fait d'avoir un chien.

Il ramena le chien dans la chambre et le laissa sur le lit : allongé dans la position du Sphinx, ce dernier le regarda tristement partir. Jackson sentit son regard tragique de bête abandonnée qui le suivait dans l'ascenseur, le hall d'entrée et jusque dans la rue. Il aurait peut-être dû lui allumer la télé.

Une fois dans la rue, il s'aperçut qu'il mourait de faim. Il ne s'était rien mis sous la dent depuis le sandwich et le café avalés au snack de Kirkstall Abbey, beaucoup plus tôt dans la journée. Il partit en quête de nourriture et atterrit dans un restaurant italien aux airs de jardinerie où il but une demi-carafe de chianti et mangea une assiette de pâtes quelconques avant de se diriger vers les lumières de la ville. Après ça, c'était un peu nébuleux. Malheureusement.

~

Elle se réveilla dans le noir sans savoir depuis combien de temps elle dormait. Elle crut être de retour chez elle dans son lit. Il lui fallut longtemps pour se souvenir qu'elle était à Bluebell Cottage. La rumeur de Londres lui manquait, elle en avait besoin pour dormir. Il faisait noir ici. Trop noir. La nuit était noire et silencieuse. Anormalement.

Tilly se mit sur son séant et écouta, mais le silence était profond. Parfois quand elle écoutait au milieu de la nuit, elle entendait toutes sortes de petits bruissements, glapissements et autres cris perçants comme si une faune mystérieuse s'ébattait autour de la chaumière. Elle était de temps à autre réveillée par une mélopée funèbre dans les aigus et soupçonnait qu'il s'agissait d'une petite créature zigouillée par un renard. Elle se représentait toujours les renards en gilet à carreaux et haut-de-chausses, coiffés d'un chapeau à plume. Souvenir sans doute d'un livre d'enfance. Gamine, elle avait vu un diorama de lapins empaillés déguisés en humains. Les lapines en robes et pelisses, les mâles habillés comme des dandys et des châtelains, un quatuor avec des instruments miniatures. Des lapins se faisant passer pour des domestiques en charlotte et tablier. Une rangée à briser le cœur de minuscules bébés lapins bordés dans leur lit, dormant à poings fermés à jamais. C'était répugnant et fascinant à la fois et l'image avait hanté l'imagination de Tilly pendant des années.

Mais cette nuit, il n'y avait ni gigues de lapins ni quadrilles de souris, le rusé M. Renard ne faisait pas des siennes dans le poulailler, il n'y avait que le silence si profond et si sombre que c'était comme le son d'une autre dimension plutôt qu'une absence de bruit.

Tilly se tira tant bien que mal du lit et alla à la fenêtre. En ouvrant les rideaux, elle fut surprise de voir une bougie brûler régulièrement à la fenêtre d'une chambre du cottage d'en face. *Jésus nous demande de briller d'une flamme pure et claire.* Quelqu'un qui veillait ou qui envoyait un signal ? Qui se couchait tard ou se levait tôt ? La bougie semblait avoir une signification qui la dépassait, mais Tilly n'arrivait pas à imaginer laquelle. *Comme une petite bougie brûlant dans la nuit.*

Puis une main invisible souleva le bougeoir et l'enleva de la fenêtre. Des ombres se dilatèrent et se dessinèrent sur le mur, puis la pièce retomba dans l'obscurité.

Elle se réveilla à nouveau en sursaut. Elle courait après une petite fille, elle courait, courait le long de couloirs interminables, mais n'arrivait pas à la rattraper. Puis c'était *elle* la petite fille et elle tenait la patte d'un petit lapin. Ils se sauvaient à toutes jambes, main dans la patte, poursuivis par une morue géante. La morue nageait dans l'air, sinueuse et puissante, fouettant son corps argenté aux angles. C'était ridicule, à se demander d'où viennent les rêves. Le lapin poussa un terrible cri lorsque les grosses lèvres laides de la morue se refermèrent sur sa queue. Elle comprit que le lapin était son bébé. Celui qu'elle avait perdu il y a de nombreuses années. Elle s'était réveillée en entendant une voix dire *Quelqu'un devrait faire quelque chose, Matilda.* C'était la morue qui avait parlé ? Elle avait un accent très chic, pas le genre d'accent qu'on attend d'une morue. Enfin, naturellement, on ne s'attend pas du tout à ce que les morues parlent. Ce n'est qu'au moment où elle commençait à se rendormir que Tilly comprit que c'était la voix de Franny Anderson, sa prof de diction au cours d'art dramatique.

∽

Tracy récupéra les truffes viennoises dans son sac à main. C'était dans une autre vie qu'elle les avait achetées chez Thornton's. Une vie différente. Avant Courtney. Comme on dit avant J.-C.

Elle alluma la télé. Les truffes avaient fondu et s'étaient agglomérées. Elles avaient le même goût pourtant si on ne regardait pas. *Britain's Got Talent* était fini depuis longtemps. Elle chercha un film sur le câble et la seule chose regardable qu'elle put trouver fut *Elfe*, qui avec ses lutins du Père Noël n'était pas de saison. Elle l'enregistra pour Courtney. Appuyer sur la touche rouge d'enregistrement lui donna l'impression d'un engagement envers l'avenir. Elles n'allaient pas regarder le film tout de suite, mais c'était l'intention qui comptait.

Si la vie de Carol Braithwaite n'avait pas été aussi brutalement interrompue, elle serait peut-être en ce moment même assise sur son canapé, les pieds sur la table, un verre et une cigarette à la main, en train de zapper entre six cents chaînes et de ne rien trouver qui mérite d'être regardé. Dans l'intervalle, elle n'aurait sans doute pas vécu une vie d'une grande importance, mais n'était-ce pas le lot commun ? Il y avait beau temps qu'elle n'était plus là. On aurait pu la croire disparue à jamais, mais son nom était resté, semblait-il. La porte du placard était ouverte, la boîte n'était plus sur l'étagère, le couvercle était soulevé. Pourquoi Linda Pallister voulait-elle lui parler de Carol Braithwaite ?

Linda avait travaillé toute sa vie dans la protection de l'enfance, elle avait dû voir le pire côté de l'humanité. Tracy avait vu le pire et davantage encore. Elle s'était sentie souillée par tout ce dont elle avait été témoin. De l'obscénité pure et simple. Des salons de massage et des clubs de lap-dancing à une extrémité et à l'autre des DVD hardcore de gens qui faisaient des dégueulasseries entre eux. Des trucs illégaux qui vous brouillaient les synapses à force de dépravation. Des gamines vendant leur âme avec leur corps, des bordels et des saunas à prix cassés, un univers sordide à n'y pas croire, des accros au crack prêtes à faire n'importe quoi pour un bifton de dix livres. N'importe quoi. On arrêtait des filles pour racolage et on les voyait retourner directo sur le trottoir ; des étrangères qui croyaient venir travailler comme serveuses et comme nounous et qui se retrouvaient enfermées dans des chambres sordides à enchaîner les passes à longueur de journée ; des étudiantes travaillant dans des « clubs de gentlemen » (tu parles !) pour payer leurs études. Liberté de parole, bonnes âmes aux idées larges, les droits de la personne – *tant que ça ne fait de mal à personne.* Blablabla. Ça menait où ? À Rome sous Néron.

Le mal était sans fin, au fond. Que faire ? On pouvait commencer avec une petite gosse.

1974. Réveillon du Nouvel An

Un dîner dansant au Métropole, tenue de soirée exigée. Au profit d'une organisation caritative qui s'occupait de gosses – malades, sourds ou aveugles. Ray Strickland n'avait pas prêté grande attention, tout ce qu'il savait, c'est que c'était cher. « Charité bien ordonnée commence par soi-même », disait sa femme Margaret. Ray n'était pas tout à fait sûr de savoir ce que ça signifiait. Sa femme était quelqu'un de bon. « Fille de pasteur, disait-elle. J'ai été élevée dans l'idée que c'est mon devoir de secourir ceux qui ont eu moins de chance que moi. » « Moi, par exemple », plaisantait Ray.

Margaret était originaire d'Aberdeen. Ils s'étaient rencontrés un soir, dix ans plus tôt, aux urgences quand Ray était encore en tenue et interrogeait un poivrot impliqué dans une bagarre. Elle était descendue faire ses études d'infirmière au St James's parce qu'elle avait envie de « voir l'Angleterre ». Ray lui avait dit que l'Angleterre ne se résumait pas à Leeds alors qu'à l'époque il n'était jamais allé plus loin que Manchester. Avant de le rencontrer, Margaret avait le projet de devenir missionnaire, de travailler dans un coin sombre et éloigné de l'univers.

Puis ils s'étaient fiancés et il était devenu sa mission, son coin sombre de l'univers.

Quand il lui faisait la cour, il la rencontrait après son service et ils allaient prendre un verre en face à la vieille Cemetery Tavern. Ça faisait beau temps qu'elle avait été démolie. Une demi-pinte de bière pour Ray, un panaché pour Margaret – choix osé pour elle à l'époque car elle avait été élevée dans l'abstinence. De même que Ray, bien sûr, qui était un méthodiste du West Yorkshire et avait fait vœu de tempérance et tout le toutim dans sa prime jeunesse. Il y avait belle lurette qu'il l'avait brisé.

Dans une autre vie, Margaret aurait été une sainte ou une martyre, pas au mauvais sens du terme, pas comme d'autres hommes de sa connaissance disaient de leur femme : « Elle se prend pour une foutue sainte » ou « C'est une martyre du ménage ». Ray appréciait sa bonté. Il espérait qu'elle déteindrait sur lui d'une manière ou d'une autre. Il finissait chaque journée avec le sentiment d'avoir échoué. « Ne sois pas idiot, disait Margaret. Tu améliores le monde, même si c'est seulement à ta modeste façon. » Sa foi en lui était mal placée. Il vivait dans un état de culpabilité permanent, s'attendait à chaque instant à être percé à jour. Il n'était même pas sûr de savoir au juste ce qu'il avait fait.

Il regarda autour de lui pour trouver Margaret et ne l'aperçut nulle part.

Des gros bonnets. Des magistrats, des hommes d'affaires, des avocats, des conseillers municipaux, des médecins, des policiers, en grand nombre. Tout le gratin était là en force pour dire adieu à la vieille année. L'air était épais – cigares, cigarettes, alcool, parfum se mêlaient à l'odeur des restes du buffet sur les tables. Cocktail de fruits de mer, assiettes de jambon, de poulet et d'œufs au curry, salade de pommes de terre, jattes de trifle. Ça lui donnait la nausée. Son commissaire divisionnaire, Walter Eastman, n'arrêtait pas de lui remplir son verre de whisky. C'étaient tous de gros buveurs – Eastman, Rex Marshall, Len Lomax. « Tu es des nôtres, mon gars, disait Eastman, alors tu ferais mieux de boire comme nous. » Ray n'était pas sûr de savoir ce que ce « des nôtres » recouvrait. Des francs-maçons, des policiers, des membres du club de golf ? Il voulait peut-être seulement dire les hommes par rapport aux femmes.

« Tu es en train de grimper les échelons, Strickland, disait Eastman. Inspecteur aujourd'hui, mais tu passeras inspecteur principal en trois coups de cuillère à pot. »

Beaucoup d'huiles dans la pièce, bien sûr. C'était la raison pour laquelle Ray – qui avait l'air emprunté dans le costume de pingouin qu'il avait dû louer chez Moss Bros – était là. C'était Eastman qui l'avait persuadé d'acheter des billets. « Ce sera bon pour toi, mon gars, de côtoyer tes aînés. » Eastman, il était le protégé d'Eastman. « C'est bien, non ? » disait Margaret.

Les femmes étaient toutes sur leur trente et un, en satin et en strass – essayant d'entraîner maris et fiancés sur la piste de danse où ils exécutaient en maugréant un fox-trot maladroit et un quickstep hésitant, mourant d'envie de retourner à leurs clopes et à leurs pintes. Eastman se targuait d'être bon valseur : pour un type aussi lourd, il était aérien. Il avait insisté pour emmener Margaret « faire un tour » sur la piste.

« Tu as une gentille femme, dit-il.

— Je sais. » Ray suivit le regard d'Eastman et aperçut Margaret à l'autre bout de la salle. Elle portait sa robe en dentelle bleu nuit et s'était fait faire une mise en plis pour l'occasion : ses doux cheveux semblaient pris dans un ciment de bouclettes. Elle avait trente ans, mais les années 60 lui avaient glissé dessus. Elle avait l'air très sage comparée à certains étalages de chairs : des femmes habillées trop jeunes pour leur âge. Margaret, c'était l'inverse, elle s'habillait trop vieille. Ray admirait la pudeur chez les femmes. Son épouse idéale était sa mère, mais elle n'aurait jamais épousé quelqu'un d'aussi agité que lui. Instable, c'était son problème. « Arrête de te rabaisser, Ray », disait Margaret en faisant la petite cuillère contre son dos froid et inquiet dans l'étendue stérile du lit conjugal.

Elle était assise à une table avec Kitty Winfield, leurs têtes étaient rapprochées comme si elles se confiaient des secrets. Elles faisaient une drôle de paire. Kitty en velours noir, rang de perles, ses longs cheveux sculptés en une coiffure sophistiquée. La seule femme de la pièce à connaître les vertus du minimalisme. Tout le monde conscient qu'elle avait été mannequin. Kitty Gillespie, comme elle s'appelait à l'époque. Ils supposaient tous qu'elle avait un passé olé olé, qu'elle était sortie avec des gens célèbres, qu'on avait parlé d'elle dans les journaux, qu'elle avait été une des premières à porter une minijupe, mais aujourd'hui, c'était la classe personnifiée. Les femmes voulaient être amies avec elle, les hommes la considéraient avec un respect mêlé d'admiration, elle était irréprochable, presque au-delà du désir. Si Margaret était une sainte, Kitty Winfield était une déesse. « *Elle marche en beauté*[1] », murmura Eastman à son côté. Eastman était un grand copain de golf de Ian, le mari de Kitty Winfield. Margaret travaillait avec Ian Winfield à l'hôpital. Elle avait l'air d'une espèce différente à côté

1. Poème de Byron (1815).

de Kitty. D'une pigeonne sans chic à côté d'un cygne. « Kitty, dit Eastman. Si fragile. » Ray comprit que c'était une façon polie de dire qu'elle était névrosée.

Ray savait ce qui liait Margaret et Kitty Winfield. La fertilité. Ou son absence. Kitty Winfield ne pouvait pas concevoir, Margaret n'arrivait pas à garder ses bébés. Elle avait fait trois fausses couches, eu un bébé mort-né. L'année dernière, les médecins lui avaient dit qu'elle ne pouvait plus essayer, quelque chose clochait chez elle. Elle avait sangloté pendant tout le voyage de retour à la maison.

Elle avait passé des années à tricoter, des petites choses en dentelle dans des couleurs pastel. « Il faut que j'aie quelque chose sur mes aiguilles », disait-elle. Des placards entiers de vêtements pour bébé. Triste. À présent elle tricotait pour des « bébés en Afrique ». Ray n'était pas sûr que les gosses africains apprécient de porter de la laine, mais il ne disait rien.

« On peut adopter », avait-il proposé lors du dernier et horrible retour de l'hôpital. Elle avait redoublé de larmes.

Il s'excusa auprès d'Eastman et fit le tour de la piste de danse pour rejoindre Margaret et Kitty. Le drame, bien sûr, c'était que Margaret était infirmière au service des enfants, passait toutes ses journées avec les enfants des autres. Autre ironie du sort, le mari de Kitty Winfield était médecin pour enfants. Pédiatre à St James's.

Jusqu'à tout récemment, ils ne fréquentaient pas les mêmes sphères. Les Winfield étaient le genre à aller dans des cocktails, grande maison à Harrogate. « Cosmopolites », disait Margaret. « C'est un bien grand mot », disait Ray. À présent, c'était une autre histoire. Margaret passait son temps à « faire un saut » chez Kitty Winfield.

« Elle comprend ce que c'est de ne pas pouvoir avoir de bébé, disait-elle.

— Moi aussi, je comprends, disait Ray.

— Tu crois ?

— Pourquoi ne pas adopter ? » proposa de nouveau Ray. Margaret était plus disposée à se laisser convaincre cette fois. Une sage-femme et un policier pratiquants qui se portaient comme un charme, ils feraient à tous les coups un couple idéal aux yeux d'une agence d'adoption.

« Peut-être, dit Margaret.

— Pas de gosses africains, remarque bien, dit Ray. Inutile d'aller aussi loin. »

Avant Noël, ils avaient été invités à une soirée chez les Winfield à Harrogate. Margaret s'était tracassée : que porter ? Pour finir, elle avait une fois de plus décidé de mettre sa robe en dentelle bleu nuit. « Pour l'amour du ciel, avait dit Ray, achète-toi quelque chose.

— Mais elle est très bien », avait-elle répondu. Aussi fut-il surpris de la voir descendre dans une robe de velours noir sans manches. « Ma petite robe noire, dit-elle. C'est Kitty qui me l'a donnée. On fait la même taille. » On ne l'aurait jamais soupçonné à les voir, mais alors là pas du tout.

« Elle me va bien ? » demanda-t-elle d'un air dubitatif. Il ne l'avait jamais vue porter quelque chose de moins seyant que la robe de cocktail de Kitty Winfield.

« Ravissant, dit-il. Tu es ravissante. »

Ray se sentait dépassé en compagnie des Winfield. Ian Winfield était jovial et amical. « Vous venez nous arrêter, inspecteur ? demanda-t-il lorsqu'il ouvrit sa porte couronnée de houx, un verre plein à la main.

— Pourquoi ? Vous mijotez un mauvais coup ? » fit Ray. Ce qui n'était guère ce qu'on pourrait appeler une répartie spirituelle. Kitty Winfield l'avait embrassé sous le gui dans le vestibule et il s'était senti rougir. C'était quelque chose de délicat, sur la joue, pas comme ces femmes tout en lèvres et en langue qui vous donnaient l'impression d'être bécoté par un saumon – la moindre occasion était bonne pour mettre le grappin sur un homme qui n'était pas leur mari. Kitty Winfield sentait bon, comme Ray imaginait que sentaient les Françaises. Et elle buvait du champagne. Ray n'avait encore jamais rencontré quelqu'un qui en boive. « Vous n'en voulez pas ? » demanda-t-elle, mais il fit durer son petit whisky toute la soirée. La maison des Winfield à Harrogate ne se prêtait pas à l'ivresse publique. Margaret aimait le Dubonnet-gin à présent. « Juste un petit. »

L'orchestre du Métropole termina un cha-cha-cha dansé maladroitement et un chanteur arriva sur scène : une vraie relique de la dernière guerre. S'ils ne faisaient pas gaffe, il allait se lancer dans *Danny Boy*, mais il surprit Ray en attaquant *Seasons in the Sun*, qui déclencha une certaine rébellion sur la piste. « On pourrait pas avoir quelque chose de plus gai », grommela Len Lomax. L'inspecteur Len Lomax, coureur de jupons et gros buveur. Joueur de rugby. Un salaud. L'ami de Ray. Sa femme, Alma, était une garce à la tête froide, elle travaillait comme acheteuse pour une usine de confection. Pas d'enfants, par choix, ils aimaient trop leur « style de vie ». Alma était, à la connaissance de Ray, la seule personne que Margaret n'aimait pas. Si Ray pensait à son « style de vie » (quel qu'il fût), il sentait un étau d'acier lui serrer le front.

« Ray ! » s'exclama Kitty Winfield quand il s'approcha d'elle et de Margaret. Elle lui sourit comme à un objectif. « Désolée de monopoliser votre femme.

— Non, ce n'est rien », fit Ray gauchement. Il lui alluma sa cigarette, elle était assez proche pour qu'il sente à nouveau son parfum français. Il se demanda ce que c'était. Margaret ne sentait que la savonnette.

Ils étaient tous à la même table, les Winfield, les Eastman, Len et Alma Lomax plus un conseiller municipal du nom de Hargreaves qui siégeait à la commission des transports. Len Lomax se pencha devant Margaret pour glisser à mi-voix « Eh, Ray, t'es au courant que la femme qui accompagne Hargreaves n'est pas son épouse ? » Margaret fit comme s'il était invisible. La femme en question – plus banale que vénale – fixait son assiette vide d'un air gêné.

« Il est très mal poli, votre ami, lui dit Kitty sur un ton de reproche en inhalant une longue bouffée de fumée. J'ai de la peine pour cette pauvre femme. Qu'est-ce que ça peut bien faire qu'ils ne soient pas mariés ? On est en 1975 pour l'amour du ciel, on n'est plus au Moyen Âge.

— Enfin, techniquement parlant, on est encore en 1974 », fit Ray en regardant sa montre. Oh, mon Dieu, Ray, se dit-il. Détends-toi. Kitty Winfield le transformait en benêt.

C'était la pagaille sur la table : nappe maculée de taches de vin et de nourriture, assiettes sales que les serveuses étaient encore en train de débarrasser. Une crevette rose solitaire était lovée comme un embryon sur la nappe. Ray eut de nouveau la nausée.

« Ça va ? lui demanda Margaret. Tu as l'air pâle.

— Appelez le docteur, dit Kitty Winfield en riant. Vous ne l'auriez pas aperçu par hasard ? demanda-t-elle à Ray.

— Qui ça ? » Il n'avait pas la moindre idée de qui elle voulait parler.

« Mon mari. Je ne l'ai pas vu depuis une éternité. Je crois que je vais aller jeter un coup d'œil. Vous devriez danser tous les deux, dit-elle en se levant avec grâce des décombres de la table.

— On y va ? fit Margaret quand Kitty eut disparu dans la mêlée. Danser ?

— À vrai dire, je me sens un peu barbouillé, avoua-t-il. J'ai abusé de la vieille eau de feu. »

Puis Eastman revint et dit : « Ray, il y a des gens auxquels je veux te présenter. » Se tournant vers Margaret, il dit « Ça ne vous dérange pas, hein, que je vous emprunte votre mari ? », et elle répondit « Du moment que vous me le rendez en un seul morceau ».

Il alla aux toilettes puis se perdit dans un couloir. Il ne s'était pas rendu compte à quel point il était ivre. Il ne cessait de se cogner aux murs comme s'il était sur un bateau roulant sur une mer agitée. Il dut s'arrêter à deux reprises et s'appuyer au mur. Une fois, il se retrouva affalé par terre, essayant de se concentrer sur sa respiration. Ça bourdonnait, tout bourdonnait, il se demanda si on ne lui avait pas versé quelque chose dans son verre. Le personnel allait et venait dans le couloir en l'ignorant délibérément. Quand il revint enfin dans la salle de bal, Margaret l'empoigna et dit « Ah, te voilà, je croyais qu'on t'avait enlevé. Tu reviens juste à temps ».

Le chanteur arrivait à la fin du compte à rebours : « … cinq, quatre, trois, deux, un – Bonne année à tous ! » La pièce explosa. Margaret l'embrassa et le serra dans ses bras et dit « Bonne année, Ray ». L'orchestre attaqua

Auld Lang Syne, personne ne connaissait les paroles au-delà des deux premiers vers, sauf Margaret et deux Écossais ivres et forts en gueule. Puis Eastman et certains de ses potes déboulèrent et lui secouèrent vigoureusement la pogne.

« À 1975, dit Rex Marshall. Si vous avez des ennuis, que ce soit seulement des petits. » Du coin de l'œil, Ray vit Margaret tressaillir. Pauvre connard.

Les hommes embrassèrent tous Margaret et il vit qu'elle s'efforçait de ne pas reculer devant leur haleine empestant l'alcool. Les Winfield réapparurent, Kitty avait apparemment réussi à retrouver son mari, bien qu'il eût l'air encore moins frais que Ray. Nouvelles poignées de main et nouvelles embrassades, Kitty offrant sa charmante joue pâle d'une façon qui leur donna à tous l'envie de se tenir mieux. Mais pas pour longtemps.

« Messieurs, au bar ! » cria Len Lomax en levant le bras devant lui comme s'il s'apprêtait à mener la charge de la Brigade légère.

Ray et Ian Winfield rechignèrent, mais Kitty Winfield rit et dit « Allez, ouste, du balai » en repoussant son mari. Elle passa son bras sous celui de Margaret et dit : « Allez, viens, Maggie, les hommes en ont pour un moment. Pourquoi ne pas partager un taxi et rentrer ?

— Bonne idée, dit Margaret avec affabilité. Amuse-toi bien », fit-elle à Ray en lui tapotant affectueusement la joue.

« Les hommes ne changeront jamais », entendit-il Kitty Winfield murmurer tandis que les deux femmes s'éloignaient.

Les hommes ne méritaient pas les femmes.

« On ne les mérite pas, dit-il à Ian Winfield tandis qu'ils se dirigeaient vers le bar.

— Oh, mon Dieu, non, fit-il. Les femmes nous sont très supérieures. Je ne voudrais pas en être une pourtant. »

Ray dut se frayer tant bien que mal un chemin jusqu'aux toilettes où il vomit tripes et boyaux : en l'occurrence crevettes, poulet et trifle. Eastman entra en homme pressé et prit position devant l'urinoir. Il descendit sa fermeture éclair d'un geste majestueux comme s'il s'apprêtait à lâcher quelque chose qui serait admiré.

« Je pisse comme un cheval », dit-il fièrement. Il remonta sa fermeture Éclair, ignora le lavabo, le savon et l'eau et, tapant dans le dos de Ray, il dit « On remet ça, mon gars ? »

Dieu seul sait combien de temps après. 1975 était déjà entamée, le temps perdu à jamais. Il était de retour dans les W-C, appuyé à une paroi, essayant de rester conscient. Il se demanda s'il allait finir à l'hôpital avec un empoisonnement à l'alcool. Il imagina la déception de sa mère si elle le voyait maintenant.

Il se retrouva on ne sait trop comment aux cuisines. Le personnel festoyait à sa façon. Ils étaient tous étrangers, il entendait parler espagnol, il avait emmené Margaret à Benidorm l'an passé. Ça ne leur avait pas tellement plu.

Un homme en tenue de chef enflamma un bol d'alcool et le bol devint une immense flamme bleue éthérée, comme un sacrifice à des dieux anciens. Puis l'homme prit une louche, la plongea et la leva en l'air – elle laissa une traînée de flammes bleues dans son sillage – et de répéter l'opération encore et encore, de plus en plus haut. C'était envoûtant. *Stairway to heaven*[1].

1. *Un escalier menant au ciel,* chanson de Led Zeppelin.

Il avait fauté. Il avait eu une liaison avec une fille du personnel administratif – Anthea, le genre moderne et brusque qui n'avait que les droits des femmes à la bouche. Elle savait ce qu'elle voulait, il devait lui reconnaître ça. Elle n'attendait de lui que du cul et c'était un soulagement d'être avec quelqu'un qui n'était pas constamment en train de pleurer sur sa matrice vide. « Amusante, disait-elle, la vie est censée être amusante, Ray. » C'était une grande nouveauté pour lui.

Ils faisaient ça partout et n'importe où : voitures, bois, ruelles, la chambre aux murs épais comme du papier à cigarette de l'appartement qu'elle louait avec une amie. Ça n'avait rien à voir avec ce que Margaret et lui faisaient au lit où il avait toujours l'impression de lui infliger les derniers outrages tandis qu'elle essayait de prétendre que ce n'était pas le cas. Anthea faisait des trucs dont Ray n'avait jamais entendu parler. C'était toute une éducation. Len Lomax le couvrait tout le temps. Len mentait comme il respirait. L'éducation avait pris fin à présent : Anthea ne croyait pas aux relations de longue durée, s'inquiétait qu'il développe « une dépendance affective ». Une partie de lui était soulagée au-delà de toute idée, il vivait dans la hantise que Margaret ne découvre le pot aux roses, mais l'autre partie avait une terrible nostalgie pour toute cette simplicité. « Ah, les joies de la baise sans complications », disait Len en connaisseur. « Ouais, bon », disait Ray qui détestait pourtant la crudité du mot appliqué à sa vie. « T'es qu'une petite vieille, au fond, Ray », disait Len en riant.

Ray se dit qu'il avait dû perdre connaissance, car l'instant d'après les cuistots étaient tous en train de se battre, de se hurler Dieu sait quoi à la figure. L'un d'eux jeta une grosse marmite qui traversa la cuisine et atterrit avec un terrible fracas.

Il sortit en chancelant, retourna au bar où il tomba sur Rex Marshall. « Putain de bordel, Strickland, dit Marshall, t'as l'air bien parti. Prends un verre. »

S'il craquait une allumette, il s'embraserait. Brûlerait avec une flamme bleue. Il posa sa tête sur le bar. Se demanda où était Len Lomax.

« Faut que je rentre chez moi avant de claquer, chuchota-t-il quand Walter Eastman s'approcha de lui. Vous pouvez m'appeler un taxi ? » Eastman répondit : « Gaspille pas ton fric pour un putain de taxi. Appelle la police ! » Rires tapageurs au bar. Eastman utilisa le téléphone qui se trouvait sur le bar pour passer un coup de fil et quelque temps plus tard – ç'aurait pu être dix minutes, ç'aurait pu être dix ans – Ray était déconnecté du réel, un jeune agent entra dans le bar et dit « Sir ? » à Eastman.

C'était le bon temps.

∽

« Qu'est-ce que tu fous ici ? dit Tracy.

— Chauffeur d'un soir, répondit Barry Crawford. Eastman m'a demandé de passer prendre un inspecteur complètement bourré et de le ramener chez lui.

— T'es un vrai lèche-bottes.

— Ouais, bon, ça vaut mieux que de regarder la merde du Nouvel An à la télé avec ma maman. » Il fumait, appuyé nonchalamment à la voiture. On se les gelait là dehors. Elle aurait dû mettre un Thermolactyl. Chaque fois que quelqu'un sortait du Métropole, il apportait dans son sillage une rafale de bruit et de lumière. « C'est une vraie orgie romaine là-dedans, dit Barry.

— Tu crois ? » Tracy se demanda ce que Barry savait des Romains ou des orgies. Pas grand-chose, soupçonnait-elle. Ils avaient fait l'école de police ensemble et elle en avait conclu qu'il était à la fois ambitieux et paresseux et qu'il réussirait donc sans doute. Il avait « le béguin » pour une fille prénommée Barbara, une fille qui avait la langue acérée, une grosse choucroute passée de mode et qui travaillait au rayon produits de beauté de Schofields, mais il n'osait pas l'inviter à sortir.

« Et toi, qu'est-ce que tu fais là ? s'enquit Barry.

— Je suis de service. C'est évident, dit-elle en indiquant son uniforme. On a reçu un appel pour tapage. Ça se bagarre aux cuisines. Je crois qu'ils viennent juste de découvrir qu'on ne leur paiera pas les heures supplémentaires après minuit ou un truc dans ce goût-là. » Comment Barry s'était-il débrouillé pour mettre la main sur une voiture pie ? Tracy s'était inscrite aux leçons de conduite et n'avait eu aucune nouvelle.

« T'es toute seule ? demanda Barry.

— Je suis avec Ken Arkwright. Il est aux toilettes. C'est qui l'inspecteur que tu emmènes ?

— Strickland.

— Quand on parle du diable, voici ta course pour ce soir, Barry. Putain, regarde-moi dans quel état il est. Tu vas passer la première journée de 1975 à nettoyer du vomi. » Deux gros bras de la PJ manutentionnaient Ray Strickland.

« Va te faire foutre », lui répondit aimablement Barry en jetant sa cigarette par terre et en l'écrasant.

Ken Arkwright arriva en traînant les pieds. « Hé, amène-toi, fit-il à Tracy, c'est le début de la Troisième Guerre mondiale là-dedans. Ces Méditerranéens, quand ils se déchaînent, ils font pas les choses à moitié. Vaudrait mieux y aller et conclure une trêve avant qu'ils s'entretuent.

— Bon, ben, continue à faire le taxi, Barry, pendant ce temps-là, nous, on va faire un vrai boulot de maintien de l'ordre, dit Tracy.

— Fous-moi le camp.

— Toi aussi, répliqua-t-elle joyeusement. Bonne année.

— Ouais, bonne année, mon gars », dit Arkwright.

Quand Tracy jeta un regard par-dessus son épaule, elle vit le commissaire divisionnaire Eastman se pencher vers Barry et l'entendit donner l'adresse de Strickland. Puis il lui glissa quelque chose d'autre, Tracy ne vit pas ce que c'était, de l'argent ou une boisson probablement.

« Quel pauvre con, dit Arkwright.

— Barry Crawford ?

— Non, Ray Strickland. »

« On rentre à la maison, chef ? dit Barry.

— Non, fit Ray.

— Non ?

— Non. » Strickland se pencha en avant et d'une voix pâteuse donna une adresse à Lovell Park et Barry fit : « Vous êtes sûr ?

— Évidemment que j'en suis sûr, putain. » Strickland retomba contre le dossier de son siège et ferma les yeux.

Quand ils arrivèrent à Lovell Park, il faillit tomber de la voiture. Barry le regarda se diriger en titubant vers les portes d'entrée. Il n'y avait plus qu'à espérer pour ce pauvre type que les ascenseurs fonctionnaient.

Arrivé à mi-chemin, Strickland se retourna et brandit triomphalement une demi-bouteille de Scotch. « Bonne année ! » cria-t-il. Il trébucha sur quelques mètres, se retourna une fois de plus et cria, plus fort cette fois : « Tu t'appelles comment ?

— Crawford, cria à son tour Barry. Agent Barry Crawford. Bonne année, sir. »

PÉRIL

Jeudi

Tracy fut réveillée par un cri, un son mal défini dans l'obscurité. À demi comateuse, elle songea aux renards qui venaient la plupart des nuits dans le jardin et dont les accouplements ressemblaient à des meurtres. Elle entendit le cri une seconde fois et il lui fallut plusieurs secondes avant de se souvenir qu'elle n'était pas seule dans la maison.

Courtney !

Elle se tira du lit et se dirigea en titubant de sommeil vers la chambre d'appoint où elle trouva la gamine dormant à poings fermés sur le dos en respirant bruyamment, la lèvre inférieure pendante. Au moment où Tracy s'apprêtait à regagner son lit, Courtney cria de nouveau, un croassement qui semblait indiquer la détresse. Elle battit soudain l'air du bras comme si elle essayait de parer une attaque, mais la seconde d'après, on aurait dit un cadavre. Tracy ne put s'empêcher de lui donner une pichenette et fut soulagée de la voir remuer en émettant un gémissement, comme un chien en train de rêver.

Tracy s'assit sur le lit, attendit de voir si la gamine allait se réveiller à nouveau. Rien d'étonnant à ce que son sommeil soit perturbé – elle ne savait ni où elle était ni avec qui elle était. Tracy éprouva un pincement de culpabilité à l'idée de l'avoir soustraite à son habitat naturel, mais se souvint de l'expression effrayante de Kelly Cross traînant Courtney dans le Merrion Centre. Tracy avait suffisamment vu de gosses bousillés, déglingués parce que les travailleurs sociaux les avaient laissés dans des familles auxquelles on ne confierait même pas un chien. La famille n'est pas toujours un environnement fantastique, surtout pour un gosse.

Tracy avait dû s'endormir car elle se réveilla affalée inconfortablement au bout du lit étroit, la lumière du jour inondant le papier peint hideux. Aucun signe de Courtney. Elle éprouva un moment inattendu de panique comme si une main géante lui étreignait le cœur. Peut-être que la mère légitime de la gosse était venue la récupérer à la faveur de la nuit. Ou qu'un inconnu était entré par la fenêtre et l'avait fait disparaître comme par enchantement. Mais quelles étaient les probabilités pour qu'une gamine soit enlevée deux fois en l'espace de vingt-quatre heures ? Sans doute moins fortes qu'on ne l'imaginait.

Quand Tracy, qui n'avait pas les yeux en face des trous, entra dans la salle de séjour, elle découvrit la gamine attablée en train d'enfourner stoïquement des cuillerées de céréales sans lait.

« Ah, te voilà », dit Tracy.

Courtney lui lança un bref coup d'œil. « Oui, me voilà, fit-elle avant de retourner à ses céréales.

— Tu veux du lait ? » demanda Tracy en désignant le bol de céréales. La gosse se mit à hocher la tête et continua à le faire jusqu'à ce que Tracy lui conseille d'arrêter.

Tracy n'était pas certaine de savoir ce qui était le plus perturbant : perdre la gosse ou la retrouver.

Tracy avait dormi dans une chemise de nuit Winnie l'Ourson délavée, qui couvrait à peine le haut de ses cuisses plantureuses, et ses cheveux rebiquaient dans tous les sens. Elle avait enfilé à la hâte un vieux bas de survêtement pour compléter l'ensemble. Elle était horrible à voir, sans doute pas à des années-lumière de Kelly Cross au saut du lit, seulement beaucoup plus grosse. N'empêche qu'elle aurait pu porter un sac-poubelle et que Courtney n'y aurait vu que du feu. Les gosses ne s'intéressent pas aux apparences extérieures. Il y avait décidément quelque chose de réjouissant à être avec une petite personne qui ne vous jugeait pas.

Courtney de son côté avait fait plus d'efforts, elle avait sélectionné certaines de leurs emplettes de la veille. Elle en avait enfilé quelques-unes à l'envers, mais avait compris en gros le principe. Les tentatives de Tracy pour jouer les coiffeuses n'avaient pas entièrement porté leurs fruits. À la lumière cruelle du jour, la gosse avait un côté « fait maison ». Elle avait fini ses céréales et fixait son bol vide à la manière d'Oliver Twist.

« Une tartine grillée ? » proposa Tracy. La gamine leva le pouce.

Tracy coupa la tartine en triangles qu'elle disposa sur une assiette. Si ç'avait été pour elle, elle se serait contentée de flanquer une grosse tartine sur un morceau d'essuie-tout. C'était différent quand on faisait les choses pour autrui. Ça vous rendait plus soigneuse. « Pleinement consciente », aurait dit un bouddhiste. Elle savait ça uniquement parce qu'elle était sortie quelques semaines avec un bouddhiste. C'était une chiffe molle de

Wrexham qui dirigeait une librairie de livres d'occasion. Elle espérait l'illumination et avait récolté une mononucléose infectieuse. Ça l'avait dégoûtée de la spiritualité à vie.

Tracy jucha Courtney sur le canapé devant la télévision où elle resta hypnotisée par un dessin animé bruyant et incompréhensible, un truc japonais bizarre. De toute évidence, la gamine aurait dû faire quelque chose de plus stimulant pour l'esprit – jouer avec des Lego, apprendre l'alphabet ou ce à quoi sont censés s'occuper les mouflets de quatre ans.

Tracy alluma son portable et attendit qu'il « chauffe » avant de faire défiler les biens offerts par plusieurs agences immobilières. Toutes les propriétés agréables situées dans des endroits plaisants – les Dales, la région des lacs – coûtaient plus de deux fois le prix qu'elle obtiendrait pour sa maison de Leeds. L'étranger semblait préférable pour toutes sortes de raisons. Elles pourraient se perdre dans la France rurale ou dans l'urbaine et trépidante Barcelone, un endroit où personne ne se poserait de questions sur leur déménagement.

Ce n'étaient pas les maisons qui manquaient en Espagne : les Britanniques partaient en masse. Élever la gosse au soleil. Sur la Costa del Gangster. Pas mal de criminels de carrière le faisaient, pourquoi pas ceux qui avaient échoué à les attraper ? *Mi casa es mi casa.* Ce n'était pas le genre de biens qu'on pouvait acheter en ligne. Elles devraient se rendre sur place en avion. Ne pas revenir. Une fois qu'elle aurait un passeport pour la gamine, bien sûr. Un endroit plus éloigné ? La Nouvelle-Zélande, l'Australie, le Canada. Leslie pourrait lui filer quelques tuyaux sur le Canada. Il y avait un tas de régions reculées où se perdre là-bas. Jusqu'où fallait-il courir pour ne pas être rattrapé ? La Sibérie ? La lune ?

Une fois le dessin animé terminé, Tracy changea de chaîne pour regarder les infos. Rien au journal télévisé national ni régional, on ne signalait aucune disparition d'enfant. On s'apercevrait tout de suite qu'on en avait perdu un. (Non ?) Kelly Cross était la mère de Courtney. Forcément. Aucun doute là-dessus. Absolument aucun.

Plus qu'une journée à tirer avant d'avoir la clé de la maison de vacances. Tracy se demanda ce qu'elles pourraient faire. On passait un film pour enfants au cinéma de Cottage Road à Headingley. Il y avait aussi la Wacky Warehouse à Leeds : une aire de jeux dépendant d'un pub, le rêve ultime des parents franchement au-dessous de tout et elle passait souvent devant un truc du nom de Diggerland, près de Castleford, où les gosses pouvaient apparemment conduire des pelleteuses et des grues. Bob le bricoleur y était pour beaucoup.

Tracy envoya un e-mail à Leslie au Merrion Centre (pas à Grant, un élève agent de police recalé. Il y avait quelque part un village qui avait perdu son idiot) pour lui dire qu'elle les verrait après ses vacances et qu'elle ne viendrait pas aujourd'hui : « J'ai encore un peu la crève, je ne voudrais pas vous la refiler. » Ça les surprendrait : elle se portait comme un chien de boucher habituellement. Elle était forte comme un bœuf. Née sous le signe du Taureau. Non qu'elle crût à ces fariboles. Elle ne croyait qu'à ce qu'elle pouvait toucher. « Ah, une empiriste », avait dit un homme rencontré au club des célibataires. Un prof d'université qui brassait beaucoup de vent et était froidement calculateur. Il l'avait emmenée au Grand Théâtre voir une comédie musicale. *Les Sept Femmes de Barberousse.* « C'est basé sur l'incident – en grande partie légendaire – du "Rape of the Sabine

Women", avait-il dit. Le mot anglais "rape" est ici trompeur, il ne veut pas dire viol, mais vient en fait du latin *raptio* qui signifie rapt. "L'Enlèvement des Sabines". L'intérieur de la salle est bien sûr censé être une réplique de La Scala de Milan. » Et ainsi de suite et ainsi de suite. Et ainsi de suite.

La semaine d'après, il l'avait emmenée voir *Le crime était presque parfait* en disant : « Ça devrait être plus dans vos cordes. »

Courtney se tourna vers Tracy et dit d'un ton plaintif : « J'ai faim.

— Encore ?

— Oui. »

La gamine était une grosse mangeuse, aucun doute là-dessus. Pour compenser peut-être ?

« Courtney ? dit Tracy d'une voix hésitante. Tu sais pourquoi tu es prénommée Courtney ? » La gosse hocha la tête. Elle avait l'air de s'ennuyer, même si son expression tendait à être le plus souvent indéchiffrable. « Maintenant que tu as une nouvelle maison – elle vit Courtney survoler du regard le séjour banal –, qu'est-ce que tu dirais d'un nouveau prénom ? » Courtney la fixa d'un air indifférent. Tracy se demanda si on lui avait déjà donné une nouvelle identité, si Courtney n'était pas son vrai prénom. Était-ce la raison pour laquelle personne ne la réclamait, cherchait-on quelqu'un de tout autre : une petite Grace, une petite Lily ou Poppy ? (Une petite Lucy peut-être ?) Quelque chose qui ressemblait à de la bile acide monta à la gorge de Tracy. Ça devait venir du gouffre de terreur qui s'était ouvert en elle. Qu'avait-elle fait ? Elle ferma les yeux pour essayer vainement d'effacer la culpabilité et, quand elle les rouvrit, la gamine se tenait devant elle avec une mine intéressée. « Quel prénom ? » demanda-t-elle.

Elle devrait lui faire prendre un peu l'air. La gamine avait une mine pâlotte comme si elle avait grandi dans une cave. « Allez, fit Tracy, après que plusieurs autres toasts eurent été engloutis – il se trouvait que la gosse aimait la pâte à tartiner Marmite –, pourquoi ne pas nous aérer un peu ? Je vais me changer. » La gamine la regarda avec de grands yeux. « De vêtements », précisa-t-elle.

Tracy enfila une tenue moins confortable et quand elle revint dans le séjour la gosse était sortie de table pour aller chercher son sac à dos rose. Elle était docile comme un chien sans l'enthousiasme d'un toutou qui agite la queue.

Elles n'avaient pas encore quitté la maison qu'elles entendirent une clé tourner dans la serrure de la porte de devant. Tracy eut une absence, ne put trouver aucune bonne raison qui explique que quelqu'un possède la clé de sa porte d'entrée et vienne chez elle. Un fol instant, elle pensa qu'il s'agissait de l'auteur des coups de fil silencieux. Un plus fol instant encore, elle s'imagina que c'était Kelly Cross et elle fit une rapide reconnaissance dans le vestibule pour voir ce qu'elle pourrait utiliser comme arme. La porte s'ouvrit.

Janek ! Tracy avait complètement oublié son existence.

La surprise de Tracy le dérouta, puis il repéra Courtney à la porte du séjour et eut un sourire ravi.

« Bonjour », fit-il. Courtney le regarda d'un air absent. « Ma nièce, dit Tracy. J'ai une sœur beaucoup plus jeune », ajoutât-elle, soudain gênée par le fait qu'elle devait lui paraître très vieille. Bien sûr, il devait avoir des gosses. Les Polonais raffolaient sans doute des enfants. La plupart des étrangers aimaient plus les enfants que les Britanniques.

« On était sur le point de partir », s'empressa-t-elle de dire au lieu de s'emmêler les pinceaux au sujet des origines de la gamine.

« Servez-vous », ajouta-t-elle en désignant les biscuits. Quelle différence une journée pouvait faire !

∽

Il se réveilla sans la moindre idée de l'endroit où il était ni de comment il avait atterri là. Les joies de l'alcool.

Jackson n'était pas seul. Une femme était couchée à son côté, le visage enfoui dans l'oreiller, les traits en partie cachés par des cheveux en broussaille. Il ne cessait jamais de s'étonner du nombre de femmes à la cuisse légère qu'il y avait de par le monde. Dans un accès de paranoïa, il vérifia si elle respirait et fut soulagé de lui trouver une haleine aigre, régulière. Sa peau avait l'aspect meurtri et cireux d'un cadavre, mais après inspection, Jackson s'aperçut que ce n'était que son maquillage de la veille au soir qui avait coulé. De près, même dans la pénombre de la chambre éclairée par un réverbère, il voyait bien qu'elle était plus vieille qu'il ne l'avait d'abord cru. La quarantaine, estima-t-il, un peu plus, un peu moins peut-être. Enfin, dans ces eaux-là.

Un réveil digital près du lit indiquait 5 heures 30. Du matin, supposa-t-il. Hiver comme été, c'était l'heure à laquelle il émergeait du sommeil grâce à son réveille-matin interne réglé voilà longtemps par l'armée. Debout aux aurores. Avec l'alouette. Jackson ne pensait pas en avoir jamais vu. Ni entendu d'ailleurs. *Fends l'Alouette – tu trouveras la Musique – / Enroulée, Pelure après Pelure, en bulbes d'Argent*[1]. Quel genre de femme suggérait des images pareilles ? Jackson était intimement persuadé qu'Emily Dickinson ne se réveillait pas avec la gueule de bois et un inconnu allongé à ses côtés.

L'aube commençait à poindre. C'était bon de prendre la journée de vitesse. Le temps était un voleur et Jackson avait le sentiment de remporter un petit triomphe en dérobant à son tour les premières heures du jour. On devait être jeudi, mais il ne l'aurait pas juré.

Sa compagne de lit anonyme marmonna quelque chose d'inintelligible dans son sommeil. Elle tourna la tête et ouvrit les yeux : ils étaient vides comme ceux des morts. Ils s'animèrent un peu en apercevant Jackson et elle murmura : « Putain, je parie que j'ai une mine épouvantable. »

Elle avait en effet une mine de déterrée, mais Jackson réfréna sa fâcheuse tendance à la franchise et dit en souriant : « Mais non. » Jackson n'était plus très souriant désormais (l'avait-il jamais été ?) et son sourire tendait à prendre les femmes par surprise. La femme qui était dans son lit (elle avait certainement dû lui dire son prénom à un moment donné, non ?) se tortilla de plaisir, pouffa de rire et dit : « Tu m'ferais pas une p'tite tasse de thé, chéri ? »

Il répondit « Rendors-toi. Il est encore tôt ». Étrangement docile, la femme ferma les yeux et, quelques

1. *Poésies complètes,* trad. Françoise Delphy, Flammarion.

minutes plus tard, elle ronflotait. Jackson se demanda s'il n'était pas en train de jouer dans la cour des petits.

Il avait le souvenir – vague au début, mais hélas de plus en plus clair – d'être allé dans un bar du centre-ville, bien décidé à chercher l'oubli. Il croyait se rappeler qu'il était à la recherche d'un pastis, d'un cantonnement bien chaud dans une ville froide, mais l'endroit s'était avéré être un rade à cocktails hanté par une bande de types au bout du rouleau surpassés en nombre par des dames qui n'avaient pas froid aux yeux. Une meute lui était tombée dessus : des femmes échauffées par l'alcool et impatientes de le cueillir dans le troupeau de costards sans charme. Elles avaient l'air d'avoir commencé à boire au siècle précédent.

Elles fêtaient le divorce de l'une d'elles. Jackson trouvait que le divorce se prêtait davantage à une veillée funèbre qu'à une beuverie, mais qu'est-ce qu'il y connaissait, son bilan en matière de mariage n'était guère édifiant. Il fut surpris de découvrir que les femmes avaient toutes l'air d'être enseignantes ou assistantes sociales. Rien de plus effrayant qu'une femme de la classe moyenne qui se lâche. Comment s'appelaient ces femmes grecques qui déchiquetaient les hommes déjà ? Julia connaîtrait la réponse.

Bien qu'on fût en milieu de semaine, les femmes buvaient toutes des cocktails aux noms ridicules – Flaming Lamborghini (Fichue Lamborghini), Squashed Frog (Grenouille écrasée), Red-headed Slut (Pute rousse) – et Jackson fut vaguement perturbé par le contenu écœurant de leurs verres. Dieu seul sait quelle tête elles auraient en arrivant au travail demain matin.

« Je m'appelle Mandy, dit jovialement l'une.

— Allez, mon chou, prends-la[1], lança une autre, la gorge encrassée par des années de tabagisme.

— Ça marche de la façon suivante, dit Mandy en ignorant délibérément son amie. Je dis "Je m'appelle Mandy" et vous dites ?…

— Jackson, fit Jackson à contrecœur.

— C'est quoi Jackson ? demanda une troisième, un prénom ou un nom ?

— À vous de choisir », fit Jackson.

Il aimait les conversations simples. Il n'y avait pas grand-chose qu'on ne puisse exprimer par un « Oui », un « Non », un « Fais-ci », un « Fais pas ça », tout le reste était quasi ornemental, même si lancer de temps à autre un « S'il vous plaît » pouvait vous mener étonnamment loin et un « Merci » plus loin encore. Sa première épouse déplorait son incapacité à parler de la pluie et du beau temps (« Putain, Jackson, ça te tuerait d'avoir une conversation futile ? ») C'était la même épouse qui, lorsqu'ils avaient commencé à sortir ensemble, l'admirait parce qu'il était « le genre solide et silencieux ».

Peut-être qu'il aurait dû trouver plus de mots à offrir à Josie. Elle ne l'aurait peut-être pas quitté, et si elle ne l'avait pas quitté, il ne se serait pas mis avec Julia qui le rendait dingue et par voie de conséquence il n'aurait certainement pas rencontré sa seconde épouse, Tessa, qui l'avait escroqué et dépouillé comme au coin d'un bois. Faute de clou. « Bonne épouse, mauvaise épouse, disait Julia. Tu sais au fond de ton cœur laquelle tu préfères vraiment, Jackson. » Le savait-il ? Laquelle ? Personne, pas même Tessa, ne l'avait autant perturbé que Julia.

---

1. *I Am Mandy Fly Me* est une chanson du groupe 10cc datant des années 70.

« La veuve noire, disait-elle avec délectation. Tu as eu du bol qu'elle ne te dévore pas. »

Les femmes étaient souvent attirées par Jackson – au début, du moins – mais il n'attachait plus grand prix aux apparences, que ce soient les siennes ou (semblait-il) celles du sexe opposé, ayant été trop souvent témoin des ravages causés par la beauté sans vérité. Même s'il y avait eu un temps où, quel que soit son degré d'ivresse, il n'aurait pas été attiré par la femme auprès de laquelle il s'était réveillé ce matin. À moins qu'on ne baisse ses prix en vieillissant. Naturellement Jackson, qui était fondamentalement fidèle comme un chien, avait passé une bonne partie de sa vie adulte dans des relations monogames où ces problèmes étaient purement hypothétiques.

Il ne se voyait pas comme quelqu'un de priapique. Depuis Tessa, il vivait une vie ascétique, presque monacale, appréciant l'absence de contraintes. Comme un cistercien. Et voilà que tous les vœux qu'il n'avait pas prononcés avaient été brisés par un détachement du monstrueux régiment[1].

« Qu'est-ce qui vous amène dans le coin ? » s'était enquise une des sorcières les plus sobres du sabbat. (« Je m'appelle Abi, c'est moi qui suis censée ne pas boire », détail qui semblait la rendre de mauvais poil.)

Jackson n'était pas fana de questions et si on lui avait donné le choix il aurait préféré en poser qu'y répondre. Des enseignantes et des assistantes sociales, se souvint-il. « L'une d'entre vous ne connaîtrait pas Linda Pallister

1. C'est-à-dire les femmes selon John Knox, le réformateur écossais qui dans un pamphlet de 1558 parle du « monstrueux régiment des femmes ».

par hasard ? » Deux femmes se mirent à rugir comme des hyènes. « C'est pas ici que vous risquez de la trouver. Elle doit être en train de recycler des chats ou d'adorer des arbres quelque part.

— Non, c'est pas une païenne, c'est une chrétienne », dit l'une. Leur hilarité parut redoubler à cette remarque.

« Qu'est-ce que vous lui voulez de toute façon ? s'enquit l'irascible Abi.

— J'avais rendez-vous avec elle cet après-midi, mais elle m'a fait faux bond.

— C'est une conseillère en adoption. T'es un gosse adopté ? demanda l'une d'elles en lui prenant la main. Pauvre bébé. T'étais orphelin ? Abandonné ? Non désiré ? Viens voir maman, mon chou. » Une autre lança : « Elle est *très vieille*. C'est pas elle qu'il vous faut, c'est *nous*. »

Une des femmes s'approcha si près de lui qu'il sentit la chaleur de son visage à côté du sien. Elle était suffisamment pompette pour se croire séduisante et lui suggéra d'une voix voilée : « Ça te dirait un Slippery Nipple (Mamelon glissant) ?

— Ou un Blowjob (une Pipe) ? glapit une autre.

— Elles vous font marcher, dit une troisième en se glissant à ses côtés, c'est des noms de cocktails.

— Pour toi, peut-être, dit la première en riant.

— Allez, mon chéri, saute-la, dit quelqu'un d'autre. Elle en meurt d'envie, mets fin à son supplice. »

Qu'est-ce qui était arrivé aux femmes ? se demanda Jackson. Elles lui donnaient presque l'impression d'être prude. (À l'évidence pas assez prude pour résister aux charmes douteux de l'une d'elles.) Il avait de plus en plus le sentiment d'être un visiteur venu d'une autre planète. Il lui arrivait de penser que le passé n'était pas seulement un pays étranger, c'était un continent perdu gisant quelque part au fond d'un océan inconnu.

« Tu fais la tête, lui dit Abi.

— C'est mon air normal, fit Jackson.

— T'inquiète, on mord pas.

— Pas encore », dit une autre en riant.

Jackson sourit et la température autour de lui monta d'un degré. Le trésor ici était sans l'ombre d'un doute sa personne. L'atmosphère du bar était si électrique qu'il y avait un danger très réel d'explosion.

Bof, songea Jackson, ne disait-on pas : ce qui arrive à Leeds reste à Leeds ?

« Je ne m'inquiète pas, fit-il. Mais si c'est votre tournée, mesdames, je prendrai un Pernod. »

Il était temps de filer. Jackson se glissa sans bruit hors du lit et retrouva ses vêtements là où il avait dû les laisser choir quelques heures plus tôt, c'est-à-dire par terre. Il se déplaçait précautionneusement. Sa tête lui pesait comme si le poids en était trop lourd pour la fragile tige de son cou. Il suivit à pas de loup un couloir étroit et fut content d'avoir deviné quelle était la porte de la salle de bains. Traiter la maison comme un terrain hostile à reconnaître était une démarche pas plus bête qu'une autre. C'était une version améliorée de la maison où il avait grandi, fait qui le troubla à la manière de certains rêves.

La salle de bains était chaude et propre et avait un tapis de bain et un contour de lavabo de couleur fraise. Les sanitaires étaient roses, Jackson n'avait pas le souvenir d'avoir déjà uriné dans des WC roses. Il faut un début à tout. Le carrelage de la baignoire avait un motif de fleurs, les articles de toilette étaient soigneusement alignés à une extrémité. Jackson s'interrogea sur la femme qui vivait là et sur les raisons pour lesquelles elle couchait avec un parfait inconnu. Il aurait naturellement pu se poser la même question, mais elle lui paraissait moins pertinente. Deux brosses à dents sortaient d'un mug sur l'étagère du lavabo. Jackson songea à ce qu'elles signifiaient.

Il se lava les mains (il avait été dressé par une lignée de femmes remontant à l'âge de pierre) et s'aperçut dans le miroir. Il avait un sentiment de dépravation et la tête qui allait avec. Une gueule d'ange déchu.

Il avait très envie de prendre une douche, mais encore plus envie de quitter cette maison claustrophobique. Il descendit l'escalier raide et moquetté en posant le pied au bord des marches, là où les planches craquaient moins. La femme vivait avec quelqu'un qui avait garé sa bicyclette dans le vestibule. La même personne sans doute avait négligemment abandonné une paire de bottes boueuses près de la porte d'entrée. Une planche à roulettes était appuyée contre un mur. La vue de cette dernière (où était son propriétaire ?) déprima Jackson.

D'une certaine façon, il aurait préféré que la seconde brosse à dents appartienne à un compagnon ou à un amant plutôt qu'à un fils adolescent. Contre toute attente, il se sentit soudain reconnaissant que sa première épouse soit remariée, non parce qu'elle était (apparemment) heureuse, il s'en fichait comme de sa première chemise, mais parce que ça signifiait qu'elle ne levait pas des inconnus (comme lui) pour la nuit. Des inconnus libres de rôder dans la maison où sa fille était en proie à une adolescence intense et boudeuse.

Jackson ne respira librement qu'une fois sorti dans l'air matinal brumeux et la porte refermée derrière lui.

La journée pouvait tourner dans un sens comme dans l'autre et il ne pensait pas seulement à la météo.

Il régla sa boussole interne sur « centre-ville » qu'il gagna en joggant à une allure plus posée que d'habitude, dans l'espoir de surmonter une gueule de bois carabinée. Jackson s'était récemment remis à courir. Avec un peu de chance et si ses genoux tenaient le coup, il avait l'intention de persévérer pendant toute la durée de son âge d'or et d'aborder l'âge de diamant au petit trot.

(« Pourquoi ? demandait Julia. Pourquoi courir ?

— Ça évite de penser, répondait-il joyeusement.

— Et c'est une bonne chose ?

— Absolument. »)

Lors de son périple en Angleterre et au pays de Galles, il avait découvert que courir était une bonne façon de voir un endroit. On pouvait aller de la ville à la campagne avant le petit-déjeuner et passer du délabrement urbain à la banlieue résidentielle sans casser le rythme. Une façon fantastique d'évaluer les propriétés à vendre. Personne ne vous remarquait, vous étiez juste un cinglé qui sort aux aurores pour essayer de prouver qu'il est encore jeune.

Jackson arriva enfin au Best Western où il avait eu la ferme intention de passer la nuit plutôt que dans les bras d'une inconnue. Ça faisait longtemps que Jackson n'avait pas eu de liaison sans lendemain. *Will you still love me tomorrow*[1] ? Espérons que non.

Il prit l'ascenseur jusqu'à son étage en se disant qu'il allait essayer de rattraper le manque de sommeil. Son rendez-vous avec Linda Pallister n'était pas avant dix

1. *M'aimeras-tu encore demain ?* Chanson de Carole King.

heures et son bureau était à deux pas. Largement le temps pour un somme, une douche, se raser et petit-déjeuner. Une bonne tasse de café. Même du mauvais café ferait l'affaire, songea-t-il en entrant dans la chambre.

Le chien lui était complètement sorti de l'esprit.

Il attendait anxieusement derrière la porte comme s'il ne savait pas trop qui allait apparaître. Voyant que ce n'était pas l'abominable Colin, il agita la queue frénétiquement. Jackson s'accroupit et, l'espace d'une minute, s'abandonna au bonheur du chien. Il se sentait coupable de l'avoir laissé tout seul une nuit durant. S'il l'avait emmené, hier soir, peut-être que le chien l'aurait empêché de faire des siennes, été le gardien de sa moralité – une patte amicale sur l'épaule à un moment donné, un conseil d'y réfléchir à deux fois, *Rentre, Jackson. Ne fais pas ça. Refuse.*

Il jeta un regard à la ronde pour vérifier qu'il n'avait pas déposé de nouveaux petits cadeaux bruns. Ne trouvant rien, il dit « Bon chien » et bien que ce fût sans doute la dernière chose dont il eût envie à cet instant précis, il alla chercher la laisse et dit « Allez, viens » en ouvrant son sac à dos pour qu'il saute dedans.

∽

Elle n'avait rien fait pour aider cette pauvre gamine. Laissez venir à moi les petits enfants. Elle repensa à la petite fille chantant sa chanson d'innocence *Étincelle, Étincelle, petite étoile* dans le Merrion Centre et à son horrible brute de mère. Courtney. *Putain, Courtney, tu vas la fermer, oui ou merde ?* Qu'est-ce qui ne tournait pas rond chez les gens pour qu'ils se conduisent de cette façon ? Un écho de Père. *Les enfants, on devrait les voir, pas les entendre, Matilda.* Lui pensait qu'on ne devrait ni les entendre ni les voir. Il y avait eu un autre enfant, un frère, déjà mort à la naissance de Tilly, son ombre l'avait précédée pendant toute son enfance. Tous ces cimetières du passé, pleins de petits enfants, leurs pierres tombales comme des quenottes cassées. La médecine moderne en aurait sauvé la plupart, aurait sauvé son frère. Mais il faudrait beaucoup plus que la médecine pour sauver les petites Courtney de ce monde.

Bizarre comme elle était capable de se rappeler le nom d'une enfant qu'elle ne connaissait pas et avait du mal à se souvenir de celui des objets quotidiens les plus simples. Ce matin, il lui avait fallu dix minutes pour repêcher le mot « bouilloire ». « Le truc pour faire chauffer l'eau, vous savez bien, billy boiled, avait-elle dit en désespoir de cause à Saskia.

— Billy boiled ? » avait répété Saskia sur un ton dubitatif. On voyait bien qu'elle n'avait pas la moindre idée de ce que c'était. « *Waltzing Matilda*, dit Tilly. Matilda, c'est mon prénom, naturellement. » Et de chanter quelques mesures pour l'aiguiller, et Saskia de dire « Oh, hum, oui. Bien sûr ». « Billy » avait au moins l'avantage de servir à faire bouillir l'eau, en anglais d'Australie. Le premier mot qu'elle avait dragué et ramené des profondeurs marines était « poulet ». « Je vais juste allumer le – comment on dit déjà ? – poulet pour le thé. » Saskia l'avait regardée comme si elle avait soudain deux têtes au lieu d'une. Stupide Tilly. Hier, elle avait dit lis pour lampes, *Oh, il fait noir, j'allume les lis ?* Ils ne peinent ni ne filent. Les lampes s'éteignent dans toute l'Europe. Des mots inventés de toutes pièces pour désigner les objets de tous les jours : *tado, ridoir, dasse* au lieu de rideaux, tiroirs et tasses. Tous ses mots devenaient de la bouillie pour les chats, le langage disparaissait jusqu'au jour où il ne resterait plus que des sons – *ar-aw-oo-ar-ay-ee-ar* – et, pour finir, seulement le silence.

Elle faisait peur à Saskia. La folie du roi Lear. La pauvre Ophélie dérivant au fil de l'eau avec un sac à main de couteaux et de fourchettes, et – rien que ce matin – un rouleau de ruban rouge et une aiguille à tricoter, comme si elle était passée au rayon mercerie dans son sommeil. Elle avait joué Ophélie dans une troupe de répertoire. L'acteur qui jouait Hamlet était plutôt petit. La salle était agitée. Tilly avait compris qu'on attend de Hamlet qu'il ait une certaine stature. *Rame, rame, rame sur ton bateau, doucement au fil de l'eau*[1]. « Tu as déjà fait le répertoire classique ? avait-elle demandé à Saskia l'autre jour. Shakespeare et cetera ?

— Grand Dieu, non », avait répondu Saskia comme si la suggestion était déplaisante.

Saskia n'avait rien à voir avec Padma. Padma était gentille, elle lui demandait toujours si elle pouvait faire quelque chose pour elle. Parfois Tilly avait l'impression d'être invalide vu la façon dont elle la traitait. Infirme ou nulle et non avenue. Elle était en train de devenir les deux. La mort était préférable à la folie. Ophélie le savait bien.

La petite « Étincelle, étincelle » se confondait à présent avec tous les autres pauvres petits enfants de par le monde. Il y avait aussi quelques bébés lapins empaillés. Le bébé qu'elle avait perdu. Tous ne formaient plus

1. Comptine.

qu'une seule gamine sans défense hurlant dans le vent. Le nom de la petite « Étincelle, étincelle » lui échappait, elle l'avait sur le bout de la langue une minute plus tôt et voilà… qu'il avait disparu, à la façon de toutes les bouilloires. Oh, Seigneur.

Elle voulait signaler la petite « Étincelle, étincelle » à l'homme qui disait avoir été policier. Avait-elle parlé à la gentille fille du Centre Machin-Chose ? Marion, miron, Merrion Centre. Elle était tellement accaparée par ses ennuis qu'elle n'avait sans doute rien dit. Le mal l'emportera si les femmes de bonne volonté ne font rien. Elle n'avait toujours pas retrouvé son porte-monnaie, évidemment. Julia et Padma lui avaient prêté un peu d'argent. Même Saskia lui avait donné un billet de cinq livres en disant « Ça vous dépannera ». Elle était sûre qu'elle avait bon cœur, même si elle l'avait entendue se plaindre à quelqu'un de l'équipe de production. *Ce vieux crapaud. Des habitudes répugnantes. Il me faut un endroit à moi.* Compte là-dessus et bois de l'eau, mon chou, c'est une bande de rapiats.

Elle aurait dû intervenir. Elle s'imaginait s'enfuyant du Merrion Centre avec la petite dans les bras. Elle aurait pu la mettre dans sa voiture (si elle s'était rappelé comment la démarrer) et l'amener à Bluebell Cottage où elle l'aurait nourrie d'œufs cocotte et des belles poires Beurre d'Anjou que Padma lui avait achetées. Elle ne savait pas faire les œufs cocotte, naturellement. Maman avait coutume de lui en faire dans un joli petit ramequin en porcelaine. Cocotte était un mot charmant. Tilly se voyait bien en mère-poule veillant sur son poussin. Ou un lapin, un pauvre petit lapin velouté fuyant le renard ou le chasseur. *Cours, lapin, cours*[1].

1. Chanson populaire.

Le cours de ses pensées fut brutalement interrompu par des coups impatients frappés à la porte.

Qui ça pouvait bien être à cette heure ? Elle ouvrit précautionneusement la porte. Une jeune femme à l'air familier se tenait dans l'embrasure. Elle était essoufflée, sa poitrine raplapla pantelait. Elle était maquillée comme une voiture volée. Sous le maquillage, Tilly finit par reconnaître Saskia qui la bouscula comme une malpolie et entra en demandant « Vince est ici ? » comme si sa vie en dépendait.

« Vince ? dit Tilly. Il n'y a personne de ce nom, ici, mon chou. »

Étant une location saisonnière, Bluebell Cottage avait dû être occupé par un tas de gens, supposa Tilly. Mais elle ne voyait pas pourquoi Saskia cherchait l'un d'eux. Elle aperçut soudain un fusil dans la main de Saskia. « Oh, mon Dieu, fit-elle, qu'est-ce que tu as l'intention de faire avec ça ?

— Coupez ! » dit quelqu'un d'une voix de stentor.

« Coupez ? Coupez quoi ? » se demanda Tilly.

∽

Tracy décida de s'arrêter dans un supermarché pour faire des provisions. Elle remplit d'abord son caddie de bananes, l'aliment prêt à consommer des petits enfants. Tandis qu'elles parcouraient les allées, l'esprit de Tracy oscillait entre deux préoccupations – les caméras de surveillance et Courtney allait-elle rester coincée dans le siège enfant du caddie et que faire si c'était le cas – quand elle repéra un visage familier.

La femme de Barry Crawford. Barbara. Merde. Elle voudrait savoir qui était Courtney. De tous les supermarchés dans le monde entier…

Barbara Crawford avançait dans le rayon des légumes en conserve comme si elle marchait sur des œufs et poussait son caddie comme un landau. Un zombie parfaitement fardé et juché sur des talons. Quel que soit son état d'esprit, Barbara était toujours parée pour un déjeuner impromptu avec la reine. Des ongles et un maquillage impeccables. Robe de laine, ceinture chaîne dorée, bas fins, cheveux aussi brillants que ses escarpins vernis. Si elle était accablée de douleur, Tracy s'habillerait en haillons, se maculerait le visage de charbon et de boue, laisserait ses cheveux se transformer en dreadlocks. À chacun ses goûts, supposait-elle. Une fois mariée avec Barry, Barbara avait passé des années comme ambassadrice Avon. Ding-dong. *Avez-vous songé à du blush, Tracy ? Du blush pourrait faire des merveilles pour vous.* Il faudrait beaucoup plus que ça.

Barbara affichait un sourire figé qui donnait l'impression qu'elle l'avait mis ce matin et ne l'enlèverait sous aucun prétexte. C'était le genre d'épouse qu'on était content de laisser à la maison. Le genre à avoir des règles et des devoirs stricts, un être routinier marié à quelqu'un dont le travail était tout sauf ça. Ça la rendait cinglée. Ça le poussait vers les pubs et les prostituées. « Ce que ferait tout homme qui aime sa femme, disait-il. Les épouses pour la position du missionnaire, ça montre qu'on les respecte, et les putes pour les trucs olé olé. » Les putes ne s'intéressent qu'au fric, avait-il « expliqué » à Tracy. Les épouses vous pompent littéralement le sang. Tracy était contente de n'être l'épouse de personne. Le plus souvent, elle était heureuse d'être célibataire, soulagée de ne pas vieillir en compagnie de quelqu'un qui la regarderait d'un air indifférent devant ses tartines grillées et la confiture pendant qu'elle se demanderait à quoi il pensait vraiment.

Cette époque était cependant révolue pour Barry. Beaucoup de choses avaient pris fin le jour où le petit Sam était mort.

« Oh merde », marmonna Tracy lorsque Barbara s'approcha. Est-ce que ce n'était pas l'anniversaire très bientôt ? Deux ans. « Merde, merde et merde. »

Les traits soudain tirés, Courtney lui jeta un regard angoissé. « T'inquiète, ma puce, dit Tracy. Je viens juste de me souvenir d'un truc, c'est tout… Barbara ! Bonjour. » Tracy adopta un ton plus gentil, plus compatissant, adapté à quelqu'un d'endeuillé. « Comment ça va ? » Tracy était avec Barry quand il avait reçu le coup de fil, sa main s'était mise à trembler si fort qu'il avait laissé tomber le combiné. Tracy l'avait ramassé, dit « Allô » et pris la nouvelle en pleine poire.

Barry était un vieux con de naissance, mais l'un dans l'autre ils s'entendaient. Tracy se rappelait avoir arrosé la naissance d'Amy dans un pub bourré de flics. Barry était alors inspecteur de la PJ, Tracy encore en tenue. (Évidemment.) C'était peu de temps après l'arrestation de l'Éventreur. « Les femmes sont de nouveau en sécurité », lui avait dit un inspecteur tandis que la bière coulait à flots, et Tracy était si saoule qu'elle lui avait ri au nez. Comme si le fait d'arrêter un tueur fou rendait les rues sûres pour les femmes.

« À ma nouvelle fille », avait dit Barry en levant son double whisky pur malt. Ça devait être son sixième de la soirée. « T'auras plus de chance la prochaine fois », cria un plaisantin du fond de la salle.

À la naissance de Sam, le bébé d'Amy, le mari d'Amy, Ivan, était auprès d'elle dans la salle d'accouchement, à suer sang et eau pendant toute la durée du travail. « Les temps ont changé, avait dit Barry sur un ton sardonique à Tracy. Maintenant faut *soutenir.* Faut que les hommes soient comme les bonnes femmes, Dieu nous vienne en aide.

— Certaines d'entre nous sommes en train de devenir les hommes que nous voulions épouser, fit Tracy.

— Hein ?

— Gloria Steinem. Une féministe américaine.

— Flûte, Tracy.

— Citation du jour dans mon calendrier une-citation-par-jour. Je me contente de répéter. »

Barry soupira et leva son verre. « À mon petit-fils, Sam. » Ils se trouvaient dans un pub à Bingley. Ville natale de l'Éventreur. On aurait dû mettre une plaque. C'était de l'histoire ancienne à présent. Ils n'étaient que tous les deux cette fois à trinquer à la santé du bébé, comme des dinosaures rescapés de la préhistoire. « Si on n'évolue pas, on est largué, dit Barry.

— Si on n'évolue pas, on meurt », dit Tracy.

Amy n'avait pas été baptisée étant bébé. « On n'est pas vraiment croyants », avait dit Barry. Ils l'avaient baptisée après l'accident pourtant, pendant qu'elle était sous assistance respiratoire. « Juste au cas où », avait dit Barry qui se raccrochait à n'importe quoi. Amy avait survécu, pas Sam. Quant à Ivan, il était dans un autre service, sur un lit de traction, comme une mouche prisonnière d'une toile d'araignée. Barry et Barbara n'étaient venus le voir qu'une seule fois quand ils avaient dû lui parler de débrancher toutes les belles machines brillantes et d'expédier Sam dans l'éternité.

« Vous ne pouvez pas comprendre, avait dit Barbara quand Tracy lui avait présenté ses condoléances au crématorium. Vous n'avez pas d'enfants, de petits-enfants. Si seulement ç'avait pu être moi. »

Tracy se demanda si ses parents auraient été prêts à se sacrifier pour la sauver. Sa mère s'était accrochée à la vie pendant plusieurs mois après la mort de son mari et, les derniers jours, elle avait donné l'impression qu'elle ne partirait pas à moins d'emporter sa fille avec elle dans la tombe. Sa mère avait l'ADN d'un scorpion, elle était bâtie pour survivre à un hiver nucléaire. Le cancer avait fini par avoir sa peau malgré tout. Personne ne durait éternellement, pas même Dorothy Waterhouse. Les diamants et les cafards étaient libres de posséder la terre maintenant qu'elle n'était plus.

Barbara Crawford avait raison, bien sûr. Tracy n'avait jamais éprouvé cet amour débordant, viscéral, pour lequel on serait prêt à donner sa vie. Sauf peut-être la fois où elle avait trouvé l'enfant de Carol Braithwaite dans l'appartement cauchemardesque de Lovell Park. Et maintenant – avec ce petit bout assis dans un caddie de supermarché. Tracy n'était même pas certaine qu'amour soit le mot juste, mais ce qu'il y a de sûr, c'est que ça vous donnait envie de pleurer, que les gosses soient morts ou vivants.

La fille de Barbara et Barry, Amy, n'était ni morte ni vivante, elle flottait entre les deux. Dans une « infrastructure ». Tracy se demanda si Barbara allait voir Amy très souvent. Tous les jours ? Toutes les semaines ? Ses visites s'espaçaient-elles à mesure que le temps passait ?

Tracy était allée la voir une fois. Impossible de ne pas penser à Disney – Blanche-Neige, la Belle au bois dormant. Des références qui paraissaient complètement nazes. Tracy avait eu envie de tout débrancher, de rendre à Barry et à Barbara le service qu'ils ne pouvaient pas se rendre. Elle n'était jamais retournée à l'hôpital. Elle revoyait encore Amy dansant avec son père le jour de son mariage, l'énorme jupe de sa robe blanche écrasée contre son costume sombre, la fleur de comédie à sa boutonnière. Désormais Amy était à jamais en suspens, princesse endormie d'un conte de fées qui n'aurait pas de fin, heureuse ou autre. Qu'est-ce que Barry avait dit ? *Puis un beau jour tu meurs et y a plus rien. Naturellement, il se trouve qu'on n'a même pas besoin d'être mort pour ça.*

Sam était mort pourtant. Déchiqueté dans l'accident. C'était son père Ivan qui tenait le volant. Son taux d'alcoolémie était presque trois fois plus élevé que le maximum autorisé, il « conduisait comme un fou » d'après un témoin. Il s'était tout compte fait avéré être Ivan le Terrible. Pourquoi Amy était-elle montée dans la voiture avec l'enfant ? Impossible de le savoir maintenant, trop tard. Ivan s'était vu infliger une courte peine de prison, le juge ayant considéré qu'il avait « déjà payé un prix élevé pour une journée qu'il regretterait jusqu'à la fin de ses jours ». « Foutaises », avait dit Barry.

Voir Barry Crawford trébucher sous le poids du petit cercueil blanc dans l'allée centrale de l'église avait été à la limite du supportable. « Pour la toute petite chose qui se trouvait à l'intérieur, c'était lourd », avait-il confié ensuite à Tracy. Les yeux rouges noyés de whisky. Pauvre bougre. La même allée qu'il avait remontée pour conduire sa fille à l'autel un an plus tôt. Ivan sortirait bientôt de prison. Tracy se demandait si Barry le tuerait dès qu'il serait à l'air libre. Parfois, Tracy songeait à s'en charger pour lui, un truc secret. Elle était presque sûre d'être capable de réussir le crime parfait s'il le fallait. Chacun avait à l'intérieur de soi un tueur qui n'attendait que l'occasion de se manifester, certains étaient plus patients que d'autres.

« Comment je vais ? répéta Barbara Crawford comme si la question méritait ample réflexion plutôt qu'une formule de politesse. Oh, vous savez », fit-elle d'un air vague en prenant une boîte de petits pois et en l'examinant comme si un extraterrestre venait de la lui tendre en disant : *C'est ce que nous mangeons sur notre planète.* Elle était droguée jusqu'aux ouïes, bien sûr. Qui n'en aurait fait autant ? Elle ne commenta pas la présence de Courtney dans le Caddie, ne la remarqua même pas. Tracy avait préparé tout un baratin – *C'est ma fille adoptive, je me suis dit que j'allais faire quelque chose d'utile maintenant que j'ai un boulot plus facile* – mais ce ne fut pas nécessaire.

Barbara remit la boîte de conserve dans le rayon et sa main flotta en l'air comme si elle essayait de dire quelque chose mais ne trouvait pas ses mots. « Bon, dit Tracy en prenant congé. Contente de vous avoir vue, Barbara. Mes amitiés à Barry. » Elle ne dit pas *J'ai eu Barry au téléphone hier soir. Il était avec une morte.* Il lui avait un jour expliqué qu'il préférait les femmes mortes, comme ça elles ne pouvaient pas répondre. « Je plaisante, Tracy. Putain, qu'est-ce qui cloche chez les femmes ? Vous n'avez pas le sens de l'humour ?

— Faut croire que non », avait répondu Tracy.

« Bon, c'est pas tout ça, dit-elle à Barbara. Faut que j'y aille.

— Oui », murmura Barbara. Ses yeux se posèrent soudain sur Courtney et elle accusa un léger recul.

« Baby-sitting », dit Tracy qui en trois temps trois mouvements fit demi-tour avec le Caddie et accéléra le long du rayon crémerie en attrapant cartons de lait et yaourts au passage comme si les vaches étaient une espèce menacée d'extinction imminente.

Pendant ce temps, la gamine boulottait tranquillement un paquet de biscuits Jaffa qu'elle avait réussi à piquer quelque part. « Le vol à l'étalage est un délit », dit Tracy. Courtney lui offrit le paquet. Tracy prit deux biscuits qu'elle enfourna.

« Merci, fit-elle la bouche pleine.

— De rien », dit Courtney. Le moral de Tracy s'effondra. Où la gamine avait-elle appris les bonnes manières ? Il était peu vraisemblable que ce soit auprès de Kelly Cross.

« Qu'est-ce que tu aimerais faire maintenant ? » demanda-t-elle à Courtney. Elle avait l'air d'une gosse qui n'avait jamais eu l'occasion de choisir, Tracy allait lui en donner une. Donne le choix à la gamine. Donne-lui une chance. Donne-leur à tous une chance.

21 mars 1975

Huit heures du soir. Kitty qui avait froid était allée chercher un cardigan au premier. Il y avait des courants d'air, le vent essayait de s'infiltrer par toutes les fissures de la maison. *Le vent fait un grand bruit de pluie / Lorsqu'il souffle sur la ville*[1]. Qui avait écrit ça ? Kitty n'avait jamais été férue de littérature. Elle avait été un temps la « muse » d'un écrivain. On n'entendait quasiment plus parler de lui. Il était assez célèbre à l'époque, même si c'était peut-être plus pour son style de vie que pour ses livres. Il était infidèle et buvait du matin jusqu'au soir. « La picole et les putes sont des droits de l'homme », disait-il. Elle avait été un de ses trophées, « muse » était un grand mot pour maîtresse. Il vivait à Chelsea, mais avait une femme et trois petits enfants cachés quelque part à la campagne.

C'était au tout début de sa carrière, elle était très jeune, avait été terriblement choquée par certains des trucs qu'il voulait lui faire faire. Elle n'avait jamais parlé de cette partie de sa vie à Ian. Elle frissonna. Ce n'était

1. Christina Rossetti (1830-1894).

pas le vent d'ouest qui soufflait, c'était le vent d'est mordant. Il faisait plus froid dans les chambres que dans le reste de la maison. Les radiateurs restaient fermés à l'étage : Ian pensait que c'était mauvais pour la santé de dormir dans une chambre chauffée. Il ouvrait tout le temps les fenêtres en grand, Kitty passait son temps à les refermer. Ce n'était pas un sujet de dispute, juste une différence d'opinion. Après tout, le sujet ne se prêtait guère au compromis. Il faut qu'une fenêtre soit ouverte ou fermée.

Dans un tiroir, elle prit un cardigan en cachemire camel qu'elle jeta élégamment sur ses épaules. C'étaient les mots qu'elle avait dans la tête, *Kitty Winfield jeta élégamment un cachemire sur ses épaules.* Une habitude qu'elle avait depuis toute petite. Elle commentait ses faits et gestes. Elle sortait d'elle-même et se regardait, c'était presque comme une expérience hors du corps. Tous ces cours de danse, de claquettes, de diction, de maintien, sa mère lui disait qu'elle était destinée à quelque chose. Un rôle dans la pantomime de Noël, tous les ans, c'était un début. Elle avait grandi à Solihull et passé beaucoup de temps à perdre son accent de Birmingham. À l'âge de dix-sept ans, elle avait décidé qu'il était temps d'aller chercher fortune à Londres. Quelle fille « prometteuse » aurait eu envie de rester dans les West Midlands en 1962 ? *Kathryn Gillespie, la nouvelle venue, est promise à un grand avenir.*

Elle était descendue dans la capitale pour suivre les cours d'une académie de danse, tous frais payés par sa mère, et n'y était que depuis une semaine lorsqu'un homme l'avait abordée dans la rue et lui avait déclaré : « Est-ce qu'on vous a dit que vous pourriez être mannequin ? » Elle avait cru à une plaisanterie ou à un truc louche, sa mère passait son temps à la mettre en garde contre ce genre de bonhomme, mais le type était bel et bien scout pour une agence. Du jour au lendemain, elle n'avait plus été Kathryn, mais Kitty. Ils avaient essayé de se contenter du prénom, comme pour Twiggy, mais ça n'avait pas marché.

Sa mère était morte au début de cette année. *Kitty Winfield pleura silencieusement sur la tombe de sa mère.* Cancer du poumon, affreux. Kitty était retournée à Solihull pour s'occuper d'elle. Elle ne savait pas ce qui était le pire, voir sa mère mourir ou revisiter son passé prometteur. Elle avait les plus grandes difficultés à surmonter la mort de sa mère. C'était stupide vraiment, parce qu'elle ne la voyait quasiment jamais.

Le mannequinat était beaucoup plus facile que la danse. Il suffisait d'avoir des pommettes saillantes et un certain tempérament stoïque. On ne lui avait jamais rien demandé de vulgaire, de poser nue. Un tas de jolis portraits noir et blanc par des photographes célèbres. De grandes séances de photos de mode, tous les magazines, et une fois la couverture de *Vogue*. Les gens l'appelèrent un temps « le minois des années 60 ». Certains se souvenaient de son nom. *Qu'est devenue l'icône des Sixties, Kitty Gillespie ?* La semaine dernière encore, un reporter d'un supplément du dimanche avait retrouvé sa trace, il désirait l'interviewer au sujet de son « obscurité ». Ian l'avait poliment éconduit.

En 69 tout était fini. Elle avait rencontré Ian et décidé de renoncer aux lumières de la grande ville au profit de la sécurité. Elle pouvait honnêtement dire, la main sur le cœur, qu'elle n'avait jamais regretté sa décision.

Elle aurait voulu être une star du cinéma, bien sûr, mais regardons les choses en face, elle jouait comme un pied. *Kitty Gillespie entra sur le plateau et l'illumina.* Malheureusement non. Elle avait le physique de l'emploi, mais était incapable de dire les mots. Elle manquait totalement de naturel. Elle avait décroché un minuscule rôle dans un film, une œuvre d'avant-garde dont la vedette était un chanteur de rock controversé. Le tout très bohème. Kitty se prélassait sur un canapé en proie à une stupeur censée être due au sexe et à la drogue. Une seule réplique à dire : « Où tu vas, baby ? » Le film était quasiment tombé dans l'oubli et personne ne se rappelait son interprétation. Dieu merci.

La star du rock avait ri et lui avait dit « Chacun son métier, les vaches seront bien gardées, ma chérie ». Ils avaient couché ensemble, c'était quasiment prévu. *De rigueur**, avait affirmé la star du rock. Elle se disait parfois que, lorsqu'elle serait très vieille et que tout le monde serait mort, elle écrirait peut-être son autobiographie. L'histoire de sa vie durant ces années-là, du moins. Les années après son mariage feraient un livre très ennuyeux pour autrui.

Elle avait tourné le film l'année qui avait suivi sa rupture avec l'écrivain. Elle était restée sous son charme pendant presque deux ans, c'était un peu comme être prise en otage. C'étaient les années où elle aurait dû s'amuser avec ses amis, profiter des choses que les filles de son âge aimaient faire. Au lieu de ça, elle lui versait à boire, ménageait son ego et devait lire ses manuscrits assommants. Les gens croyaient que c'était glamour et adulte, mais ce n'était pas le cas. C'était comme être une nounou qui devait de temps à autre accomplir des actes sexuels sordides. Il avait presque vingt ans de plus qu'elle, s'agaçait parce que le plus souvent elle ne savait pas de quoi il parlait.

Kitty s'assit devant le miroir de sa coiffeuse et prit une cigarette dans son étui en argent. Il était gravé à ses initiales et à l'intérieur du couvercle il y avait une autre inscription, un message d'anniversaire de la part de Ian : *Pour Kitty, la femme que j'aimerai toujours le plus au monde.* L'écrivain célèbre lui avait une fois offert un briquet sur lequel était gravée une inscription obscène en latin. « Catulle », avait-il dit en la lui traduisant. Très gênant. Elle ne s'en était jamais servie au cas où quelqu'un comprendrait le latin. Elle était beaucoup plus prude que les gens ne l'imaginaient. Elle avait jeté le briquet dans la Tamise le matin où elle avait quitté sa maison. *Kitty Gillespie était attachée nue à une colonne de lit et avilie.* Il y a des limites. De toute façon, il s'était lassé d'elle et sa place dans son lit et à ses côtés avait été usurpée par une poétesse suédoise. « Une femme intelligente », disait-il, comme si Kitty ne l'était pas. Il avait vécu un drame affreux peu de temps après et Kitty ne pouvait qu'être navrée pour un homme si peu armé pour affronter une tragédie dont il n'était pas le centre.

Comme c'était préférable d'être l'épouse d'un médecin charmant, de vivre dans une charmante maison dans la charmante ville de Harrogate, de regarder dans son miroir et de voir son charmant cou blanc, et de charmantes perles luire sur sa peau. Kitty Winfield rangea une mèche de cheveux derrière son oreille délicatement ourlée. Elle soupira. Il y avait des moments où elle avait simplement envie de se pelotonner par terre et de faire comme si rien n'existait. *Kitty Winfield ouvrit le tube de somnifères prescrit par son époux.*

Elle écrasa sa cigarette, remit un peu de rouge à lèvres, vaporisa un peu de Shalimar sur la peau délicatement veinée de l'intérieur de ses poignets. Elle avait de très vagues cicatrices, des bracelets filiformes comme du coton blanc à l'endroit où elle avait essayé de se trancher les veines, il y a bien longtemps.

Ian était en bas en train de lire une revue médicale en écoutant du Tchaïkovski. Il ne tarderait pas à aller dans la cuisine leur préparer à tous deux une tasse d'Ovomaltine. « On est vraiment un vieux couple », disait-il en riant.

Il y avait un si grand vide là où aurait dû se trouver un bébé. « Vous ne pourrez jamais concevoir », lui avait dit un obstétricien londonien, peu de temps avant son mariage avec Ian. Ian travaillait à Great Ormond Street à l'époque, Kitty l'avait rencontré chez Fortnum & Mason, il achetait des chocolats pour l'anniversaire de sa mère, elle s'abritait de la pluie et il l'avait invitée à prendre le thé et des scones au Fountain Restaurant et elle s'était dit : pourquoi pas ?

« Vous voulez que j'en parle à votre fiancé ? avait demandé l'obstétricien. Il est médecin, n'est-ce pas ? Ou vous préférez vous en charger vous-même ? » Ils parlaient une langue codée, polie. Voulait-elle qu'il explique à Ian comment « une procédure médicale subie dans sa jeunesse l'avait rendue incapable de concevoir » ? Mais étant médecin, Ian voudrait en savoir plus et il comprendrait à tous les coups de quoi il retournait. *Allongée sous un drap blanc, Kitty Gillespie ouvrit les cuisses.*

Après avoir quitté l'écrivain, après avoir jeté le briquet obscène dans la Tamise, elle s'était aperçue qu'elle était enceinte. Elle avait ignoré délibérément le problème en se disant qu'il disparaîtrait peut-être, mais non. Elle savait que l'écrivain ne serait pas le moins du monde intéressé par sa situation et elle ne souhaitait pas qu'il le soit. Elle était enceinte de cinq mois quand elle s'était fait avorter. Phoebe March lui avait donné le nom d'un médecin. « Il va t'arranger ça, avait-elle dit. Toutes les filles vont le voir, ce n'est rien, c'est comme aller chez le dentiste. »

Ce n'était pas une intervention sordide avec des aiguilles à tricoter dans un appartement crasseux au bout d'une ruelle. Il avait un cabinet à Harley Street, une réceptionniste, des fleurs sur son bureau. Un petit homme, des pieds minuscules, on remarque toujours leurs pieds. *Et maintenant. Miss Gillespie, si vous pouviez ouvrir les cuisses.* Elle en frissonnait encore rien que d'y repenser. Elle s'attendait à quelque chose de clinique et d'indolore, mais ç'avait été brutal. Il avait touché une artère et elle avait failli se vider de son sang. Il l'avait conduite à l'hôpital le plus proche, lui avait dit de descendre de sa voiture devant les urgences.

Phoebe était venue la voir à l'hôpital avec un bouquet de jonquilles pimpant. « Tu n'as pas eu de chance, dit-elle, mais au moins te voilà débarrassée. Nous sommes des professionnelles, mon chou, nous devons prendre des décisions difficiles. C'est mieux comme ça. »

Phoebe jouait présentement Cléopâtre à Stratford. Ian et elle y étaient allés, ils le faisaient souvent, ils descendaient pour le week-end dans un pub agréable. Elle n'avait pas dit à Ian qu'elle avait connu Phoebe. Kitty repensait toujours au petit homme de Harley Street. À ses petits pieds. Il lui semblait qu'il devait mépriser les femmes. Il leur bousillait les entrailles à jamais.

On avait interrompu la partie de golf d'un chirurgien écossais bourru dans le Surrey pour qu'il essaie de la recoudre. « Vous avez fait une grosse bêtise, mon petit, avait-il déclaré. Et malheureusement, vous allez la payer jusqu'à la fin de vos jours. » Il ne l'avait pas dénoncée à la police pourtant, il était peut-être sévère, mais il avait du cœur.

Elle avait prévenu Ian qu'elle ne pourrait jamais avoir d'enfants, ce n'était que justice. Elle lui avait expliqué que c'était « un problème de plomberie », une déficience et il avait dit « Tu as vu qui, quels spécialistes ? », et elle avait répondu « Les meilleurs. En Suisse » et, quand il avait dit « On en consultera d'autres », elle avait répliqué « S'il te plaît, ne m'oblige pas à en voir d'autres, chéri, je ne le supporterai pas ». Ian avait pas mal d'années de plus qu'elle, avait toujours pensé avoir un fils, lui apprendre à jouer au cricket et ainsi de suite. « Tu devrais épouser quelqu'un d'autre », lui avait-elle dit la veille du mariage, et il avait dit « Non ». Il était prêt à tout sacrifier pour elle, même les enfants.

« Ça va là-haut ?

— Désolée, chéri, je me suis laissé distraire, je me suis mise à ranger les tiroirs. J'arrive. » *Kitty Winfield se leva de sa coiffeuse et rejoignit son mari.* Avant qu'elle ait pu le faire, on sonna à la porte. Elle vérifia sa montre, une jolie montre en or délicate que Ian lui avait offerte pour Noël. Pas d'inscription gravée. Presque neuf heures du soir. Ils ne recevaient jamais de visites à cette heure-là. Elle regarda par-dessus la rampe de l'escalier au moment où Ian ouvrit la porte et une rafale de mars glaciale s'engouffra dans la maison.

« Grands dieux, entendit-elle Ian s'exclamer. Qu'est-ce qui s'est passé, Ray ? »

Kitty Winfield trébucha légèrement dans l'escalier. Ray Strickland se tenait sur le pas de la porte avec un petit enfant dans les bras.

Jeudi

Promener le chien fut plus long que prévu. Le temps de rentrer à l'hôtel, de prendre une douche pour effacer toute trace de la nuit précédente, Jackson s'aperçut qu'il était en retard et dut repartir à la hâte. Il se rendit compte qu'il allait devoir emmener le chien s'il ne voulait pas que la femme de chambre le découvre.

Il ouvrit son sac à dos et dit au chien « Allez, saute ». Jackson ne s'était pas encore rendu compte que les chiens étaient capables de sourciller.

Jackson avait l'impression d'avoir hébergé une souris dans sa bouche pendant la nuit. Plusieurs même. Il y avait un miroir dans l'ascenseur et Jackson contempla son reflet pour la seconde fois de la matinée. Les stigmates de sa vie dissipée n'avaient pas disparu. Difficile d'imaginer qu'il puisse faire bonne impression à Linda Pallister. (« Depuis quand tu t'inquiètes de faire bonne impression ? » dit Julia. Celle qui vivait dans sa tête.) Il n'était que dix heures moins le quart et la journée lui semblait déjà longue. La femme en tailleur qui était à la réception lui lança un regard soupçonneux à sa sortie de l'ascenseur. Il lui fit un petit signe de main à la reine mère. Elle fronça les sourcils.

Un friand au bacon acheté dans une gargote sur le court trajet depuis l'hôtel contribua à le requinquer un peu. Il en cassa un morceau et l'envoya dans le sac à dos pour le chien.

Hope McMaster était restée silencieuse pendant la nuit de Jackson à l'heure de Greenwich, qui correspondait à la journée en Nouvelle-Zélande. Si Linda Pallister ne pouvait pas l'éclairer sur les origines de Hope McMaster, il ne savait pas où orienter ses recherches. Un arbre généalogique était une fractale, ses branches se subdivisaient à l'infini. Étant d'origine bourgeoise, Julia pouvait faire remonter sa famille à l'Arche de Noé, mais pour Hope McMaster il n'y avait même pas de racines visibles.

Une jeune femme, une secrétaire peut-être, sa fonction n'était pas claire, apparut et dit : « Mr Brodie ? Je m'appelle Eleanor, je vais vous conduire au bureau de Linda. » C'était une amélioration par rapport à la veille. Il n'avait pas dépassé la réception où on lui avait annoncé que Linda Pallister n'était pas en mesure de le recevoir. Eleanor avait un visage quelconque et des cheveux mous qui avaient l'air rebelles au brushing. Et des jambes splendides qui semblaient du gâchis au regard du reste. Je me contente d'observer, je ne juge pas, dit Jackson silencieusement pour sa défense à l'adresse du monstrueux régiment.

Il portait un dossier. Acheté la veille dans un magasin « Tout à une livre ». Du temps où il était dans la police militaire, Jackson avait appris que porter un dossier pouvait vous donner une certaine autorité officielle, et même, à l'occasion, un air menaçant. Lors des interrogatoires, ça sous-entendait que vous disposiez d'une mine de renseignements sur un suspect, renseignements que vous vous apprêtiez à utiliser contre lui. Mais Linda Pallister n'était pas une suspecte et il n'était plus dans l'armée depuis belle lurette, se remémora-t-il tout en suivant les gambettes bien galbées d'Eleanor dans un couloir. Le dossier était en plastique rose fluo, ce qui sabotait quelque peu l'idée d'autorité. Il ne contenait rien de même vaguement officiel, seulement un petit guide de Sissinghurst publié par le National Trust et une fiche d'agent immobilier concernant une chaumière du Shropshire qui lui avait brièvement, très brièvement, tapé dans l'œil.

Eleanor était du genre bavard, remarqua Jackson avec une certaine lassitude – le manque de caféine commençait à avoir des conséquences néfastes sur lui. Elle s'arrêta devant une porte et frappa. Pas de réponse. « Linda ? Mr Brodie est arrivé », dit-elle d'une voix forte.

L'absence de Linda déboussola Eleanor et Jackson la rassura en lui disant : « Ne vous inquiétez pas, je vais l'attendre ici.

— Je vais essayer de la trouver », dit-elle en se sauvant à toutes jambes.

Vingt minutes plus tard, toujours aucun signe de Linda ni d'Eleanor. Jackson se dit qu'il n'y avait aucun mal à jeter un rapide coup d'œil dans le bureau de la mystérieusement absente Linda Pallister. Il avait l'autorité du dossier, après tout.

Un bins pas possible. Le bureau disparaissait sous un fatras d'objets décoratifs visiblement fabriqués par des enfants, de stylos, de trombones, de livres, de paperasserie et il y avait même un sandwich Marks & Spencer toujours dans son emballage alors que la date limite de consommation était dépassée. Des monceaux de papiers et de classeurs partout. Linda Pallister n'avait pas l'air très soigneuse.

Le sandwich se trouvait à côté d'un agenda ouvert. Tous les rendez-vous de Linda Pallister pour la journée, y compris le sien, étaient barrés, ce qui n'augurait rien de bon. Il feuilleta négligemment l'agenda, sans chercher quoi que ce soit de particulier (« Arrête de fourrer ton nez dans mes affaires », avait hurlé Marlee quand elle l'avait surpris en train de regarder dans le sien).

Leur rendez-vous de la veille à 14 heures qu'elle avait annulé (« J. Brodie ») était dûment barré, de même que tous ceux suivant un certain (« B. Jackson ») prévu à dix heures. La coïncidence de noms semblait bizarre. Les deux Jackson. Avait-elle l'esprit confus ou cet autre Jackson l'avait-il bouleversée au point qu'elle s'était mise à tout annuler après sa visite ?

Quand Jackson avait pris son premier rendez-vous avec Linda Pallister, il l'avait eue personnellement au téléphone. Il n'avait pas dit qu'il était détective privé, parce que ce n'était pas le cas, essayait-il de se persuader. Il s'agissait d'une affaire isolée. (« Un argument spécieux », aurait dit Julia.)

Au début, Linda Pallister avait l'air parfaitement normale, agréablement efficace – comportement qui ne collait pas avec l'état de son bureau. La mention du nom de Hope McMaster ne changea rien – Hope l'avait déjà contactée par e-mail au sujet de son acte de naissance manquant –, pas plus que les noms « John et Angela Costello », mais quand il mentionna le « Dr Ian Winfield », elle parut complètement déstabilisée.

« Qui ça ?

— Ian et Kitty Winfield, dit Jackson. C'était un spécialiste du St James's. Elle était mannequin, Kitty Gillespie. C'étaient les parents adoptifs de Hope McMaster.

— Ils... » commença-t-elle à dire avant de la boucler. Jackson avait été intrigué, mais s'était dit que si quiproquo il y avait, tout s'éclaircirait quand il la verrait en chair et en os. Il espérait que Linda Pallister serait en mesure de lui expliquer pourquoi John et Angela Costello n'existaient pas.

Hope McMaster avait tiré un fil et l'étoffe de sa vie, l'idée qu'elle s'en faisait, était en train de s'effilocher. « *Mais je dois bien venir de quelque part*, écrivait-elle. *Tout le monde vient de quelque part !* » Jackson songea qu'il était peut-être temps de laisser tomber les points d'exclamation : ils commençaient à ressembler à des accents de panique. Malgré son enjouement, Hope s'était lancée dans des considérations existentialistes sur la nature de l'identité – « *Qui sommes-nous, tout compte fait* ? » Un soupçon de soupçon, il suffisait de ça pour ronger sans bruit tout ce en quoi on croyait.

« *Un tas de vieilles agences d'adoption ont perdu leurs archives* », écrivit-il pour la réconforter. Les agences, peut-être, se dit-il à part lui, mais sûrement pas un tribunal de grande instance. Hope n'était pas brusquement apparue sur terre, tout armée, à l'âge de deux ans. Une femme lui avait donné le jour.

« *C'est comme si je n'existais pas vraiment ! Je suis perplexe !* »

Il n'y a pas que vous, songea Jackson. Le passé de Hope McMaster n'était qu'ombres et échos, c'était comme regarder dans une boîte remplie de brouillard.

Le chien dormait comme une souche dans le sac à dos posé par terre. Ça, ou alors il était mort. Jackson le poussa doucement du pied et le sac à dos remua. Il repensa à la femme auprès de laquelle il s'était réveillé. D'habitude, il n'était pas obligé de vérifier que ses amoureuses étaient en vie le lendemain matin. Il ouvrit le sac à dos, le chien entrouvrit un œil las et le regarda avec la résignation d'un otage pessimiste. « Désolé, dit Jackson. On ira se promener plus tard. »

Le sandwich de Linda Pallister était aux œufs durs et au cresson. Ce n'était pas ce que Jackson préférait, bien qu'il fût si affamé qu'il commençait à être tenté. L'assiette de pâtes de la veille au soir n'avait pas suffi à éponger l'alcool et la débauche qui avaient suivi. Le friand au bacon de tout à l'heure avait disparu dans sa gueule de bois. Il entendit sonner onze heures. On aurait dit une cloche d'église quelque peu incongrue dans ce quartier. On l'avait apparemment oublié.

Jackson renonça et écrivit un mot du type « Je suis venu » au dos d'une de ses cartes de visite. La carte – *Jackson Brodie – Détective privé* – était une de celles qu'il s'était fait faire quand il s'était installé à son compte, plusieurs années auparavant. Un tirage de mille. Quel optimisme. Il en avait distribué une centaine au maximum, parce qu'il oubliait le plus clair du temps leur existence.

Il posa la carte sur le sandwich où avec un peu de chance Linda la remarquerait. Ledit sandwich se trouvait quant à lui sur une photo presque entièrement masquée par son emballage triangulaire. La photo trépignait, criait, exigeait de voir la lumière du jour. Elle lui sauta quasiment dans les mains lorsqu'il enleva le sandwich. Un vieil instantané pas encadré et écorné. Il ne l'avait jamais vu, mais il avait à tous les coups vu le sujet récemment. Nez retroussé, taches de rousseur, un côté démodé dans les traits potelés – le portrait craché de Hope McMaster à son arrivée en Nouvelle-Zélande. Sur le bord supérieur de la photo, on distinguait une marque de trombone rouillé.

Elle avait été prise sur une plage. Une plage britannique, d'après la façon dont la gamine était emmitouflée dans des vêtements de plein air. Bien qu'elle eût l'air gelée, elle arborait un grand sourire. Et aussi deux couettes de travers. La première chose qu'on ferait avec une enfant illicite serait de lui couper les cheveux, de la déguiser avec une nouvelle coiffure. Hérissée, à la garçonne. Nouveaux cheveux, nouveaux vêtements, nouveau nom, nouveau pays.

Il aurait juré sous serment qu'il avait en main la photo de Hope McMaster. Il la retourna. Rien. Pas de nom ni de date utile, malheureusement. Jackson éprouva néanmoins un sentiment viscéral, quelque chose qu'il avait connu à l'époque où il était dans la police. C'était la réaction d'un chien devant un os, d'un détective devant un indice majeur. Il ne savait pas ce que la photo voulait dire, il savait seulement qu'elle signifiait quelque chose d'extrêmement important. L'espace de deux secondes, il songea à la déontologie puis rangea la photo dans son portefeuille. Une preuve photographique, on ne savait jamais quand on pouvait en avoir besoin.

Enthousiasmé par sa découverte et opérant selon le principe qu'un indice conduit généralement à un autre, il se mit à remuer la paperasserie qui jonchait le bureau de Linda Pallister. Rien. Pas d'allusion aux Winfield ni aux Costello. Il essaya les tiroirs du bureau. De nouveau, un foutoir pas possible. Mais voilà que dans le dernier – c'était toujours le dernier tiroir, la dernière porte, la dernière boîte – il trouva un objet qui tentait d'émerger de l'obscurité. « Eurêka », murmura Jackson.

C'était un vieux dossier en papier kraft avec un petit trombone rouillé qui correspondait à la marque qu'on voyait sur la photo de la gamine aux couettes de guingois. En un tournemain, Jackson le glissa dans son dossier en plastique rose fluo. Il avait l'impression d'être un espion qui vient de découvrir un dossier secret. Juste à temps en plus, car Eleanor, celle qui avait des jambes superbes mais un visage qui ne cassait rien, fit enfin sa réapparition. Il surprit son expression, un mélange de répugnance et de gêne qui finit par se réduire à quelque chose de plus énigmatique. D'ordinaire, il fallait que les femmes le connaissent un peu mieux pour qu'il aperçoive cette expression.

« Ah, fit-elle. Vous êtes encore là. En fait, vous êtes dans les lieux.

— Ms Pallister ne s'est pas présentée », dit-il en ouvrant grand les bras, tel un magicien démontrant son innocence, comme s'il avait pu cacher Linda Pallister sur lui. Eleanor fronça les sourcils.

« Vous êtes sûre de l'avoir vue ce matin ? » s'enquit Jackson sur un ton légèrement dubitatif.

Le froncement de sourcils d'Eleanor s'accentua. Elle avait le genre de visage qui gagne à rester neutre. « Je ne sais pas, fit-elle.

— Elle est peut-être souffrante, suggéra Jackson. C'est peut-être le sandwich qu'elle n'a pas mangé. »

Le froncement de sourcils devint menaçant. Jackson partit avant d'être pétrifié.

Il se réfugia dans le café le plus proche, un petit italien où sa présomption qu'ils sauraient faire le café ne fut pas déçue. Il prit une table d'angle et devant un double espresso examina son butin.

Le carton fin du dossier était doux et pelucheux tellement il était vieux. Voilà comment étaient les dossiers avant l'avènement du plastique rose fluo. Il en avait assez manié en son temps. Naturellement, le plastique rose fluo était devenu lui aussi un anachronisme à l'ère du bureau zéro papier. Linda n'avait visiblement pas entendu parler du concept, songea-t-il en se rappelant les piles de papiers et de dossiers à la Dickens qui s'entassaient dans son bureau. On aurait pu y cacher un petit gosse – ou un chien – et ne pas le remarquer avant des jours.

Il ouvrit le dossier, s'attendant à y trouver quelque chose de surprenant – un indice, un secret, voire un document d'un ennui bureaucratique – mais, ô surprise, il n'y avait rien du tout. Jackson retourna le dossier et le secoua pour s'en assurer.

Tout vide qu'il était, le dossier beige usé avait néanmoins quelque chose à dire. Une petite étiquette tapée à la machine était collée dans le coin supérieur gauche. Plus personne n'utilisait de machine à écrire, c'était comme voir un message d'une culture primitive, d'une époque révolue. « Carol Braithwaite », lut Jackson. « Assistante sociale : Linda Pallister » et une date, 2 février 1975. Linda Pallister devait être très jeune à l'époque. Jackson devait avoir quinze ans en 1975, un an de plus que sa fille aujourd'hui. Il faisait des bêtises, l'école buissonnière, chapardait, se livrait à des petites dégradations, coulait Woolworths. C'était il y a longtemps.

Et en travers de la couverture, « Agente Tracy Waterhouse », écrit cette fois au stylo noir décoloré et une autre date, 10 avril 1975. Il y avait également un numéro de téléphone, antérieur au changement des codes nationaux. L'année était celle où Hope McMaster avait été adoptée. Avril était le mois qui figurait sur son acte d'adoption, celui qui n'avait pas d'existence officielle. Elle l'avait scanné et le lui avait envoyé par e-mail avec son extrait de naissance qui n'avait pas non plus d'existence officielle. Si c'étaient des faux, ils avaient l'air drôlement authentiques, même si, supposait-il, un scanner n'était pas la meilleure façon de le savoir. Sa contrefaçon d'épouse possédait un extrait de naissance qui avait l'air tout ce qu'il y a de plus authentique, ce n'était pas sorcier à fabriquer.

Dans son agenda, Linda Pallister avait écrit « Téléphoner à Tracy Waterhouse » et il avait sous les yeux le nom de Tracy Waterhouse, trente-cinq ans plus tôt. Jackson sortit la photo de son portefeuille et regarda la petite fille boulotte aux couettes de travers, qui respirait la santé. Comme il l'avait prévu, le trombone du classeur correspondait exactement à la marque rouillée de la photo.

Schrödinger, son chat et tous ceux qui en avaient envie étaient grimpés dans la boîte de Pandore et se retrouvaient devant un beau sac de nœuds. Jackson sentit un début de mal de tête, un autre, qui vint s'ajouter à son mal aux cheveux.

∽

Tracy était surprise qu'il n'y ait pas plus de gosses qui se tuent sur les « équipements d'aire de jeux », comme on les appelait. Les gens (les parents) semblaient allègrement inconscients des dangers courus par les petits corps qui décrivaient de grands arcs dans le ciel sur des balançoires auxquelles ils n'étaient pas attachés, ou par ces mêmes petits corps s'élançant du sommet d'un toboggan alors qu'ils étaient hauts comme trois pommes. Courtney était d'une imprudence ahurissante.

Les autres enfants de l'aire de jeux criaient, hurlaient et riaient, mais Courtney était simplement déterminée à tout explorer, y compris ses propres limites, comme un petit mannequin obstiné dans un test de résistance aux chocs. Le plaisir semblait avoir la portion congrue dans son exploration. Les enfants maltraités – les mauvais traitements pouvaient prendre maintes formes – étaient fréquemment renfermés et imperméables au plaisir.

C'était une fois de plus une belle journée et les foules avaient déjà envahi Roundhay Park : des corps blancs à moitié nus allongés comme des cadavres sur l'herbe verte, des gens voulant à tout prix profiter de quelques rayons de soleil et d'un peu d'air frais. Les parcs avaient toujours été des endroits où les pauvres qui passaient six longues journées dans des usines venaient respirer. Tous ces petits gosses, esclaves des machines, avec leurs minuscules poumons sans défense remplis de fibres de laine mouillée.

C'était peut-être de la folie de sortir comme ça, au vu et au su de tout le monde, mais d'un autre côté – y avait-il meilleure cachette pour un enfant qu'une aire de jeux, entouré de parents et de petits gosses ? On enlevait les enfants dans les parcs, on ne les y emmenait pas. Avantage supplémentaire, Roundhay n'était pas le genre d'endroit que Kelly Cross fréquentait en plein jour. Sans compter, essayait de se convaincre Tracy, que c'était bon pour elle de jouer les parents au vu (et au su) de tous. Tôt ou tard, elle devrait se présenter sous les traits d'une mère, alors autant commencer tout de suite : Imogen Brown poussant sa petite fille Lucy sur les balançoires, la faisant tourner sur les tourniquets et l'aidant à négocier toute une gamme de jeux auxquels elle était incapable de donner un nom, la plupart étant inconnus des parcs sans imagination de son enfance.

Tracy fut soulagée quand Courtney descendit d'un poulet géant monté sur ressorts et annonça « J'ai faim ». Tracy vérifia sa montre, elles étaient là depuis un quart d'heure à peine. Elle avait l'impression que ça faisait des heures. Elle lui tendit une banane.

« C'est bon ? » lui demanda-t-elle quand elle fut finie, et Courtney leva le pouce solennellement sans rien dire. Elle économisait ses mots, pourquoi pas ? Peut-être que quand on était petite on croyait que si on utilisait tous ses mots au début, il risquait de ne plus vous en rester à la fin.

Tracy essuya l'asticot vert de morve qui émergeait d'une des narines de Courtney et se félicita de ne pas avoir oublié d'acheter des mouchoirs en papier au supermarché. Elle exhuma des profondeurs de son sac à main le cadavre du beignet acheté il y a un quart de siècle, le rompit en deux et le partagea avec la gosse sur l'herbe. (« Une pâtisserie ? Avant le déjeuner ? » dit la voix de sa mère dans sa tête, et Tracy répondit silencieusement « Oui. Qu'est-ce que tu peux faire pour m'en empêcher, vieille toupie ? »)

Une fois sa moitié de beignet finie, Courtney se lécha religieusement les doigts avant de lever une fois de plus le pouce en silence, puis elle vida le contenu de son petit sac à dos rose et aligna chaque article, un par un, sur l'herbe pour les examiner attentivement.

Le dé à coudre en argent terni
La pièce chinoise trouée au centre
Le porte-monnaie arborant la tête d'un singe qui souriait
La boule à neige contenant une maquette grossière du palais de Westminster
Le coquillage en forme de cornet à la crème
Le coquillage en forme de chapeau de coolie
La noix de muscade entière
Une pomme de pin

La pomme de pin était une nouveauté, nota Tracy. Elle se demanda d'où elle sortait. C'était comme ce jeu auquel on jouait dans les fêtes de son enfance : il fallait se souvenir de tous les objets disposés sur un plateau. Ce genre de fêtes n'existait probablement plus. On jouait à la queue de l'âne, au furet – un père près du tourne-disque posait le saphir sur *The Runaway Train* ou *They're Changing Guard at Buckingham Palace*[1]. Aujourd'hui, les gosses allaient tous dans des « aires de jeux d'intérieur » et se déchaînaient. On avait appelé une fois Tracy dans un de ces endroits à Bradford. On croyait qu'un gamin avait disparu, il était en fait au fond d'une piscine à balles et personne ne s'en était aperçu. Un paradis pour pédophiles.

Tracy ramassa le coquillage en forme de cornet à la crème et le roula dans la paume de sa main. Quand elle

1. Chanson d'A.A. Milne, l'auteur de *Winnie l'Ourson*.

était enfant, tous les vendredis soir en rentrant de son travail à l'hôtel de ville, son père avait l'habitude de rapporter trois cornets à la crème de la pâtisserie Thomson à Bramley. Tracy ne se souvenait plus de la dernière fois où elle avait mangé un cornet à la crème, ni de celle où elle avait collé un coquillage à son oreille pour écouter la mer. Elle se rendit compte qu'à un certain moment de sa rêverie Courtney avait subrepticement repris le coquillage et était en train de remballer son trésor.

« Oui, t'as raison, soupira-t-elle. Qu'est-ce que tu dirais d'un pique-nique ? Pas question de rester plus de dix minutes sans manger. »

Tracy avait apporté la vieille couverture écossaise qu'elle gardait dans son coffre de voiture. Elle l'étala et disposa dessus les vivres achetés au supermarché – sandwiches au thon, bricks de jus de pomme et d'orange, paquets de chips et une tablette de chocolat Cadbury neutralisée – du moins dans l'esprit de Tracy – par un petit sachet de carottes en bâtonnets. C'était le genre de pique-nique (moins peut-être les bâtonnets de carotte) qu'elle aurait aimé avoir enfant à la place des sempiternels œufs durs que sa mère préparait, ainsi que des sandwiches au pain blanc mou tartinés d'une fine couche de pâté en boîte, le tout enveloppé – pour d'obscures raisons – dans des feuilles de laitue détrempées. Ils emportaient ces maigres provisions lors des excursions dominicales dans la Ford Consul familiale –, à Harewood House, à Brimham Rocks ou au « Pays des Brontë » – comme disait toujours familièrement sa mère, bien qu'elle n'ait jamais lu un seul ouvrage des sœurs Brontë, ni d'ailleurs d'autre livre, à moins qu'il n'ait été d'abord obligeamment condensé par le *Reader's Digest.* La fois où ils s'étaient le plus approchés du presbytère, c'était quand son père s'était arrêté dans le village de Haworth pour s'acheter un paquet de cigarettes.

Tracy ne pouvait repenser à ces excursions dominicales sans se revoir craquelant un œuf dur et ôtant la fine membrane du blanc grisâtre qui se trouvait dessous. C'était à vomir. Elle se souvint soudain que son père fourrait parfois un œuf entier dans sa bouche comme un magicien et que la jeune Tracy s'attendait plus ou moins à voir apparaître une colombe ou des fanions. Ils avaient vu un truc de ce genre une fois dans une fête estivale à Bridlington. La tête d'affiche était Ronnie Hilton, dont l'heure de gloire était depuis longtemps passée, mais qui était néanmoins un homme du Yorkshire et, partant, quelqu'un dont on pouvait être fier.

Le père de Tracy était un ancien combattant des Green Howards, il avait débarqué sur Gold Beach, le jour J. Il avait dû voir un tas de choses, mais si c'était le cas, il n'en parlait jamais. Quel gâchis, franchement. Il était né à Dewsbury. La capitale mondiale du tissu de laine recyclé. Ça en disait long sur une ville industrielle quand elle ne pouvait même pas aspirer à du second choix et tissait la qualité de tissu la plus minable à partir de vieux lainages et de déchets. Un métier dégoûtant, le tissu recyclé. Une ville où aujourd'hui les femmes droguaient et kidnappaient leurs propres enfants pour se faire de l'argent. L'Éventreur avait été interrogé à Dewsbury avant d'être arrêté à Sheffield. Par une patrouille de routine : la chance avait lâché l'Éventreur et souriait sur le tard aux policiers. Tracy avait appris la nouvelle chez l'épicier du coin où elle achetait des chips et du chocolat pour elle et son collègue qui faisaient leur ronde. Le commerçant avait la radio allumée et il avait hurlé en entendant la nouvelle : « Ils l'ont attrapé, ils ont attrapé votre Éventreur ! » C'était un Bangladais de la deuxième génération et Tracy ne pouvait guère lui reprocher de ne pas revendiquer Sutcliffe. Elle ne se rappelait pas où elle avait appris les autres grands événements mondiaux (probablement chez elle, devant son téléviseur), bien qu'elle fût chez un réparateur de télés en train d'acheter une prise péritel pour son lecteur de DVD quand elle avait vu s'écrouler la seconde tour du World Trade Center. On s'attendait normalement à une émission du genre *Des Chiffres et des Lettres.*

Le jour du mariage de Charles et Diana, événement que Tracy aurait aimé regarder en direct live (même si elle refusait de l'admettre), elle faisait du porte-à-porte suite à l'assassinat d'une femme à Bradford, un crime dit d'honneur. Un mariage de conte de fées.

La gamine était-elle déjà allée au bord de la mer ? « Tu as déjà vu la mer, Courtney ? »

La bouche pleine de sandwich au thon, Courtney secoua la tête puis la hocha.

« Oui *et* non ?

— Oui, marmonna Courtney.

— Oui ?

— Non. »

C'était un dialogue de sourds. Elles iraient au bord de la mer. À la pantomime, au cirque et à Disneyland Paris. Elles iraient à la mer et feraient trempette dans les vagues. Rien de plus aventureux. Avant la gamine, Tracy aurait pensé *mer, sable, plage.* À présenta elle voyait des petits gosses emportés comme des bouchons par un tsunami. Sans oublier que sur une plage britannique moyenne, on pouvait s'attendre à un pourcentage élevé de pédophiles. Méfiez-vous des hommes solitaires au bord de la mer, dans les piscines, aux portes des écoles. Les aires de jeux, les fêtes foraines, les plages étaient le terrain de jeu des pédophiles. Tout ce qui devrait être innocent. Si les gens savaient. Est-ce que la gamine savait ? Tracy allait-elle devoir ajouter une psychothérapeute à la liste de spécialistes qu'elle avait déjà dressée pour elle ? Ou est-ce que l'air frais, les légumes verts et l'amour de Tracy (si amateur et si transgressif fût-il) suffiraient ? Bonne question. Qu'est-ce que Kelly fichait avec la gamine si elle n'était pas sa mère ? Elle la gardait pour quelque chose ou quelqu'un de sinistre ? La gamine avait-elle l'habitude de passer de main en main ? Trafic d'enfants ? Tracy frissonna à cette idée.

Elle devrait acheter un appareil photo digital dernier cri pour commencer à immortaliser la nouvelle vie de la gamine au jet d'encre. Ce serait mieux s'il y avait des preuves de son existence dans la vie de Tracy. Elle avait un vieil appareil photo quelque part, rien à voir avec ceux d'aujourd'hui. Elle n'avait guère eu l'occasion de s'en servir, elle n'avait pas vu grand-chose qui mérite d'être photographié. Elle faisait surtout des excursions en solitaire et les paysages vides de gens n'offrent pas grand intérêt. Autant s'acheter une carte postale.

Le père de Tracy – il portait la culotte, il maniait l'appareil photo – avait immortalisé leur vie pendant des années. Il photographiait l'arbre de Noël tous les ans. D'autres photos montraient la famille en train d'ouvrir les cadeaux, de boire un sherry bienséant, et même de faire éclater des crackers. On y distinguait des parties du sapin, un tortillon de guirlande, une branche qui piquait du nez, mais pas *Le sapin, tout le sapin, rien que le sapin.* Ce n'était pas une blague, pas même un mot d'esprit.

La plupart de ces photos étaient mélangées à d'autres dans une boîte remisée dans la chambre du fond, impossible de savoir à quel Noël appartenait tel sapin, seule la disposition des mêmes babioles sans imagination variait très légèrement d'une année sur l'autre : l'étoile argentée au faîte, qui avait plus l'air d'une étoile de mer déchiquetée que d'une étoile capable de guider les rois mages, les lutins, fabriqués avec de vieux cure-pipes et le bout phosphorescent d'allumettes en guise de nez et d'yeux, penchés comme des ivrognes à l'extrémité des branches. Quand les parents de Tracy eurent soixante-dix ans, son père cessa d'acheter un sapin. « À quoi bon ? » avait dit sa mère quand Tracy était venue le jour de Noël. Pour la joie et la gaieté, le merveilleux, songea Tracy, mais c'était trop tard pour tout ça.

Si elle passait le contenu de la boîte de photos au crible avec la vigilance d'une archéologue, trouverait-elle un indice sur les raisons pour lesquelles ses parents avaient embrassé leur morne existence avec ce qu'on était bien obligé d'appeler de l'enthousiasme ?

Trouverait-elle son moi plus jeune dans cette boîte ? Serait-elle surprise par le chemin parcouru, ou déprimée par la distance qui les séparait ? Ronnie Hilton au Spa Theatre et toute la vie devant elle. *A Windmill in Old Amsterdam*[1]. Le jeu du furet. C'était drôle, Tracy avait passé beaucoup de temps à essayer de laisser son enfance terne derrière elle (là où était sa juste place) mais depuis qu'elle avait Courtney, elle ne cessait de se la remémorer, des éclats et des fragments de souvenirs. Le miroir se fêlait.

1. *Un moulin dans le vieil Amsterdam*, chanson de Ronnie Hilton.

« Il est temps de partir. Pourquoi ne pas aller au lac donner à manger aux canards ? » Il leur restait quelques miettes du pique-nique, la môme avait englouti tout le reste. Tracy avait peut-être enlevé un coucou, l'enfant d'un géant. Elle allait le payer, elle imagina la gamine devenant de plus en plus grosse, enflant au point de remplir la voiture, la chambre d'appoint, toute la maison, dévorant tout ce qu'elle voyait, y compris elle. On kidnappait ce qui ressemblait à une gosse et on découvrait trop tard qu'elle allait signer votre arrêt de mort. Comme dans une tragédie grecque. Tracy avait vu *Médée* au West Yorkshire Playhouse, quelques années plus tôt. Dans une mise en scène africaine, « nigériane, yoruba, en fait », avait précisé son compagnon qui s'y connaissait. C'était une fois de plus l'universitaire du club de célibataires. Il avait essayé de la peloter devant sa porte. Elle s'était sentie insultée qu'il ait pu la croire désespérée au point de ne serait-ce qu'envisager la chose. Elle lui avait donné un bon coup de genou dans les roubignoles, lui avait montré quel genre d'empiriste elle était. C'en fut fini du club en ce qui la concernait.

Naturellement avec Médée, c'était l'inverse, elle tuait ses enfants, elle n'était pas tuée par eux. Tracy n'avait pas trouvé l'intrigue choquante, on voyait ça tous les jours.

Les canards n'avaient pas d'appétit, la moitié de Leeds était visiblement déjà venue jeter ses restes de miche de pain blanc à la sauvagine indifférente. Les rats sortiraient plus tard pour nettoyer les reliefs pâteux. Courtney, qui n'était décidément pas du genre à gaspiller la nourriture, mangea les miettes.

Courtney piquait du nez. Les gosses devraient être montés sur roulettes.

« Qu'est-ce que tu dirais d'une glace ? » fit Tracy. Courtney leva le pouce. Tracy avait envie de la couvrir de cadeaux, mais toutes les glaces du monde ne rachèteraient pas Kelly Cross et les horreurs qu'elle devait représenter. *Ice cream, ice cream, I scream for ice cream.*

Elles retraversèrent Soldier's Field en serrant chacune un cornet : à la fraise pour Courtney, à la menthe avec des éclats de chocolat pour Tracy. L'Éventreur avait agressé deux femmes à Roundhay Park, l'une avait survécu, l'autre non. Question de chance. En 76 et 77. Deux ans après le meurtre de Lovell Park. On n'avait jamais fait le rapprochement entre Lovell Park et l'Éventreur, mais c'était à se demander. Wilma McCann, sa première victime, avait été assassinée six mois seulement après qu'Arkwright eut enfoncé la porte de Carol Braithwaite, et avant ça, Sutcliffe s'était entraîné. Arkwright avait annoncé à Tracy qu'il avait entendu dire que quelqu'un avait avoué le meurtre de Carol Braithwaite en prison avant de mourir. Ça paraissait être une façon commode de clore une affaire.

« Tracy ? » Une petite voix interrompit le cours de ses pensées. C'était la première fois que Courtney l'appelait par son prénom. Elle eut envie de pleurer. Pourrait-elle lui demander de l'appeler « maman » ? Quel effet ça lui ferait ? Elle aurait l'impression de voler. Comme Wendy dans *Peter Pan*, la fée Clochette sur les talons. Les Filles Perdues ensemble.

« Allez, viens, dit Tracy. Il y a un Toys "R" Us à Batley. Il va falloir reprendre la voiture. » Parce que rentrer dans sa maison de Headingley était perturbant. Seule avec une gosse chez elle. Comme un vrai parent. Comment on faisait ? Tracy n'en avait pas la moindre idée. Elle se rappela soudain Janek. Non, elle ne pouvait de toute évidence pas rentrer chez elle tant qu'il était là. Il regarderait Courtney de ses tristes yeux polonais, se demanderait qui elle était, d'où elle sortait.

∽

La tâche suivante fut l'achat d'un stock conséquent de sacs à crottes de chien pour faire face à l'inévitable avalanche de merde qui l'attendait. Une fois équipé de pied en cap, Jackson eut l'impression d'être un citoyen plus digne de ce nom. Il aurait dû vérifier que le plastique des sacs était biodégradable pour ne pas encombrer la planète de déchets supplémentaires, mais, certains jours, il y a des limites à ce qu'un homme peut faire.

S'ensuivit une visite dans un salon de coiffure ringard repéré plus tôt près de son hôtel, afin d'effectuer une transformation – grâce à une coupe militaire et un rasage à l'eau chaude avec un coupe-chou – d'où Jackson émergea une demi-heure plus tard tondu comme un agneau qui vient de naître (ou un détenu). *La boule à zéro**, auraient dit les gars de la Légion étrangère. Il espérait seulement que personne ne penserait que c'était lié de près ou de loin à un problème de calvitie. Jackson fut soulagé de constater que son reflet dans le miroir lui ressemblait plus que précédemment.

Le chien avait eu l'autorisation de l'accompagner chez le coiffeur et observé les opérations avec intensité, comme s'il emmagasinait une expérience que Jackson devrait peut-être lui expliquer plus tard. Le coiffeur s'avéra être cynophile et expliqua qu'il « présentait des carlins », remarque que Jackson mit un certain temps à comprendre.

Il fit aussi la démonstration que le chien savait donner une poignée de main ou « une poignée de patte, je devrais dire », s'esclaffa-t-il.

« D'accord, fit Jackson.

— Nous partageons quatre-vingt-cinq pour cent de nos gènes avec les chiens, dit le coiffeur.

— Oui, bon, on partage aussi cinquante pour cent de nos gènes avec les bananes, fit Jackson, je ne crois donc pas que ça signifie grand-chose. »

Faire entrer et sortir le chien clandestinement s'avéra plus facile que prévu, non que Jackson eût prêté grande attention à la question auparavant. C'est fou, le nombre d'endroits interdits aux chiens. Les gosses – il n'avait rien contre eux, évidemment –, les gosses sont admis partout alors que les chiens se conduisent beaucoup mieux dans l'ensemble.

Sa prochaine étape était la bibliothèque municipale. Il y passa au peigne fin les archives du *Yorkshire Post* pour le mois d'avril 1975. Dans l'exemplaire daté du 10, il finit par trouver ce qu'il cherchait, caché dans une page intérieure. « Hier après-midi, alertée par un coup de fil, la police a découvert dans un appartement de Lovell Park le cadavre d'une femme, identifié comme étant celui de Carol Braithwaite. Miss Braithwaite avait été sauvagement agressée. Le corps se trouvait dans l'appartement depuis un certain temps, selon le porte-parole de la police. » L'article était signé Marilyn Nettles. C'était tout, pas de mise à jour sur l'enquête les semaines suivantes, aucun rapport d'enquête. Juste une femme de plus jetée comme des ordures ménagères. Une femme assassinée, un meurtrier jamais traduit en justice, ça rappelait quelque chose à Jackson.

Son sac à dos qui était par terre se mit à gigoter comme s'il allait en sortir une forme de vie extraterrestre. Un petit aboiement étouffé se fit entendre et un museau émergea de l'ouverture de la fermeture Éclair. Il était sans doute temps de partir.

Même avec une mise à jour du code, le numéro de téléphone de Tracy Waterhouse ne répondait pas, il y avait longtemps qu'il n'était plus attribué. Tracy Waterhouse était-elle encore dans la police au bout de tout ce temps ? Ça ferait d'elle un vétéran et c'était très peu probable.

Il lui semblait que si Tracy Waterhouse était dans la police du West Yorkshire en 1975, il en resterait des traces. Et qu'à défaut de traces, quelqu'un se souviendrait peut-être d'elle, même si les chances pour que quelqu'un se rappelle une humble agente des années 70 paraissaient des plus maigres. On attendait encore des femmes policiers des années 70 qu'elles fassent le thé et vous tiennent la main. *Life on Mars* était seulement la partie visible de l'iceberg. Ce monde avait disparu sans espoir de retour. (*Combien d'hommes faut-il pour tapisser une pièce ?* lui avait demandé Marlee. Jackson avait attendu la chute méprisante. *Quatre si on les coupe en tranches fines.* MDR.)

Le chien ne tenait plus en place bien qu'il eût partagé un sandwich au jambon avec Jackson et levé la patte contre plusieurs murs ainsi que l'occasionnel arbre urbain rabougri. Il avait passé une bonne partie de la journée emprisonné et Jackson supposa qu'il avait envie de se dégourdir les pattes. Il y avait très peu d'endroits où les chiens et les hommes pouvaient prendre de l'exercice à Leeds : le centre-ville semblait presque dépourvu d'espaces verts.

Ayant décidé qu'il valait peut-être mieux ne pas emmener le chien au commissariat, Jackson l'attacha à un poteau devant le QG de Millgarth, en veillant à le placer dans la ligne de mire d'une caméra de vidéosurveillance. Comme ça, si on lui volait le chien, il y aurait des traces. « Traite-moi de parano, si tu veux, dit-il au chien, mais de nos jours on ne peut plus faire confiance à personne. » Millgarth était sans doute un des bâtiments les plus laids qu'il ait jamais vus, bâti dans les années 70 comme une forteresse du temps des croisades afin de tenir l'ennemi à distance.

Jackson expliqua à l'agent d'accueil qu'il était un détective privé qui travaillait pour un notaire. Une tante de Tracy Waterhouse lui avait laissé un petit héritage, mais la famille avait perdu tout contact avec ladite Tracy. (« Vous savez comment c'est dans les familles »), tout ce qu'on savait, c'était qu'elle était agente de la West Yorkshire Police en 1975. Quand on mentait, mieux valait faire simple (*C'est pas moi*) et ce gros mensonge était compliqué, Jackson s'attendait donc plus ou moins à être percé à jour, mais l'agent se contenta de dire : « 1975 ? Mon Dieu, ça ne date pas d'hier. »

Un homme aux airs de boxeur lessivé sortit d'une pièce au bout du couloir, jeta un dossier sur le bureau et s'enquit « De quoi s'agit-il ? »

L'agent répondit : « Ce monsieur cherche une agente du nom de Tracy – comment déjà ? fit-il en se tournant vers Jackson.

— Waterhouse.

— Waterhouse, répéta l'agent au boxeur tabassé comme s'il traduisait une langue étrangère. Agente en tenue chez nous en ?

— 1975, fit Jackson.

— 1975, répéta l'agent.

— Tracy Waterhouse ? fit le boxeur tabassé en se mettant à rire. Trace ? Tu connais la grosse Tracy, Bill. Commissaire Waterhouse, elle était encore des nôtres y a pas longtemps.

— Est-ce que ça signifie qu'elle est morte ? demanda Jackson perplexe.

— Mon Dieu, non, Tracy est indestructible. Inspecteur principal Craig Peters, soit dit en passant, fit-il en tendant la main à Jackson.

— Jackson Brodie », fit Jackson en la serrant. Il n'avait pas le souvenir que la police du West Yorkshire était aussi affable dans sa folle jeunesse.

« Tracy a pris sa retraite à la fin de l'année dernière, dit l'inspecteur. Elle est chef de la sécurité au Merrion Centre.

— Ah, Tracy *Waterhouse* », fit l'agent comme s'il avait enfin réussi à traduire.

Une porte s'ouvrit à la volée dans le couloir un peu plus loin et un vieux flic grisonnant déboula. Des comme ça, on n'en faisait plus, ce qui était sans doute une bonne chose. Il lança un regard furieux à la ronde et Peters dit à Jackson : « Le commissaire Crawford et Tracy se connaissent depuis longtemps. » À Crawford qui s'approchait d'un pas lourd, il dit en élevant la voix : « Barry, ce monsieur demande des nouvelles de Tracy.

— Tracy ? » répéta Crawford en s'arrêtant et en toisant Jackson d'un air soupçonneux. Jackson supposa qu'après toute une vie dans les forces de l'ordre, on se

mettait à regarder tout le monde comme ça. Bien qu'il eût ses regrets, Jackson était content d'avoir quitté la police à temps. « Jackson Brodie », dit-il en tendant la main. Barry lui serra la pince à contrecœur. Jackson répéta son histoire de testament et de cousine perdue de vue. Le terrain était potentiellement glissant, il ne pouvait pas être certain que Tracy avait des cousins, mais Crawford dit : « Ah oui, je crois me rappeler que sa mère avait une sœur à Salford. Elles n'étaient pas très proches, si je me souviens bien.

— C'est exact, Salford », dit Jackson, soulagé d'avoir exploité le bon filon.

L'inspecteur principal Peters dit « Je lui disais que Tracy travaille maintenant au Merrion Centre », et ce fut son tour d'être foudroyé du regard par Crawford.

« Eh ben quoi ? fit Peters en haussant les épaules. C'est pas un secret d'État.

— Ouais, bon, dit Crawford à Jackson d'un air faussement indigné, n'allez pas la déranger au travail. Je ne vous donnerai pas son adresse personnelle, alors c'est pas la peine de me la demander. Elle part en vacances, en fait, il se pourrait qu'elle soit déjà partie. Je lui passerai un coup de fil pour lui dire que vous avez demandé à la voir.

— Merci, fit Jackson. Dites-lui que je suis descendu au Best Western. Attendez, je vous donne ma carte. » Et de tendre une de ses cartes *Jackson Brodie – Détective privé* à Crawford qui la fourra négligemment dans sa poche et dit : « Contrairement à vous, je suis un vrai détective, alors si ça ne vous dérange pas, vous pouvez dégager, ravi de vous avoir rencontré, etc. »

Enchanté, j'en suis sûr, songea Jackson. Quel vieux grincheux. Comme aurait dit Julia. Un vieux grincheux

qui était là depuis longtemps. Jackson se demanda s'il y avait moyen de mettre l'affaire Carol Braithwaite sur le tapis sans que ça paraisse bizarre. Il décida qu'il n'y en avait pas, mais essaya quand même.

« Oh, à propos », lança-t-il avec désinvolture. Crawford avait déjà parcouru la moitié du couloir. Il s'arrêta, se retourna, les poils du cou hérissés. « Quoi ?

— Je me demandais juste... est-ce que le nom "Carol Braithwaite" vous dit quelque chose ? »

Crawford le regarda fixement. « Qui ça ?

— Carol Braithwaite, répéta Jackson.

— Jamais entendu parler. »

Le chien avait l'air mal à l'aise quand Jackson le détacha de son poteau. Il était très petit dans l'immensité des choses et devait se sentir vulnérable le plus souvent. « Désolé », fit Jackson. Ils étaient en train de se transformer en Wallace et Gromit. Il n'allait pas tarder à appeler le chien « fiston » et à partager du fromage et des crackers avec lui. Il y avait pire, se dit-il.

« Je cherche Tracy Waterhouse », dit Jackson au freluquet qui finit par ouvrir une porte grise banale du Merrion Centre. Ravagé par l'acné – si on connaissait le braille, on aurait sans doute pu lire sur son visage –, il arborait un badge qui disait « Grant Leyburn ». Il avait l'air d'avoir un patrimoine génétique très limité. Jackson fut un peu déçu que l'aimable Canadienne ne soit pas disponible.

« Je voudrais parler à Tracy Waterhouse, fit-il.

— Elle est pas là, répondit Grant Leyburn d'un air renfrogné.

— Vous savez où je pourrais la trouver ? demanda Jackson.

— Elle est en vacances à partir de demain. Elle ne rentrera que dans une semaine.

— Et aujourd'hui ?

— Elle est malade.

— Vous ne pouvez pas me donner un numéro de téléphone, par hasard ? fit Jackson. Ou un autre moyen de la contacter ? » ajouta-t-il plein d'espoir.

Grant haussa un sourcil broussailleux et dit : « À votre avis ?

— Je devine que c'est “non”.

— Vous avez tout compris. »

Jackson repêcha une carte de visite et la lui tendit. « Vous pourriez peut-être lui remettre ça à son retour ?

— Un privé ? fit le jeune boutonneux d'un air sarcastique. Encore un. Elle est vraiment populaire.

— Encore un ? fit Jackson perplexe.

— Ouais, quelqu'un est venu tout à l'heure. » Il leva soudain les yeux vers une grosse caméra ronde de vidéosurveillance accrochée au plafond. On aurait dit un petit vaisseau spatial. Il fronça les sourcils et fit : « Y a toujours quelqu'un qui observe.

— À qui le dites-vous », fit Jackson.

Il plaça l'instantané de la fillette aux couettes de guingois sur une chaise près de la fenêtre, là où la lumière était la meilleure. Il la photographia avec son téléphone. Elle avait un léger halo fantomatique, une photo de photo, la vie au troisième degré. La réalité virtuelle.

Il passa en revue les photos de son téléphone jusqu'à ce qu'il tombe sur celle prise à l'arrivée de Hope McMaster en Nouvelle-Zélande. Si ce n'était pas la même enfant que celle qui frissonnait sur une plage anglaise, c'était sa vraie jumelle. Sur les deux clichés, la petite fille souriait jusqu'aux oreilles, c'était déjà une enfant qui avait des points d'exclamation dans la tête. Si c'était une photo de Hope McMaster, elle confirmait une chose : elle n'avait pas surgi tout armée de nulle part. Elle avait un passé. Elle s'était tenue un jour, grelottante et souriante, sur une plage balayée par le vent et quelqu'un l'avait prise en photo. Qui ?

Ça devait être le milieu de la nuit dans le monde à l'envers qu'habitait Hope McMaster. « *Vous pensez que c'est vous ?* » écrivit-il avant de se dire que ça préjugeait de la réponse. Il effaça et retapa « *Est-ce que vous reconnaissez la fille de la photo* ? » Elle se réveillerait dans son lendemain et serait surprise ou déçue.

Jackson googlisa « Carol Braithwaite » sur son téléphone et n'obtint rien. Il essaya Carol Braithwaite/meurtre/Leeds/1975, plus toutes sortes d'autres combinaisons. Toujours rien. Carol Braithwaite était adulte en 1975, elle ne pouvait donc pas être Hope McMaster, mais elle pouvait être sa mère. L'article de journal ne mentionnait pas d'enfant, mais ça ne voulait pas dire qu'il n'y en avait pas. La petite fille de l'instantané était-elle la fille de Carol Braithwaite ? Linda Pallister s'occupait d'enfants dont personne ne voulait, s'était-elle occupée de celle de Carol Braithwaite ? Avait-elle arrangé une adoption en sous-main ? Un geste de bonne volonté peut-être, afin de donner un bon foyer à une petite gamine et lui épargner de croupir dans le système.

Le seul kidnapping de fille qu'il put trouver pour l'année 1975 était celui de Lesley Whittle, victime de Donald Neilson, la Panthère Noire. L'enlèvement d'une petite fille aurait fait les gros titres et si on ne l'avait jamais retrouvée, les médias s'en seraient fait l'écho pendant des années. Jackson avait recherché un tas d'enfants disparus, il n'avait jamais cherché d'enfant *non porté disparu.* Il était peu probable que même les parents les plus négligents perdent un enfant et ne le signalent pas, à moins qu'ils n'aient eu l'intention de l'égarer, évidemment.

Il était plus vraisemblable que Hope McMaster était une enfant non désirée et qu'elle avait simplement été donnée. Ça expliquerait l'absence de traces. Quand Jackson était petit, il y avait un tas d'« adoptions » non officielles, qui ne laissaient derrière elles aucune trace sur le papier. Des enfants illégitimes étaient élevés par leurs grands-parents en croyant que leur mère était leur sœur. Des sœurs stériles prenaient un neveu ou une nièce surnuméraire, les élevaient comme un enfant unique adoré. La mère de Jackson avait un frère aîné qu'elle n'avait jamais vu. On l'avait donné à un oncle et tante sans enfants à Dublin qui l'avaient « gâté », disait-elle d'un air envieux. « Gâté » dans le vocabulaire de sa mère signifiait qu'il avait fait des études, était allé à Trinity College, était devenu avocat, s'était bien marié et était mort, bien des années plus tard, dans le confort bourgeois.

Linda Pallister était la clé, il ne lui restait plus qu'à lui parler, chose qu'elle avait l'air de vouloir éviter à tout prix.

Ni Tracy Waterhouse ni Linda Pallister n'étaient dans l'annuaire, mais ce n'était pas une surprise. Les policiers et les travailleurs sociaux gardent un profil bas, sinon ils auraient tous les cinglés et les anciens taulards en train de tambouriner à leur porte à minuit. Jackson alla sur 192.com, l'ami des fouineurs et des enquêteurs qui n'ont pas accès aux archives officielles.

Il y trouva une « Linda Pallister » et quatre « T. Waterhouse », dont une était une « Tracy ». Il put obtenir l'adresse des deux femmes. Elles étaient assez prudentes pour ne pas figurer dans l'annuaire, mais pas assez futées pour se faire enlever des listes électorales, ce qui avait permis à 192.com d'obtenir leurs coordonnées. Ça ne devrait pas être permis mais, Dieu merci, ça l'était.

Jackson récupéra la Saab dans le parking à plusieurs niveaux du Merrion Centre, où il l'avait garée la veille en arrivant à Leeds. Il ne connaissait pas très bien le protocole concernant les chiens en voiture. On en voyait tout le temps qui vous fixaient du regard à la lunette arrière ou la tête pendant à la vitre passager, oreilles voletant au vent, mais un chien non attaché est un vrai danger. Quand il était dans la police, une femme avait été tuée dans un accident de voiture. Elle avait freiné brusquement à un feu et son dalmatien couché sur la banquette arrière avait fait un vol plané et lui avait brisé le cou. Une mort stupide.

Le chien sauta sur la banquette arrière comme si c'était sa place habituelle, mais Jackson, le mâle alpha, dit « Non » d'un ton comminatoire. Le chien, troublé mais désireux de plaire, examina le visage de Jackson en quête d'indice. « Ici », fit Jackson en lui indiquant l'emplacement au pied du siège passager, et le chien s'y installa d'un bond. Une fois certain que le chien ne traverserait pas la voiture comme un missile, Jackson dit : « Parfait et maintenant allons nous trouver des femmes. » Il glissa *Cowboy Boots* de Kendel Carson dans le lecteur de CD, chanson qui n'est pas aussi plouc que son titre le laisse entendre.

Il mit le moteur en marche et régla le rétroviseur. S'apercevant dedans, il fut de nouveau surpris par sa coupe tondeuse.

Linda Pallister vivait dans une maison mitoyenne traditionnelle près de Roundhay Park. Les rideaux étaient tirés bien que ce fût l'après-midi. On aurait dit une maison en deuil. Jackson sonna et tambourina, pas de réponse. Il essaya la porte de derrière, même résultat. La mystérieusement insaisissable Linda Pallister continuait à briller par son absence.

Jackson frappa à la porte de la maison voisine. Il tira le bon numéro avec la femme (« Mrs Potter ») qui vint lui ouvrir. Il connaissait le genre – elles regardaient d'ordinaire des rediffusions d'*Inspecteur Barnaby* ou de *Poirot* derrière des rideaux de dentelle au milieu de l'après-midi, avec une théière et une assiette de sablés au chocolat à portée de main. Elles faisaient des témoins précieux, car elles étaient toujours aux aguets.

« Elle a reçu de la visite la nuit dernière, signala dûment Mrs Potter. Un homme, ajouta-t-elle avec délectation.

— Vous l'avez vue aujourd'hui ?

— Je ne sais pas, je ne passe pas mon temps à regarder ce que fait le voisinage, je ne sais pas pourquoi les gens vont s'imaginer des choses pareilles.

— Bien sûr que non, Mrs Potter », fit Jackson en feignant l'empathie. Ce n'était jamais une tactique qui lui réussissait (surtout avec les femmes) mais ça ne l'empêchait pas d'essayer. « Écoutez, fit-il en sortant une carte de visite de son portefeuille et en la lui tendant, si elle revient, pourriez-vous lui donner ceci et lui demander de m'appeler ?

— Un détective privé ? » dit-elle. Il aurait pu se dispenser de feindre l'empathie, l'idée d'un détective privé fut assez intrigante pour qu'elle dise « Appelez-moi Janice ». Elle baissa la voix comme si Linda Pallister risquait de les épier. « Est-ce que vous pouvez me dire pourquoi vous vous intéressez à Linda ?

— Je pourrais, mais il faudrait que je vous tue après », fit Jackson. L'espace d'un instant, « Janice » eut l'air de le croire. Jackson sourit. Ouais, prêt à offrir des sensations fortes aux dames au débotté à présent.

Il y avait plus d'animation dans la maison de Tracy Waterhouse à Headingley même si malheureusement ladite Tracy n'y était pour rien. La porte de devant était ouverte et un homme rangeait des outils dans une camionnette. Tracy, l'informa-t-il avec un fort accent slave (le maçon polonais classique, supposa Jackson), était partie ce matin et il ne savait pas quand elle rentrerait. « Mais j'espère qu'elle reviendra, dit-il en riant. Parce qu'elle me doit de l'argent. »

Jackson eut beau prétendre être un cousin perdu de vue, l'ouvrier refusa de lui donner le numéro de portable de Tracy. « C'est une femme très secrète », dit-il.

Au lieu de collectionner les abbayes cisterciennes, Jackson collectionnait, semblait-il, les femmes disparues au combat.

∽

De sa voiture garée sur le parking, il appela Tracy sur son portable. Il se retrouva sur sa boîte vocale. La voiture de Barry sentait le freesia, la fleur préférée d'Amy. Pourquoi n'avait-elle pas choisi des freesias pour son bouquet de mariée au lieu de ces stupides trucs orange qui ressemblaient à des marguerites ? Les fleurs ne signifiaient plus rien pour elle désormais. C'était entièrement de la faute d'Ivan. Il était responsable de tout. Il sortait de prison samedi, un pote de Barry au service pénitentiaire lui avait communiqué la date et l'heure. Barry serait là pour l'accueillir.

Il allait déposer les freesias sur la petite tombe de Sam. Il y allait plus souvent qu'il ne voulait bien l'avouer à Barbara. Ils se rendaient sur la tombe séparément. Barbara laissait des trucs qui lui soulevaient le cœur – des nounours et des petits camions. Il laissait toujours des freesias.

Barry fouilla dans ses poches pour retrouver la carte que ce Jackson de malheur lui avait donnée mais ne put la trouver nulle part. Il appela Tracy au Merrion Centre et un abruti complet lui répondit qu'elle s'était fait porter pâle. Il téléphona à son domicile et tomba sur un message bateau de répondeur. Il finit par l'appeler sur son portable et laissa un message. La rappela et laissa un deuxième message. Se rappela quelque chose d'autre et en laissa un troisième.

Quelque chose n'allait pas, mais quoi au juste ? Tracy n'avait pas de cousins. N'avait pas du tout de famille, elle était la fille unique d'enfants uniques. Elle n'avait personne à Salford, c'était sûr et certain. Il fallait qu'il la prévienne si quelqu'un de louche la recherchait. Linda Pallister avait mentionné un détective privé du nom de « Jackson » qui furetait discrètement et voilà que cet enfoiré se présentait à Millgarth et demandait à voir Tracy. *Est-ce que le nom « Carol Braithwaite » vous dit quelque chose ?* Un peu, mon neveu. Le glas sonnait pour les morts, réveillait les vivants. Faites sonner les cloches, faites sortir les morts.

Avant l'accident d'Amy, il avait pitié de Tracy, une de ces femmes qui avaient sacrifié la maternité à leur travail. Elles atteignaient la ménopause, se rendaient compte qu'elles n'avaient pas eu d'enfants, que leur ADN mourrait avec elles et que personne ne les aimerait jamais comme un enfant l'aurait fait. Triste au fond. Mais depuis l'accident d'Amy, Barry enviait Tracy. Elle n'avait pas à endurer une peine insupportable à chaque seconde de sa vie.

Il démarra pour se rendre au cimetière, respira le parfum des freesias tout le long du chemin.

∽

« On rentre à la maison ? » demanda Courtney quand Tracy l'attacha de nouveau dans le siège enfant devant Toys « R » Us. Le coffre était rempli de jouets, pour la plupart en plastique. Toutes ces minuscules formes de vie marine anciennes tombant au fond de l'océan pour réapparaître un jour dans un service à thé pour fées Disney.

À la demande de Courtney, Tracy lui avait aussi acheté un déguisement, une tenue rose de fée, avec ailes, baguette magique et tiare. Courtney avait insisté pour l'enfiler dans la voiture et elle était à présent assise sur la banquette arrière dans une pose rigide qui n'était pas sans rappeler celle de la reine à son couronnement.

« On rentre à la maison ? » répéta pensivement Courtney comme s'il ne s'agissait pas tant d'une question que d'un problème philosophique. Qu'est-ce que Courtney entendait par « maison » ? se demanda Tracy. C'était où ? Le taudis infâme de Kelly Cross ou ailleurs ?

Avec les gosses, il y avait les trucs qui se faisaient et les trucs qui ne se faisaient pas. Pendant toute sa vie professionnelle, Tracy avait été témoin des trucs qu'on n'était pas censé faire. Bâtir des châteaux de sable sur la plage, donner à manger aux canards, pique-niquer sur une couverture écossaise dans un parc – voilà les trucs qu'on faisait avec les gosses. Les voler était une des choses qui ne se faisaient pas. Point barre. Elle avait pris un enfant qui n'était pas à elle.

« En fait, non, dit Tracy. Pas tout de suite. On a encore deux ou trois courses à faire. »

Il lui fallut une demi-heure pour vider son compte en banque. La gamine s'enfila une banane et une pomme. Tracy avait apporté son passeport, elle connaissait la marche à suivre en matière de prévention des fraudes, ça n'empêcha pas le caissier de se conduire comme si elle dévalisait la banque. Des caméras de vidéosurveillance partout et trente mille livres en liquide dans son sac à main. Difficile de ne pas avoir l'air coupable.

Après ça, elle alla voir son notaire et le mandata pour vendre sa maison. Les notaires sont des animaux lents, impossible de sortir de leur étude en moins de deux bananes. Pouvait-on faire une overdose de bananes ? Elle entendait encore la voix de sa mère : « À ce rythme-là, tu vas finir par te transformer en chips au fromage et à l'oignon. » (Ce n'était pas le cas.) Et les bananes n'étaient pas énormes : « calibrées pour les petits plaisirs », disait l'étiquette du supermarché. Tracy en mangea une en se demandant ce que les gens faisaient avant les bananes. Elle ne comprenait pas ce que « calibrée pour les petits plaisirs » signifiait, s'agissant d'une banane. Elle avait un jour arrêté un type qui vendait de la pornographie enfantine sous le manteau. Une de ses vidéos s'intitulait *Calibré pour les petits plaisirs.* Rien n'était innocent. Nulle part.

« On rentre à la maison *maintenant* ? » demanda Courtney une fois de retour à la voiture. La gamine avait l'habitude d'être bousculée comme une boule de billard. Les gosses n'étaient pas en mesure de décider où ils allaient ni avec qui ils y allaient.

« Bientôt. D'abord, on va voir un monsieur. » Elle surprit le visage de Courtney qui se renfrognait dans le rétroviseur et ajouta « un gentil monsieur ».

Gentil, fallait le dire vite, si ses souvenirs étaient bons. Gentil en apparence. C'était aussi un escroc, un voleur et le roi de la combine, mais Tracy garda ces renseignements pour elle. Il habitait une baraque impressionnante à Alwoodley, achetée indubitablement avec l'argent d'une vie consacrée au crime, et arbora une mine d'une louable impassibilité quand il vint ouvrir sa porte et découvrit Tracy accompagnée d'une petite fée rose.

« Commissaire, dit-il cordialement, je vois que vous avez une amie. Quelle agréable surprise.

— J'ai pris ma retraite, fit Tracy.

— Moi aussi, murmura Harry Reynolds. Donnez-vous la peine d'entrer. »

C'était un petit homme sémillant – cravate, pantalon de sergé beige à pli, pantoufles élégantes qui auraient pu passer pour des souliers –, il devait avoir droit à la carte de bus gratuite depuis un bon bout de temps, même si Tracy doutait qu'il utilise les transports en commun vu la Bentley garée dans son allée.

Il les fit entrer dans une salle de séjour qu'on avait agrandie en abattant une cloison – de superbes portes de patio et un bassin rempli de carpes koi situé presque en face, comme si Harry Reynolds voulait admirer ses poissons hors de prix sans quitter le sas de sa maison.

À l'intérieur, les murs étaient couverts de photos scolaires encadrées de deux enfants, un garçon et une fille. Tracy reconnut l'uniforme d'une école primaire privée dont elle n'avait jamais su prononcer le nom.

« Mes petits-enfants, dit Harry Reynolds avec fierté. Brett a dix ans, Ashley en a huit. » Tracy supposa que Brett était le garçon et Ashley la fille, mais on ne pouvait plus en être sûre. Le reste de la décoration était hideux, d'énormes vases en verre qui étaient peut-être considérés comme des « objets d'art » dans les années 70, des bibelots de porcelaine sentimentaux : clowns avec des ballons et enfants à la mine triste avec des chiens. Une grosse horloge de cuivre en forme de soleil ornait un mur tandis que sur un autre se disputait un match de football sur l'écran de télé le plus gigantesque que Tracy ait jamais vu. Le crime paie. Il flottait une surprenante odeur de pâtisserie.

« Je ne voudrais pas interrompre le match, dit poliment Tracy, même si après les années qu'elle avait passées à maintenir l'ordre dans les matches à domicile houleux de Leeds United, elle aurait volontiers flanqué un bon coup de masse dans l'écran.

— Non, non, fit Harry Reynolds. C'est un match merdique, passe-moi l'expression, ma puce, ajouta-t-il à l'adresse de Courtney. De toute façon, c'est sur Sky Plus, pas en direct, je peux le regarder plus tard. » Il avait le genre d'accent du Yorkshire que Tracy qualifiait d'« aspirant à faire chic ». L'accent de sa mère, Dorothy Waterhouse.

Harry Reynolds éteignit la télé et les installa toutes les deux sur des canapés boursouflés, vastes comme des péniches et recouverts d'un cuir mauve passé de mode. Triste fin pour une vache. Le soleil tapait dans le jardin, mais toutes les fenêtres et les portes étaient fermées, toute la maison hermétiquement scellée contre le monde extérieur. Tracy sentait son corsage lui coller dans le dos. L'élastique de son énorme slip la sciait en deux. Elle gonflait toujours durant la journée. Elle se demandait pourquoi.

Courtney regardait sans rien dire par la fenêtre. Kelly l'avait peut-être droguée. Il n'y aurait rien de bien nouveau si on repensait aux litres et aux litres de laudanum que les mères refilaient jadis à leurs gosses pour qu'ils se tiennent tranquilles. Aujourd'hui, on leur fourguait plus de tranquillisants et de somnifères que les gens ne l'imaginaient. Si ça n'avait tenu qu'à Tracy, elle aurait stérilisé un tas de parents. On ne pouvait pas dire ça, bien sûr, on avait l'air facho. N'empêche.

Le téléphone de Tracy se mit à sonner. *Für Elise.* Elle l'exhuma de son sac, s'attendant à ce que ce soit l'auteur des coups de fil silencieux. Elle fronça les sourcils en voyant le nom s'afficher à l'écran. « Barry ». La peur la submergea, avait-il découvert quelque chose au sujet de Courtney ? Elle laissa sa boîte vocale prendre le message.

Harry Reynolds revint avec un plateau de thé. *Für Elise* de nouveau. À nouveau Barry. Boîte vocale une fois de plus.

« Un problème ?

— Un appel anonyme », fit Tracy d'un ton dédaigneux.

Für Elise, une fois de plus. Pour l'amour du ciel, lâche-moi les baskets, Barry, songea-t-elle.

« Vous voulez que je m'en occupe ? »

Tracy se demanda ce qu'un type comme Harry Reynolds entendait par là.

« Non, fit-elle. C'est probablement un de ces appels générés par ordinateur. Venus d'Inde, d'Argentine ou de je ne sais où.

— Maudits Noirs, fit Harry Reynolds. Ils sont partout. Le monde a changé. » Il posa le plateau. Théière, tasses et soucoupes – de la belle porcelaine –, jus d'orange et une assiette de scones. Du beurre, un peu de confiture. Il approcha l'assiette de scones de Tracy. « Ils sortent du four, je les ai faits moi-même, dit-il. Faut bien s'occuper, hein ?

— À qui le dites-vous », fit Tracy. Elle s'apprêtait à faire l'impasse sur les scones, mais ne put résister à la tentation. Elle avait passé la journée au volant avec seulement deux biscuits Weetabix et une moitié de beignet rassis dans l'estomac. Ah oui, et aussi deux biscuits Jaffa. Plus le sandwich au thon du pique-nique. Plus un paquet de chips au vinaigre. Plus une poignée de bâtonnets de carotte, même si ça ne comptait pas. C'était surprenant de voir comme tout finissait par s'additionner. Elle avait adhéré au Monde de l'Amincissement l'an passé et dû tenir un « journal de bord ». Au bout d'un moment, elle s'était mise à inventer. *Wasa, cottage cheese, bâtonnets de céleri, deux pommes, une banane, salade de thon au déjeuner, poulet grillé et haricots verts pour le dîner.* Elle n'osait pas avouer toutes les saloperies qu'elle grignotait à longueur de journée. Elle avait pris du poids la première semaine, n'y avait jamais remis les pieds.

« C'est aussi moi qui ai fait la confiture de framboises, dit Harry Reynolds. Il y a une cueillette à la ferme à deux pas de la N65 juste après Guiseley. Vous connaissez ?

— Non, je ne crois pas. » Tu parles. Tracy n'avait jamais rien récolté de sa vie à part des croûtes aux genoux et des pâquerettes, et ces dernières étaient plus une supposition de sa part qu'un souvenir réel. Elle mordit dans un scone. Il était chaud, fondait dans la bouche et la confiture était à la fois sucrée et acidulée. Elle le termina en essayant de ne pas avoir l'air goulue.

« Pas bon pour ce qu'on a, mais sympa », dit Harry Reynolds en riant et en attaquant un scone.

Tracy eut soudain conscience d'être passée à côté d'un tas de choses dans la vie. Comme par exemple tourner sur la N65 pour aller cueillir des fruits à la ferme. On l'avait appelée une fois dans le coin, juste au sud d'Otley, pour un meurtre. Une prostituée qui avait fait son dernier tour en voiture avant d'être jetée dans un fossé. La rumeur disait qu'il y avait du Harry Reynolds là-dessous, il faisait tourner des filles et vendait de la pornographie dans les années 60, mais Tracy trouvait qu'il n'était pas le genre. Pas bon pour ce qu'on a, mais sympa. Elle repensa à la mère maquerelle offrant du sherry et des fruits secs dans sa maison de Cookridge. C'étaient les années 70 évidemment. Rien d'innocent alors. Norah, voilà comment elle s'appelait. Norah Kendall.

« Vous avez connu Norah Kendall ? demanda-t-elle à Harry Reynolds.

— Ah, Norah, fit-il en riant. C'était une sacrée bonne femme. Elle avait la bosse du commerce, ajouta-t-il avec admiration. C'était un autre monde, hein, commissaire ? Des livres cochons dans les arrière-salles et des types en imper qui montrent leur boutique aux écolières. Le temps de l'innocence. » Il soupira avec nostalgie.

Tracy ravala sa réponse. Elle n'avait pas souvenir de l'innocence.

« Impossible de distinguer les filles bien des prostituées aujourd'hui, fit Harry Reynolds. Elles s'habillent toutes comme si elles faisaient le trottoir et se conduisent à l'avenant.

— Je sais bien », dit Tracy surprise d'être d'accord avec quelqu'un comme Harry Reynolds. Mais c'était vrai, on voyait des gamines estropiées par des talons vertigineux, habillées comme des putes, trébucher ivres mortes le samedi soir dans le centre-ville de Leeds et on se disait : c'est pour ça qu'on s'est jetées sous les sabots des chevaux, qu'on a eu des haut-le-cœur après avoir été nourries de force, c'est pour ça qu'on a bravé le ridicule, l'humiliation et les châtiments ? Pour que les femmes se conduisent encore plus mal que les hommes ?

« Elles sont pires que les mecs aujourd'hui, fit Harry Reynolds.

— C'est biologique, dit Tracy, c'est plus fort qu'elles, faut qu'elles attirent le mâle, se reproduisent et meurent. Comme les éphémères.

— *O tempora, o mores*, fit Harry.

— Je ne savais pas que vous étiez un fin lettré, Harry.

— Je suis comme les icebergs, commissaire. Je suis tout en profondeur. » Il mordit dans son scone avec ses fausses dents brillantes et rumina. « Y a trop de gens sur la planète. On abat les cerfs, mais on n'a pas le droit d'en faire autant avec les hommes. » C'était un écho malheureux des pensées de Tracy tout à l'heure. Ça faisait plus facho dans sa bouche à lui que dans sa tête à elle.

Harry Reynolds avait-il fait assassiner des gens ? se demanda Tracy. Peut-être. Est-ce que ça la dérangeait ? Pas tant que ça.

« Alors comme ça, notre ami Rex Marshall a fini par trouver son dernier trou, dit Harry Reynolds.

— C'est pas mon ami, marmonna Tracy la bouche pleine de glucides. Ni le vôtre, j'aurais cru.

— On est membres du même club de golf. C'est comme les francs-maçons. Lomax, Strickland, Marshall apprécient tous de faire une partie avec mézigue. Même Walter Eastman en son temps.

— Je ne sais pas pourquoi je suis surprise. » Tracy avala le reste de son scone et dit : « Harry ?

— Commissaire ?

— Vous vous rappelez 1975 ?

— La coupe du monde de cricket s'est tenue à Headingley en juin. On jouait contre les Australiens. Débâcle pour l'Angleterre. Les Antilles ont battu les Australiens en finale. On dira ce qu'on voudra des Noirs, mais ils savent jouer au cricket.

— Ouais, bon, à part ça. Vous vous rappelez le meurtre d'une femme qui s'appelait Carol Braithwaite ?

— Non, fit-il en contemplant ses carpes. Je crains que non. Pourquoi ?

— Rien. Je me demandais, c'est tout. »

La môme avait déjà englouti son jus et deux scones et semblait un poil plus animée. Sa tiare argentée était de guingois et elle était barbouillée de confiture à la framboise. La baguette gisait sur le canapé à côté d'elle. Elle serrait les poings puis les ouvrait comme des étoiles. Un signe d'approbation ultime, visiblement. Elle reprit sa baguette, retourna à ses obligations.

« Fais attention avec ce truc, dit Harry Reynolds avec un sourire indulgent. Je ne voudrais pas que tu me jettes un sort. »

Courtney le regarda avec de grands yeux.

« C'est un vrai moulin à paroles, hein ? Elle n'a pas une case en moins, par hasard ?

— Bien sûr que non », fit Tracy indignée. Elle tamponna vainement la confiture de framboises qui maculait la figure de Courtney avec un mouchoir en papier. La gamine avait aussi des restes archéologiques de sandwich au thon, de beignet et de chocolat. Tracy se rendit compte que la prochaine fois qu'elle irait au supermarché elle devrait passer au niveau supérieur. Aux lingettes.

« Ça fait un bail qu'on s'est pas vus, commissaire, fit Harry Reynolds. Nous voilà donc tous les deux de retour à la vie civile. Un autre scone ?

— Non, merci. Enfin, si, peut-être. Bon, allez, d'accord. Vous êtes vraiment rangé des voitures, Harry ?

— J'ai plus de soixante-dix ans, fit Harry Reynolds. Ma femme est morte depuis la dernière fois que je vous ai vue. D'un cancer. Je me suis occupé d'elle jusqu'à la fin, elle est morte dans mes bras. Mais je ne peux pas me plaindre, j'ai une fille merveilleuse, Susan, et mes petits-enfants sont tout le temps fourrés chez moi. Ils sont pourris gâtés, mais pourquoi pas ? C'était différent à mon époque, une taloche et une tartine à la graisse si on avait de la chance… »

Tracy sentit qu'elle piquait du nez. Se demanda si ça dérangerait Harry Reynolds – s'en apercevrait-il seulement ? – qu'elle s'allonge sur le canapé plus-gros-qu'une-vache et fasse un petit somme.

« … et bien sûr ils viennent tous les dimanches pour un gros rosbif avec la garniture habituelle. J'aime bien faire un vrai dessert – une tarte aux fruits, un gâteau de Savoie cuit à la vapeur, un roulé à la confiture. Quasiment plus personne n'en fait de nos jours. Qui fait encore des Yorkshire puddings ?… »

Tracy sentait presque l'odeur de viande grasse en train de rôtir et de légumes trop cuits. L'espace d'une seconde, elle fut de retour dans le pavillon de Bramley, l'air mort du dimanche matin, sa mère « s'offrant » un petit verre de sherry.

« … le déjeuner dominical était considéré comme un festin immuable, poursuivit Harry. Immémorial. On ne se doutait pas qu'il serait remplacé un jour par une pizza ou un plat à emporter de chez le chinetoque. Pas étonnant que le pays parte à vau-l'eau. »

Tracy mordit dans un autre scone pour rester éveillée. Elle avait l'impression d'être entrée par inadvertance dans une pub pour Werther's Original. Est-ce que tous les criminels s'adoucissaient s'ils arrivaient au grand âge ? (Les inspecteurs de police aussi ? Sans doute pas.) Peut-être qu'elles pourraient s'installer chez Harry Reynolds maintenant que le criminel endurci qu'il était s'était métamorphosé en un papy pétillant mais néanmoins fasciste et raciste. Il avait combien de chambres à coucher ? Au moins quatre. Y avait toute la place qu'on voulait. Elles pourraient s'éclipser le week-end, Courtney pourrait rester jouer avec Brett et Ashley.

« C'est votre gamine ? » demanda Harry Reynolds. Le ton était désinvolte, plaisant, mais il y avait soudain moins de pétillement.

« Je suis ici pour affaires, fit Tracy.

— Je croyais que vous m'aviez dit que vous étiez à la retraite, commissaire.

— Un autre genre d'affaires », fit Tracy.

Les courses qu'elles avaient faites ce matin au supermarché étaient toujours dans le coffre de l'Audi. Tous les produits frais devaient pourrir lentement mais sûrement, se transformer en bouillie dans les sacs en plastique. C'était pour l'essentiel des provisions pour les vacances. C'est toujours comme ça les locations : on achète cinq fois plus de trucs que nécessaire. Il était hors de question qu'elle fasse la cuisine ce soir.

« Dînons dehors », dit-elle à Courtney une fois qu'elles eurent toutes les deux bouclé leur ceinture de sécurité. Courtney se mit à hocher la tête non-stop comme un petit chien mécanique de plage arrière. « Tu peux arrêter maintenant », lui conseilla Tracy. Les hochements ralentirent. S'arrêtèrent.

Avant de démarrer, Tracy écouta sa boîte vocale, redoutant de mauvaises nouvelles de la part de Barry. Premier message. *Tracy, c'est Barry. Un type est venu au commissariat, il te cherchait. Il dit qu'une tante à Salford t'a laissé de l'argent dans son testament. Je sais que tu n'as pas de tante à Salford ni ailleurs, je ne sais donc pas à quoi il joue.* Deuxième message. De nouveau Barry. *Il dit s'appeler Jackson Machin-Chouette, un truc dans ce goût-là. Ça te dit quelque chose ? Appelle-nous.* Troisième message. *Il prétend être détective privé. Je pense qu'il ment. Il est descendu au Best Western, celui qui est à côté du Merrion Centre. Il m'a donné sa carte de visite, mais je l'ai perdue.*

Personne ne prononçait les mots « détective privé » avec autant de mépris que Barry. Jackson ? Le nom ne lui disait rien du tout. Est-ce qu'il cherchait la gamine ? L'avait-on envoyé pour la récupérer ? Qui qu'il fût, elle allait tout faire pour l'éviter.

Une Avensis grise n'arrêtait pas d'apparaître et de disparaître dans son rétroviseur. Tracy était sûre que c'était la voiture stationnée à côté de la sienne sur le parking du supermarché. Elle l'avait repérée à cause du lapin rose accroché au rétroviseur. Un « lapin désodorisant ». Une connerie, son « Père Noël secret » lui en avait offert un l'an passé. Les Pères Noël secrets et la Brigade des mœurs ne faisaient pas bon ménage d'une certaine façon. L'Avensis disparut. Pourrait-il s'agir de ce Jackson ?

« Essaie de repérer une voiture grise », dit-elle à Courtney. Est-ce que les gosses de son âge connaissaient toutes les couleurs ? La gamine savait-elle décliner les couleurs de l'arc-en-ciel ? « Tu sais ce que c'est du gris ?

— La couleur du ciel », suggéra la gamine.

Tracy soupira. Un psychothérapeute s'en donnerait à cœur joie avec cette gosse.

Elles dînèrent au chinois du coin. La gosse scruta le menu et Tracy demanda « Tu sais lire, Courtney ?

— Non. » Courtney secoua la tête et continua à examiner le menu.

Elle se mit en devoir de liquider une assiette de nouilles de Singapour. « Je crois qu'il y a en toi une grosse dondon qui essaie de montrer le bout du nez », dit Tracy. Courtney fit une pause entre deux bouchées et fixa Tracy. Quelques nouilles égarées pendaient aux coins de sa bouche comme une moustache à la gauloise. « Pas littéralement », dit Tracy. Elle soupira et se resservit en riz au jasmin cuit à la vapeur. « En ce qui me concerne, c'est fait depuis longtemps. »

Après que Courtney eut donné des beignets à la banane accompagnés de glace à son ver solitaire, Tracy régla l'addition avec deux billets de vingt livres extraits de sa liasse de trente mille livres. Elle fouilla en vain dans son porte-monnaie pour trouver des pièces et dit à Courtney « Je n'ai pas assez pour le pourboire ».

Courtney refit son numéro d'imitation du sphinx, puis plongea la main dans les profondeurs de son sac à dos rose et en exhuma le porte-monnaie à tête de singe. Elle en sortit quatre pièces de un penny qu'elle aligna soigneusement dans la soucoupe en disant tout bas : « Un, deux, trois, quatre.

— Tu sais compter jusqu'à combien, Courtney ?

— Un million, s'empressa-t-elle de répondre.

— Vraiment ? »

Courtney leva la main gauche et se mit à compter lentement sur ses doigts : « Un-deux-trois-quatre-un million. »

— C'est tout ? »

Courtney la fixa sans ciller. Tracy aperçut une nouille coincée entre ses dents de devant. Courtney finit par lever l'index de sa main droite et dit « Un million un ». Elle n'en avait pas terminé avec son généreux pourboire. Elle examina l'intérieur de son sac à dos et finit par en sortir la noix de muscade qu'elle posa à côté des pièces. Le serveur enleva la soucoupe avec une expression impénétrable et, tel un magicien, fit apparaître un biscuit renfermant un horoscope, qu'il tendit cérémonieusement à Courtney. Elle le rangea soigneusement sans l'ouvrir dans son sac à dos.

« Rentrons à la maison », dit Tracy.

Bien avant qu'elles n'arrivent à Headingley, le portable de Tracy sonna. L'accablement s'empara d'elle dès qu'elle entendit les divagations hystériques de Kelly Cross qui exigeait impitoyablement son dû alors que Tracy n'avait même pas conscience de lui devoir quoi que ce soit. D'accord. Tout ce qu'elle voulait. Parfois, il fallait surenchérir. Dormir, manger, protéger. Surtout protéger.

9 avril 1975

La puanteur à l'intérieur était incroyable. Une odeur de décomposition. Tracy l'aurait dans les narines pendant des jours. Elle était sur sa peau, son uniforme, dans ses cheveux. Des années plus tard, il suffirait qu'elle repense à l'appartement de Lovell Park pour la sentir à nouveau. L'enfant était dans le couloir quand ils avaient fait irruption. Sale comme un peigne, la peau sur les os, on aurait dit une victime de famine.

Encore épuisé d'avoir grimpé quinze étages et défoncé une porte étonnamment résistante, Ken Arkwright propulsa son corps grassouillet à une vitesse surprenante, cueillit la petite chose émaciée, la passa à Tracy et entreprit d'explorer le reste de l'appartement.

Tracy tint le petit corps léger comme une plume, caressa ses cheveux crasseux et murmura « Tout va bien maintenant. » Elle ne savait que dire d'autre, que faire d'autre.

Arkwright réapparut et dit « Pas d'autres gosses, mais… » D'un signe de tête, il indiqua une porte qu'il avait ouverte un peu plus loin dans le couloir.

« Quoi ? fit Tracy.

— Dans la chambre.

— Quoi ? »

Arkwright baissa la voix et chuchota : « La maman.

— Merde. Depuis quand ?

— Une quinzaine de jours à vue de nez », fit Arkwright. Tracy sentit son estomac se soulever. Elle se dit : Tiens bon, pense aux roses de papa, au désinfectant de maman, à tout, sauf à l'odeur de chair putréfiée.

Elle emporta l'enfant dans le séjour, jeta un coup d'œil en passant dans la chambre, mit sa main sur les yeux du petit bout alors qu'ils étaient déjà fermés. Elle entraperçut quelque chose par terre, ne distingua pas ce que c'était, mais sut que ce n'était rien de bon.

L'inspecteur Ray Strickland et l'inspecteur-chef Len Lomax furent les premiers officiers de la PJ sur les lieux. On pouvait dire qu'ils avaient pris leur temps. Tracy regarda par la fenêtre du séjour, du haut de tous ces étages vertigineux, et les vit enfin arriver à grand renfort de coups de freins machistes, mais au lieu de se précipiter à l'intérieur de l'immeuble, ils descendirent de voiture et restèrent à côté, plongés dans une conversation ou une dispute, c'était difficile à dire de cette hauteur. Ils avaient des airs de conspirateurs.

« Qu'est-ce qu'ils foutent ? » demanda Arkwright, et Tracy répondit « J'sais pas. Où est l'ambulance ? Pourquoi c'est si long ? » Et si l'enfant leur claquait dans les mains ? C'était un miracle que ce pauvre petit bout ait réussi à rester en vie tout ce temps. « S'il te plaît, ne meurs pas », murmura Tracy dans ce qui ressemblait plus à une prière qu'à une demande.

Tracy et Arkwright avaient marché partout. Pollué la scène de crime d'une façon phénoménale. On n'y prêtait pas grande attention à l'époque. Aujourd'hui, ils auraient fichu le camp en apercevant le corps, ne seraient revenus qu'une fois les lieux passés au peigne fin par la police scientifique.

Tracy vit arriver une bicyclette. Une fille en descendit et les deux inspecteurs se séparèrent. La fille portait une robe longue qui ressemblait à une chemise de nuit et ses cheveux mous pendaient comme deux rideaux de part et d'autre de son visage pâle. Arkwright dit : « Hoho, v'là les hippies.

— Mais où est la putain d'ambulance ? » fit Tracy. Avant d'entrer dans la police, c'est tout juste si elle disait « maudit », maintenant elle jurait comme un charretier. Elle vit la fille dire quelque chose à Lomax et Strickland, puis ils pivotèrent tous les trois pour s'engouffrer dans le bâtiment.

« Écoute, dit Arkwright, en penchant la tête sur le côté. Ce satané ascenseur remarche, c'est à peine croyable. C'est comme s'il y avait une règle pour eux et une autre pour nous autres, les péquenauds. »

Quand Lomax et Strickland arrivèrent à la porte de Carol Braithwaite, la fille à robe longue leur emboîta le pas. « Linda Pallister », dit-elle avec un bref signe de tête à l'adresse de Ken Arkwright, Tracy étant apparemment invisible. « Je suis l'assistante sociale. » Avec son visage récuré et ses robustes mollets de cycliste, elle avait plus l'air d'une élève de seconde que d'une femme adulte qui travaillait.

« C'est pas une putain d'assistante sociale qu'il nous faut, c'est une putain d'ambulance », siffla Tracy. Strickland sortit brusquement de la pièce en courant et ils l'entendirent vomir dans la salle de bains.

« C'est un gars sensible, notre Ray », dit Len Lomax.

« Aucun signe du médecin légiste, dit Len Lomax, mais l'ambulance est là.

— Bon », dit Linda Pallister à l'arrivée des ambulanciers. Elle enleva l'enfant des bras de Tracy qui s'y accrocha une petite seconde de plus que nécessaire. « Ça va, je sais ce que je fais », dit-elle, et Tracy opina silencieusement, redoutant soudain de se mettre à pleurer.

Une fois Linda et l'enfant partis, Tracy dit à Len Lomax : « J'ai demandé à ce pauvre petit chou qui avait fait ça, qui avait fait ça à sa maman.

— Et alors ?

— La réponse a été “Papa”. »

Lomax eut un rire qui résonna brutalement dans le silence de mort. « Bien habile est l'enfant qui sait qui est son père. Quant à cette pouffiasse, dit-il en indiquant du pouce la chambre où le corps décomposé de la femme gisait toujours, je parierais à cent contre un qu'elle n'était pas fichue de dire qui c'était. » D'un geste étrangement théâtral, il sortit son calepin et regarda autour de lui comme si les indices allaient surgir des murs comme par enchantement.

« Vous la connaissiez ? » demanda Tracy. Lomax la regarda comme si elle avait soudain deux têtes. « Putain, bien sûr que non », dit-il.

Tracy lança un regard à Ray Strickland. Il avait l'air secoué et sur le point de revomir. Il n'était même pas encore allé voir le corps. Quand ils étaient entrés dans l'appartement, Tracy les avait entendus parler dans le couloir, avait entendu Lomax dire à Linda Pallister : « C'est dans la chambre de gauche que se trouve le corps. »

« Comment il pouvait le savoir ? demanda Tracy à Arkwright au pub où ils s'étaient réfugiés après leur service.

— C'est un médium, dit Arkwright. Il fait tourner les tables et communique avec les esprits dans l'arrière-salle du Horse and Trumpet tous les jeudis soir. » Arkwright était un tel pince-sans-rire que, l'espace d'une seconde, Tracy le prit au sérieux.

« Je crois que c'est ta tournée, jeune fille », dit-il en riant.

Ni Lomax ni Strickland ne prirent la peine de noter la déposition de Tracy.

« Qu'est-ce que vous pourriez ajouter à ce qu'il a dit ? » fit Lomax en pointant le doigt vers Arkwright.

Sur ce, voilà mon Barry qui déboule et dit « Sir ? », comme un vrai lèche-cul, à Strickland.

« Il est bien parti pour être la pédale de Ray, hein ? » murmura Arkwright à Tracy. Strickland dit quelque chose qu'ils ne saisirent pas à Barry et Barry devint aussi vert que Strickland. Ils disparurent dans la petite cuisine froide dont le sol était jonché de paquets de céréales et de tout ce que l'enfant avait pu trouver dans les placards. C'était un miracle que ce petit chou ne soit pas mort d'hypothermie, sans parler de mourir de faim.

Lomax dit à Arkwright « Dégage et va frapper aux portes. Emmène-la avec toi », ajouta-t-il en indiquant Tracy d'un coup de menton. Arkwright garda une expression impassible des plus admirables. « Allons-y, jeune fille », dit-il.

Carol Braithwaite, dirent les voisins. D'un air ébahi. Personne ne semblait la connaître. « Elle n'a emménagé qu'à Noël, dit l'un. Un peu bruyante, j'ai parfois entendu de la bagarre. » Autre chose ? « Un gosse pleurer. » « Elle ramenait des hommes chez elle », dit une autre. Le classique « Elle restait dans son coin » de la part d'un troisième. Personne ne la connaissait. Ni ne la connaîtrait jamais désormais.

Bien sûr, tout était subjectif. Il n'y avait pas de vrai point fixe dans le monde. Tracy commençait à le comprendre.

Tracy et Arkwright faisant du porte-à-porte dans Lovell Park. Les murs ne sont pas épais, dit Tracy, on serait en droit de penser que quelqu'un a entendu quelque chose.

Carol Braithwaite. Trois O-levels et deux condamnations pour racolage.

« Une Marie-couche-toi-là, dit Arkwright. Une noceuse. » Jargon de flic. Ça ne faisait pas avancer une enquête si on disait le mot « prostituée ». Elles avaient ce qu'elles méritaient, elles méritaient ce qui leur arrivait.

« J'ai l'impression qu'elle n'était pas à la noce tous les jours », dit Tracy.

Un de ses O-levels avait été la couture, un autre la cuisine et le troisième la dactylo. Renseignements fournis par Linda Pallister, l'enfant du Flower Power. Carol aurait fait une bonne épouse mais, allez savoir pourquoi, ce n'était pas la voie qu'elle avait choisie. À l'école, Tracy s'était toujours méfiée de la clique de l'enseignement ménager – des filles méthodiques avec une écriture soignée, dépourvues de défauts et d'excentricités. Pour une obscure raison, elles étaient aussi en général de bonnes joueuses de net-ball[1], comme si le gène qui les rendait capables de sauter pour marquer un panier contenait les données nécessaires pour préparer une quiche lorraine ou travailler le mélange d'un Victoria sponge. L'enseignement ménager ne conduisait d'ordinaire pas à la pros-

1. Sport proche du basket pratiqué par les filles.

titution. Naturellement, quand les gens entendaient le mot gène dans les années 70, ils pensaient aussitôt « Y a pas de plaisir ». Tracy se demanda si Carol Braithwaite avait joué au net-ball.

Déjà à l'école, Tracy se doutait qu'elle ne ferait pas une bonne épouse. Elle était incapable de coudre droit, même pas fichue de faire un simple gratin de macaronis ou un lit au carré. Mais elle avait un direct du droit qui vous mettait K-O. Atout qu'elle avait découvert un samedi soir fertile en crêpages de chignon et en querelles d'ivrognes, lorsque deux jeunes types lubriques l'avaient quasiment acculée dans Boar Lane. C'était bon pour sa réputation de flic, mais ça n'avait pas vraiment rehaussé son statut en tant que femme. (« Elle est bâtie comme un chiotte, cette Tracy Waterhouse. »)

Quand ils rentrèrent enfin de leur porte-à-porte, tout le monde était parti sauf Barry, uniforme solitaire en faction devant la porte défoncée de l'appartement.

« J'ai pour consigne de ne laisser entrer personne, fit-il débordant de zèle. Désolé.

— Va te faire foutre, gros crétin, dit Arkwright en le bousculant. J'ai laissé mes cigarettes à l'intérieur. » Tracy éclata de rire.

« Pouvez-vous me dire ce qui s'est passé ?

— Hein ? fit Arkwright.

— Marilyn Nettles, reporter du *Yorkshire Post.* » Elle dégaina une carte de presse. Ils étaient en train de battre la semelle au pied de l'immeuble de Lovell Park. « On se les gèle », avait dit Arkwright en s'en allumant une. Tracy aperçut le vélo de Linda Pallister appuyé contre une clôture. Elle était partie en ambulance avec l'enfant. Il y avait peu de chances que la bicyclette soit encore là quand elle reviendrait la chercher. Il y avait un porte-bébé à l'arrière.

Marilyn Nettles lui disait quelque chose, mais elle ne se la remit que lorsque Arkwright lui expliqua plus tard : « Elle s'était infiltrée à la soirée d'adieu de Dick Hardwick.

— Infiltrée ? fit Tracy. Tu veux dire qu'elle était dans le même pub au même moment ?

— C'est bien ce que j'ai dit, infiltrée. Une sale fouineuse.

— Est-ce qu'on ne l'est pas tous ? »

Maigre, dans les trente-cinq ans, cheveux noirs teints, coupe au carré si affilée qu'on avait l'impression qu'on pourrait se blesser si on s'approchait trop. Elle avait un nez crochu qui lui donnait un air avide. C'était le genre à piétiner des cadavres pour obtenir un scoop.

« Impossible de faire le moindre commentaire sur ce qui s'est passé, lui dit Arkwright. L'enquête est en cours. Je suppose qu'il y aura une conférence de presse, mon chou. »

Marilyn Nettles eut un mouvement de recul au mot « mon chou ». Tracy voyait bien qu'elle avait envie de dire « Épargnez-moi ce langage condescendant et sexiste, espèce de gros mufle ignorant » et qu'elle devait ravaler ses paroles et dire à la place : « Les voisins disent que c'était une femme du nom de Carol Braithwaite ?

— No comment.

— Je crois savoir qu'il s'agissait d'une prostituée connue.

— J'saurais pas vous dire non plus.

— Oh, allez, m'sieur l'agent, vous ne pouvez pas me donner un tout petit quelque chose ? »

Marilyn Nettles fit un truc bizarre avec sa bouche suivi d'un truc bizarre avec les yeux. Il fallut à Tracy une ou deux secondes pour se rendre compte qu'elle essayait de flirter avec Arkwright. Elle se berçait d'illusions. Autant flirter avec une penderie.

« Vous avez quelque chose dans l'œil ? » demanda innocemment Tracy.

Dans son étrange fixation sur Arkwright, Marilyn Nettles ignora délibérément Tracy. « Venez donc en aide à une pauvre fille », dit-elle. Et de presser son index contre son pouce. « Donnez-moi juste un petit détail croustillant. Un petit rien. »

Avec une lenteur étudiée, Arkwright fouilla dans une de ses poches d'uniforme et en sortit une pièce de dix pence. La Grande-Bretagne avait adopté le système décimal pour sa monnaie depuis quatre ans, mais Arkwright continuait à parler de « nouveau penny ».

« Tenez, jeune fille, dit-il à Marilyn Nettles en lui tendant la pièce. Allez donc vous acheter un paquet de chips. Vous avez besoin de vous remplumer. »

Dégoûtée, elle tourna les talons et se dirigea à grandes enjambées vers une Vauxhall Victor rouge.

« J'aurais pas aimé coucher avec elle, dit Arkwright. C'est un vrai squelette. » Il regarda la pièce refusée et la jeta en l'air. Il la rattrapa au vol et la claqua sur le dos de sa main.

« Pile ou face ? » demanda-t-il à Tracy.

« Ça va, jeune fille ? dit Arkwright en vidant sa bière et en regardant autour de lui comme s'il s'attendait à en voir apparaître une autre par enchantement.

— Ouais, fit Tracy.

— Tu remets ça ? »

Tracy soupira. « Non, faut que j'y aille. Ma mère fait son ragoût d'agneau aux pommes de terre. »

Jeudi

Il avait compris la leçon : ce soir, il ne serait pas la proie stupide de l'ennui. Il commanda un plat inoffensif au room-service, sans alcool pour l'accompagner et quand on le lui apporta, il s'allongea sur le lit avec son assiette et attrapa la télécommande.

Collier. Évidemment. Jackson soupira. Au moment précis où on croyait ne rien risquer à allumer la télé.

Collier était un inspecteur principal coriace, mais parfois sensible, qui travaillait à la fois dans une dure ville du nord (« Bradthorpe ») et une verte vallée agricole (« Hardale »). Il ruait souvent dans les brancards dans sa quête de la vérité et finissait toujours par avoir raison. C'était un non-conformiste, mais aussi (comme quelqu'un ne manquait jamais de le signaler au moins une fois par épisode) un « brillant inspecteur ». Les femmes avaient beau ne pas pouvoir compter sur lui, elles étaient tout le temps sous son charme. L'expérience avait appris à Jackson que c'était exactement le contraire : moins il était fiable (pour des raisons indépendantes de sa volonté, aurait-il aimé signaler), moins il leur faisait de l'effet.

Figurez-vous que Julia, oui, Julia, qui avait « renoncé à sa carrière pour se consacrer à son rôle de mère et d'épouse » (déclaration à laquelle personne ne croyait, surtout pas Jackson), avait été récemment engagée pour jouer dans *Collier.* Jackson avait supposé qu'elle ferait un cadavre ou décrocherait au mieux un petit rôle de serveuse dans un bar, mais il s'avéra qu'elle jouait un médecin légiste. (« Un légiste ? avait-il dit, incapable de déguiser son incrédulité.

— Oui, Jackson, fit-elle avec une patience exagérée. Je n'ai pas besoin de diplôme en médecine ni de pratiquer des autopsies. Ça s'appelle *jouer la comédie.*

— Quand même... » murmura Jackson.)

L'inspectrice Charlie Lambert, une actrice du nom de Saskia Bligh, était la comparse glamour (dure mais juste, sexy mais professionnelle) de Collier. Elle passait chaque épisode à discuter, tyranniser, cajoler, piquer des sprints et à faire du karaté. C'était une blonde mince aux grands yeux un peu larmoyants et aux pommettes sur lesquelles on aurait pu étendre le linge (comme aurait dit sa mère). Pas le genre de Jackson. (Il avait un genre de femme ? Lequel ? La femme de la nuit précédente ? Sûrement pas.) Saskia Bligh donnait l'impression qu'un rien pourrait la blesser. Jackson aimait les femmes robustes.

Collier et Lambert. Ils n'étaient que deux, comme Morse et Lewis ou Holmes et Watson, un duo à quatre mains capable de résoudre tous les meurtres de la région avec seulement un petit coup de pouce de la part de techniciens et de flics plus ou moins anonymes. Jackson aurait voulu les voir opérer dans la réalité. Le personnage de Julia était là pour servir de « faire-valoir à leur relation ».

« Il faut que tu comprennes qu'il ne s'agit pas de crimes, disait Julia, il s'agit d'eux en tant que *personnes*.

— Ils ne sont pas réels, fit remarquer Jackson.

— Je le sais bien. C'est l'art qui les rend réels.

— *L'art ?* répéta Jackson d'un air incrédule. Tu considères *Collier* comme de l'art ? L'artillerie lourde, oui. »

Julia remplaçait le légiste précédent. On avait découvert de la pornographie enfantine sur l'ordinateur de l'acteur qui jouait le rôle. Il s'était transformé sans bruit en pointeur dans une prison. Une justice ironique, une forme de jurisprudence pour laquelle Jackson avait une affection particulière. La justice cosmique, c'est bien joli, mais il faut plus longtemps pour que ses rouages se mettent en branle.

Vince Collier avait récemment acquis une mère sortie d'on ne sait où (attentionnée mais faisant constamment des remarques, raisonnable mais angoissée). Une de ces vieilles actrices connues depuis toujours. (« Pour l'humaniser », avait expliqué Julia.) Jackson ne pensait pas qu'avoir une mère « humanisait » qui que ce soit (quelle que soit la signification du mot). Tout le monde avait une mère – les meurtriers, les violeurs, Hitler, Pol Pot, Margaret Thatcher. (« Enfin, la fiction dépasse la réalité », disait Julia.)

Le visage de la mère de Vince Collier lui disait quelque chose. Jackson essaya de se rappeler pourquoi, mais les minuscules créatures qui géraient à contrecœur sa mémoire (celles qui allaient chercher et transportaient les dossiers, en vérifiaient le contenu sur un fichier, les classaient dans des boîtes qui étaient ensuite placées sur d'interminables rangées d'étagères métalliques grises où on ne les retrouverait jamais) avaient, incident qui se reproduisait beaucoup trop souvent, égaré ce renseignement particulier. Cette image rudimentaire du fonctionnement neurologique de son cerveau lui venait d'une bande dessinée de son enfance et Jackson n'avait jamais vraiment élaboré de modèle plus sophistiqué.

Jackson supposait que les petits habitants du cerveau d'autrui dirigeaient leurs opérations à la manière des aiguilleurs du ciel : ils étaient toujours au courant de la position de tout, ne s'éclipsaient jamais pour une pause thé, ne glandouillaient pas dans les recoins ombreux d'étagères rarement explorées pour s'en griller une en douce ou râler sur leurs piètres conditions de travail. Un beau jour, évidemment, ils cesseraient le travail et s'en iraient.

La mère de Vince Collier avait apparemment été mal classée sur les interminables rayonnages métalliques.

Tilly Dix-prises-de-vue, l'appelait Julia. Jackson était allée la voir sur le plateau, avait fait un saut sans prévenir quand il s'était aperçu qu'il passait devant les lieux du tournage. « Pauvre vieille, sa mémoire est complètement naze, avait dit Julia. Ils auraient dû s'en rendre compte avant de l'engager. Ils vont bientôt la liquider.

— La liquider ?

— Dans le feuilleton. »

Ils buvaient du café, assis dans une annexe glaciale du camion-restaurant, une sorte d'étable où on avait installé des tréteaux.

« C'est pas une étable, c'est une grange, dit Julia.

— Pour de vrai ou ça fait partie du décor ?

— Tout est pour de vrai, fit Julia. D'un autre côté, bien sûr, on pourrait soutenir que rien n'est réel. »

Jackson se tapa la tête contre la table en bois. Mais pas pour de vrai.

Julia était habillée pour son rôle, blouse bleue et cheveux coiffés en chignon. « Tu as toujours été attiré par les femmes en uniforme, dit-elle.

— Peut-être, mais j'ai jamais eu de faible pour les gens qui découpent les cadavres.

— Il ne faut jamais dire : fontaine, je ne boirai pas de ton eau », fit Julia.

Jackson se demanda où était leur fils. Ni l'un ni l'autre ne l'avait mentionné. « C'est Jonathan qui garde Nathan ? » finit-il par dire, et Julia se contenta de hausser les épaules.

« Ou il le garde ou il ne le garde pas. Ne viens pas me dire qu'il fait les deux à la fois. On n'est pas en train de parler d'univers parallèles. »

Elle poussa un long soupir et dit : « Non. J'ai une nounou, une fille du coin. Il est un peu tard pour te préoccuper du bien-être de ton fils.

— Je ne m'en suis pas préoccupé plus tôt parce que tu me soutenais qu'il n'était pas mon fils, dit Jackson d'une façon raisonnable.

— Faut que j'y aille, dit-elle. J'ai une autopsie à trois heures. »

Ça lui revint d'un coup. « Ça par exemple », fit Jackson au chien. Le chien le regarda, attendant la suite. La mère de Vince Collier n'était autre que la vieille dame déboussolée du Merrion Centre. « Je savais bien que je l'avais vue quelque part. C'est la perruque qui m'a fichu dedans. »

Il regarda *Collier* jusqu'au bout. Julia apparut deux fois (« Dr Beatrice Butler », maternelle mais calée, sexy mais intellectuelle – version sommaire de la complexité de Julia.) Lors de sa première apparition à l'écran, elle était sur une scène de crime où elle estimait l'heure de la mort d'une prostituée mutilée ; peu de temps après, elle était à la morgue où elle prétendait ouvrir le corps de la victime. Jackson préférait les émissions sur la vie des animaux : même dans les moments les plus sanglants, c'était préférable à cette merde. « Ça a beaucoup de succès, avait dit Julia. Les taux d'audience sont très élevés. »

Un vrai meurtre, c'était dégoûtant. Ça sentait mauvais, y en avait partout et c'était d'ordinaire un crève-cœur, c'était à tous les coups dénué de sens, fastidieux à l'occasion, mais ce n'était pas cette fable soignée, aseptisée. Les victimes étaient souvent des prostituées, jetables comme des mouchoirs en papier, dans la réalité comme dans la fiction.

« De l'art, mon cul, ouais », marmonna Jackson au chien.

Il attendit le générique pour vérifier le nom de la mère de Vince Collier. Marjorie Collier interprétée par Matilda Squires. « Tu vois, j'avais raison, fit-il au chien. *Tillie Dix-prises-de-vue.* Le chien se mit tout à coup à éternuer, trois fois de suite, des petits *tchou-tchou-tchou* que Jackson trouva bizarrement (et inexplicablement) touchants.

Il éteignit la télévision et retourna voir son vieil ami Google, tapa « Marilyn Nettles » sur son téléphone. Il ne faisait que ça, chercher des femmes. Il s'apprêtait à renoncer quand il trouva quelque chose sur un site « consacré aux écrivains du Yorkshire ». *Marilyn Nettles écrit sous le nom de plume de Stephanie Dawson. C'est une ex-reporter du* Yorkshire Post *qui vit dans la ville historique de Whitby.* Jackson fêta sa trouvaille en buvant une tasse de thé préparé avec le plateau de bienvenue. Depuis ce matin, la femme de chambre l'avait regarni et il ouvrit un nouveau paquet de biscuits qu'il partagea avec le chien.

« On a du pot », dit-il au chien en lui jetant un petit biscuit fourré à la crème. « Marilyn Nettles, à nous deux. »

Il songeait à sortir le chien pour sa dernière promenade de la journée et à se mettre au lit de bonne heure quand on frappa à la porte. Les oreilles du chien se dressèrent, signal d'alerte maximum. « Room-service », dit une voix forte de l'autre côté de la porte.

« Je n'ai rien commandé », dit Jackson au chien. Il aurait pu se souvenir de plusieurs scènes de film où un serveur pousse un chariot recouvert d'un linge blanc dans la chambre, un chariot qui s'avère cacher dans ses entrailles tout ce qu'on voudra : depuis une mitrailleuse jusqu'à une blonde voluptueuse. Mais Jackson ne se rappela rien de tout ça et alla donc ouvrir.

« Putain », s'exclama-t-il.

« C'est pour moi ? Vous n'auriez pas dû. » Sur le chariot se trouvait un seau à glace contenant une bouteille de Bollinger sur laquelle perlaient d'alléchantes gouttes de condensation. Ça semblait très haut de gamme pour un Best Western. Le chariot fut dans la chambre avant que Jackson ait eu l'occasion de dire qu'il était peu vraisemblable qu'il lui soit destiné. Une femme qui essayait de s'assurer ses faveurs, peut-être ? Aucune qu'il eût rencontrée récemment, en tout cas. Le serveur – cheveux gris clairsemés, peau grise fripée – ressemblait plus à un doux tueur en série à l'ancienne qu'au personnel habituel du room-service. Il aperçut le chien sur le lit et se mit à en faire des tonnes. « J'en ai eu un comme ça dans mon jeune temps, dit-il à Jackson avec un grand sourire.

Un border terrier. C'est des petits chiens super. Des petits effrontés. »

Et d'entreprendre de gratter et de chatouiller le chien comme un fou. Le chien eut l'air surpris. Il semblait avoir une large gamme d'expressions. Son répertoire était probablement plus vaste que celui de Jackson. Jackson attendit de voir si le serveur allait lui signaler que les chiens étaient interdits dans l'hôtel, mais non, il finit par interrompre ses papouilles et demanda : « Voudriez-vous que je vous l'ouvre, Mr King ?

— Ah, je ne suis pas Mr King, je crois que vous vous êtes trompé de chambre. Mais ça a failli marcher, fit Jackson en riant. Hahaha.

— Je n'aurais rien dit », fit le serveur. Il sourit et se tapa la narine, geste que Jackson ne pensait pas avoir vu en dehors des comédies d'Ealing. « Ce qu'on ne sait pas ne peut pas vous faire de mal.

— J'aurais tendance à dire le contraire. Ce qu'on ne sait pas *peut* vous faire du mal. » Ils éclatèrent tous les deux de rire. La chambre semblait trop exiguë pour tant d'affabilité. MDR.

« Je vous apporte autre chose, chef ? demanda le serveur en sortant avec le chariot.

— Non, merci », répondit Jackson. Quand il fut parti, Jackson regarda le chien. Le chien fit de même. Jackson soupira et s'assit sur le lit à côté de lui. Le chien agita la queue mais Jackson dit « Bouge pas, voilà, c'est bien » et passa son doigt à l'intérieur du collier du chien jusqu'à ce qu'il ait trouvé le dispositif de localisation. Il le montra au chien. « Des amateurs », lui expliqua-t-il.

∽

Un des trucs à éviter à tout prix quand on a une gosse sur la banquette arrière, c'est traverser les quartiers chauds, de nuit, à la recherche d'une prostituée. Dans les bas-fonds, près du carrefour de Water Lane et Bridge Road, elle croisa une voiture banalisée de la Brigade des mœurs guettant les conducteurs qui accostaient les femmes sur le trottoir. L'avait-on reconnue ? Tracy continua à rouler sans se presser en se demandant s'ils avaient remarqué la gamine à l'arrière.

Kelly Cross exigeait plus d'argent. Rien de surprenant. Le mystère, c'était comment elle s'était procuré le numéro de portable de Tracy. (*Écoute, espèce de gros tas, tu n'avais aucun droit de prendre cette gamine. Si tu veux la garder, va falloir casquer beaucoup plus.*) Et voilà, s'était dit Tracy, n'expiait-elle pas le fait d'avoir acheté la gosse au rabais comme elle avait toujours su au fond de son cœur que ça se produirait ? Combien de temps ce genre d'extorsion durerait-il ? Jusqu'à ce que Courtney soit adulte et ait elle-même des enfants ? Est-ce que Kelly tiendrait si longtemps que ça ? Elle n'appartenait pas vraiment à une catégorie de la population qui faisait des vieux os. Ce serait beaucoup mieux que Kelly Cross meure – une mauvaise dose d'héroïne, un client psychotique –, qui la regretterait après tout ? *Cette gamine*, avait dit Kelly Cross. Pas *ma gamine.* Quoique, les mères comme Kelly ne s'intéressaient guère à leurs gosses. Si ?

Tous les beaux endroits. Bridge End, Sweet Street West, Bath Road. Des terrains vagues. Personne pour vous entendre crier. Deux prostituées de l'équipe de nuit blotties contre un mur. Désinvoltes, fumant des clopes en connaisseuses. L'une était marquée par la vie, l'autre avait l'air d'une mineure, frissonnante, peau transparente, relevant d'une maladie quelconque. Rien à voir avec *Pretty Woman*, songea Tracy. Elle se demanda si c'était la mère et la fille. Elles étaient au turf et elle était en vacances, se remémora-t-elle.

Son portable sonna au moment où elle coupait le contact. Barry. Oh, pour l'amour du ciel. La seule façon de l'arrêter était de lui parler.

« Mais enfin, t'es où ? demanda-t-il, irrité comme un mari quand elle répondit.

— Bath Road », fit-elle en observant la plus jeune des deux femmes qui s'avançait en trébuchant vers sa voiture. Cuissardes à talons de pute, short en denim effrangé, petit débardeur, vilaine veste.

« Qu'est-ce que tu fabriques là-bas ? s'étonna Barry.

— Je cherche quelqu'un. Qu'est-ce que tu veux ?

— T'as eu mes messages au sujet de ce Jackson ?

— Oui, je n'ai pas la moindre idée de qui il peut s'agir, fit Tracy.

— Tu veux que je m'en occupe ? » demanda Barry. L'écho des paroles de Harry Reynolds tout à l'heure. Elle baissa sa vitre et la jeune prostituée, c'était plus une enfant qu'une femme, parut déconcertée en la voyant. « Vous cherchez à faire affaire ? demanda-t-elle d'un air dubitatif.

— Ouais, fit Tracy en sortant un billet de vingt livres pour l'appâter. Un autre genre d'affaire.

— Tracy ? fit Barry. Qu'est-ce que tu fous ?

— Rien.

— Je ne l'ai pas dit, mais ce Jackson posait des questions sur Carol Braithwaite.

— Carol Braithwaite ? Écoute, Barry, faut que j'y aille. Je te rappelle. » Elle ferma d'un coup sec son portable et cria « Attendez un peu » à la fille qui avait pris l'oseille et se tirait. Elle revint à contrecœur vers la voiture, accompagnée de la femme plus âgée qui, apercevant Tracy, s'exclama : « Trace, comment que ça va ?

— Ça baigne, fit Tracy, c'est calme ce soir, non ?

— C'est la récession. Plus les accros au crack qui cassent les prix. Elles offrent la totale pour dix livres. Le monde a changé, Tracy. » La même remarque que Barry et Harry Reynolds. Tracy se dit qu'elle avait dû rater quelque chose, elle avait l'impression que le monde était immuable. Les riches s'enrichissaient, les pauvres s'appauvrissaient, les gosses tombaient partout dans les fissures. C'était un monde que les Victoriens auraient reconnu. Les gens regardaient beaucoup plus la télé et trouvaient les célébrités intéressantes, c'était la seule différence.

« Ouais, c'est terrible, fit Tracy. Tout est au rabais. En fait, je cherche Kelly Cross.

— Ma daronne ? » fit la plus jeune.

Seigneur, songea Tracy. Le cercle serait-il un jour brisé ? Elle avait au plus haut point conscience de la présence de Courtney sur la banquette arrière. C'était sa demi-sœur ? C'était ça la destinée qui l'aurait attendue si Tracy n'était pas venue à son secours ? La femme plus âgée – Liz, si les souvenirs de Tracy étaient bons – examina l'arrière de la voiture.

« Elle est à vous ? demanda-t-elle à Tracy en tirant pensivement sur sa cigarette.

— Pas vraiment », fit Tracy. Inutile de feindre avec ces deux-là, qu'est-ce qu'elles allaient faire – se rendre en se tordant les pieds au commissariat le plus proche pour la balancer ?

« Jolie tenue, mon lapin, dit Liz à Courtney qui en guise de réponse fit une sorte de bénédiction papale avec sa baguette argentée.

— Vous la reconnaissez ? » demanda Tracy. Et de dévisager toutes les trois la gamine dans son siège enfant. Elle était en train de croquer une pomme et s'arrêta au milieu d'une bouchée. Rouge rosé, mangée par Blanche-Neige. La pomme et la baguette magique, le globe et le sceptre de ses insignes royaux.

« Non, désolée, fit Liz

— Nan, dit la plus jeune au grand soulagement de Tracy.

— Vous avez un nom ? lui demanda Tracy.

— Nan. »

Tracy regarda la fille. Une *fille de joie** qui avait quarante fois plus de chances de mourir de mort violente que les filles de son âge. Que faire ? Rien.

« Allez, fit Tracy, c'est quoi votre petit nom ?

— Chevaunne. C-h-e-v-a-u-n-n-e, faut tout le temps que je l'épelle, c'est chiant. C'est un prénom irlandais. » Elle savait au moins épeler même si ce n'était pas la bonne orthographe. Kelly Cross était si bête qu'elle n'était même pas fichue d'épeler « Siobhan ». La mère de Kelly était irlandaise. Fionnula. Tracy était là depuis si longtemps qu'elle avait vu passer trois générations de prostituées. « Une vraie romanichelle », avait coutume de dire Barry. Aux yeux de Barry, les bohémiens et les Irlandais étaient interchangeables, c'étaient des mauvais sujets.

Tracy reporta son attention sur Liz. « Vous pouvez me donner une adresse pour Kelly ?

— Elle était à Hunslet.

— Harehills, lâcha Chevaunne, mais ça va vous coûter cher. »

Tracy tendit un second billet de vingt livres pour obtenir l'adresse de Kelly Cross. « Et maintenant, foutez-moi le camp toutes les deux », fit Tracy.

Une Avensis grise tourna dans Bath Road, s'arrêta devant elles et se gara dans la cour d'un entrepôt abandonné, bel exemple de dégradation urbaine. Ça semblait un tantinet fortuit. Tracy chercha le lapin rose, mais la voiture était trop éloignée.

« Hé », fit Liz, et les *belles de jour** se dirigèrent en trébuchant vers l'Avensis.

« C'est une voiture grise, dit obligeamment Courtney.

— Oui, je la vois, ma puce. »

Tracy se gara dans une ruelle derrière la maison. Coupa le moteur, descendit de voiture et détacha Courtney. Le dernier endroit où elle avait envie d'emmener la gosse était chez Kelly Cross, mais elle n'avait guère le choix – elle ne pouvait pas la laisser seule sur la banquette arrière dans une ruelle mal famée. Depuis qu'elle avait aperçu Kelly Cross au Merrion Centre hier, Tracy ne faisait, semblait-il, que ça : des choix – elle prenait une série interminable d'embranchements. Tôt ou tard, elle allait aboutir dans une impasse. Si ce n'était pas déjà fait.

Kelly était la seule chose qui reliait Tracy à Courtney. Si elle se débarrassait d'elle, elle briserait la chaîne d'indices menant à sa personne. Il n'y aurait plus alors qu'Imogen et sa petite fille Lucy. Tracy n'aurait plus à regarder par-dessus son épaule jusqu'à la fin de ses jours. Liquider Kelly Cross. Son cœur se mit à cogner dans sa poitrine. Détruire le lien entre Kelly et la gamine, entre Kelly et elle-même. Forger un nouveau lien terrible, mais se débarrasser des exigences de Kelly Cross, Pour un crime parfait, y avait-il mieux placé que la police ?

Le portail de l'arrière-cour de Kelly était ouvert. La cour était petite mais encombrée de saloperies – vieille machine à laver, fauteuil crade, sacs-poubelle noirs contenant Dieu sait quoi. Les vitres étaient encrassées, fêlées, couvertes de toiles d'araignées poussiéreuses, pleines de mouches. Un bout de papier scotché sur la peinture écaillée de la porte disait « Cross » dans une mauvaise écriture. Le battant donnait l'impression d'avoir été enfoncé plusieurs fois. Tracy soupira. Elle avait passé toute une vie à frapper à ce genre de porte.

Sans obtenir de réponse.

Elle frappa de nouveau, plus fort cette fois, des coups de policier. Rien. Elle poussa en hésitant la porte qui s'ouvrit toute grande. C'est toujours un moment inquiétant dans les thrillers à la télé – on ne découvre jamais rien de bon derrière une porte ouverte – mais Tracy savait par expérience que ça signifiait le plus souvent que quelqu'un avait oublié de la fermer à clé.

La porte donnait directement dans la cuisine. Tracy fit un pas précautionneux à l'intérieur et dit « Kelly ? » Elle s'attendait plus ou moins que Kelly surgisse de nulle part en criant comme une possédée. Elle fit deux ou trois pas de plus et s'aperçut que Courtney la talonnait comme si elles jouaient à un, deux, trois, soleil. « Reste ici, ma puce, d'accord ? » lui dit Tracy. Tracy fit encore deux ou trois pas, toujours suivie à la trace par la gosse. Tracy tira une chaise et dit « Assieds-toi. Ne touche à rien ».

Tracy alluma. Personne n'allume jamais dans les thrillers télévisés. Pour l'atmosphère, supposa-t-elle. Elle pouvait s'en passer. La cuisine était un risque sanitaire. Le néon vacillant illumina des barquettes alu, de la vaisselle sale, de la nourriture avariée, du lait suri. La note dominante était une odeur d'alcool et de clopes.

« Kelly ? » cria Tracy en sortant dans le vestibule et en allumant au fur et à mesure. Dehors, la nuit tombait, mais un crépuscule plus profond baignait la maison.

Une petite pièce au fond. Remplie jusqu'à la gueule de cartons qui débordaient, surtout des vêtements bons à jeter. La deuxième pièce était le living-room si on pouvait l'appeler ainsi. Difficile d'imaginer pire. Vieux paquets de clopes, assiettes sales et de nouveau des emballages de plats à emporter. Des bouteilles et des boîtes vides, une seringue qui dépassait d'un coussin du canapé, le tout souillé et insalubre. Tracy avait lu des rapports sur Leeds au dix-neuvième siècle, la pauvreté, les conditions de vie abominables des ouvriers. L'ordure leur arrivait aux genoux. Ce n'était guère différent ici.

Rien ne dénotait la présence d'un enfant dans la maison, remarqua Tracy. Pas de vêtements, pas de jouets, pas de DVD. Elle monta à contrecœur l'escalier raide et étroit. Elle avait le choix entre trois portes, toutes fermées. Comme dans un conte de fées. Ou un cauchemar. Tracy eut un flash-back de Lovell Park, de Ken Arkwright enfonçant la porte d'un coup d'épaule. La puanteur qui avait suivi, les mouches…

La salle de bains était répugnante. Kelly ne ramenait tout de même pas ses clients ici ? Même le micheton le moins délicat risquait de rechigner à pénétrer dans ce lieu de perdition.

La deuxième porte ouvrait sur une chambrette. Complètement vide. Rien que des moutons, de la poussière, des bouts de papier alu, des billes de polystyrène ressemblant à des amuse-gueules albinos sur le plancher nu.

Plus qu'une porte. Tracy hésita, reculant à l'idée d'interrompre les ébats de Kelly avec un de ses clients pas très regardants sur la propreté. Elle tambourina à la porte et dit « Kelly ? Kelly, c'est Tracy. Tracy Waterhouse ». N'obtenant pas de réponse, elle ouvrit la porte avec méfiance.

Même le palpitant endurci de Tracy eut un raté. L'odeur d'abats et d'égouts de la mort était partout. Kelly Cross était étalée sur le lit éventrée, la tête en bouillie. Elle avait l'air de porter son uniforme de travail : minuscule jupe noire, dos nu à paillettes argentées. Sous l'éclairage cru du plafonnier, quelques paillettes éparpillées sur le lit luisaient comme des écailles de poisson.

Tracy mit deux doigts sur la carotide de Kelly Cross. Pas de pouls. Elle ne savait pas pourquoi elle vérifiait : ça crevait les yeux que Kelly était morte. Elle était encore tiède. Tracy préférait les macchabées refroidis.

Kelly Cross était morte. Les vœux de Tracy étaient exaucés. Une obscure magie devait être à l'œuvre si ses pensées se traduisaient aussi vite par des actes. Tracy ne croyait pas à la magie. Mais elle croyait à l'obscurité.

Elle avait vu pire, même si ça ne rendait pas le tableau qu'elle avait sous les yeux moins immonde. Mais ce n'était pas le moment d'être choquée. Fallait-il penser comme la police ou comme un criminel ? se demanda-t-elle. Il s'avéra, comme elle s'y attendait, que c'était quasiment la même chose, mais dans l'ordre inverse. Elle fouilla dans son sac pour trouver un mouchoir en papier et essuya toutes les poignées et tous les montants de porte. Dommage qu'elle n'ait pas encore trouvé le temps d'acheter des lingettes. Elle avait sans doute laissé des indices : un cheveu, une squame, une écaille de poisson. Une trace de Tracy.

La gamine avait-elle touché à quelque chose ? Courtney attendait sagement dans la cuisine. Soupçonnait-elle quelque chose ? Son expression était comme d'habitude indéchiffrable.

« Viens, ma puce, dit Tracy d'une voix qui craquait sous l'effort de paraître bêtement joyeuse. Il est temps de rentrer. »

La gosse donna un coup de baguette magique, une bénédiction magistrale à la demeure de la morte. Elle glissa de sa chaise et Tracy la fit sortir de la maison. « Retournons à la voiture, Courtney.

— C'est Lucy », lui rappela la mouflette.

Courtney dormait quand Tracy s'arrêta derrière chez elle. La ruelle n'était pas goudronnée, elle n'avait qu'un revêtement du genre cendrée, on se serait presque cru à la campagne. Elle menait à une rangée de boxes de location qui servaient de garages bien pratiques à certains des propriétaires de voitures de la rue. Tracy ouvrit d'un coup sec son box, se gara en marche arrière comme un cascadeur, coupa le moteur et posa son front sur le volant. Elle se dit qu'elle allait vomir.

Courtney se réveilla en sursaut et demanda : « Qu'est-ce qui s'est passé ?

— Rien. Tu t'es endormie. On s'est un peu déplacées dans l'espace et le temps, c'est tout. On est à la maison. Tiens, prends une pomme. » Il n'y avait plus de bananes.

La gamine accorda beaucoup d'attention à la dégustation de sa pomme, comme si elle étudiait pour devenir une mangeuse de pommes professionnelle. L'idée d'ingérer quoi que ce soit rendait Tracy nauséeuse. Elle avait hâte de se mettre sous la douche pour se débarrasser de l'odeur de mort qui lui collait à la peau depuis Harehills.

« Allez, viens. » Elle soupira et ouvrit sa portière.

Courtney refusa d'enlever son costume de fée pour aller se coucher. Tracy s'en fichait, elle n'était pas dans son rôle de mère depuis assez longtemps pour avoir des règles.

Le trésor de la gamine était étalé sur le lit et elle entreprit de le remballer. Arrivée au biscuit chinois, elle fixa la gaufrette un moment avec de grands yeux comme si elle allait s'ouvrir d'elle-même.

« Il faut que tu la casses », fit Tracy. La gamine la dévisagea. « Fais-moi confiance », dit Tracy. La gosse l'écrasa avec le poing.

« Ouais, ça ira », fit Tracy.

La gamine enleva le bout de papier des miettes et le tendit sans un mot à Tracy.

« *Le trésor ici, c'est toi* », lut Tracy à haute voix.

La gamine tapota la main de Tracy. « Et toi aussi, dit-elle, sensible au fait que Tracy était exclue de l'horoscope.

— Je ne sais pas pourquoi, mais j'en doute, répliqua Tracy.

— Tiens, c'est pour toi », fit Courtney, et Tracy fourra le message porte-bonheur dans son soutien-gorge. « Attends une minute », fit-elle, et elle descendit. Elle revint avec la bague de fiançailles de Dorothy Waterhouse qui dormait dans le tiroir du buffet. « Un vrai trésor, dit-elle en l'ajoutant au contenu du sac à dos.

— Oui, un vrai trésor », convint Courtney.

La princesse Courtney s'embarqua dans une nouvelle aventure qui en eût fait reculer plus d'un avec ses loups, ses haches et ses ours mangeurs de porridge. « J'aime pas les loups, fit Courtney.

— Moi non plus, dit Tracy. Mais on n'a rien à craindre, ils ont été bannis de Leeds. » Si seulement.

Une fois Courtney endormie, Tracy sortit des valises de la penderie du vestibule, les monta dans sa chambre et y fourra la nouvelle garde-robe Gap de Courtney et toutes les affaires personnelles qui lui tombèrent sous la main. Elle ajouta un sac de jouets. Sortit les courses du supermarché du coffre de l'Audi et les remplaça par les valises, mit les provisions du supermarché sur la banquette arrière. Elle les trierait une fois sur place. Tout était sans doute immangeable. « Bon, fit-elle. Tout est prêt pour un départ à la première heure. » Elle avait l'air dérangée. On aurait dit sa mère vaquant aux préparatifs de leurs vacances annuelles à Bridlington.

Tracy passa voir Courtney. La gamine dormait à poings fermés en ronflant doucement. Un porcelet, un chaton.

Plus une seule bière – comment c'était possible ? Tracy dut se contenter d'un restant de Chardonnay trouvé dans le frigo et qui datait de Dieu sait quand. Le vin avait la couleur de l'urine et n'avait guère meilleur goût. Elle le sentit bouillonner dans son estomac comme de l'acide. Elle trouva une moitié de paquet de chips au fond d'un placard et les dévora sans plaisir.

Elle alluma la télé et vit défiler le générique final de *Collier.*

~

Elle s'était assoupie devant la télé. Elle regardait *Britain's Got Talent* et avait dû piquer du nez parce que l'instant d'après Tilly fut réveillée par ses propres ronflements. *Pnorrr, pnorr, pnorrrgh !* Elle sursauta, sentit que son cœur avait un raté. Ces petits sommes du soir allaient la tuer.

Elle était perdue. Ce qui passait en ce moment à la télé semblait réel. Saskia braquait une arme sur quelqu'un et criait « Lâchez ça ou je tire ! », mais elle entendait Saskia remuer à l'étage, faire couler de l'eau dans la salle de bains. Elle n'arrêtait pas de se plaindre de la saleté du cottage : est-ce que Tilly savait ce que le mot nettoyer voulait dire ? « Y a de la crasse partout », disait-elle. Pour une raison obscure, Tilly s'imaginait Delacrasse sous la forme d'un homme en gabardine marron pleine de taches de gras – le visage dissimulé par un chapeau mou. Tapi dans un coin, il attendait de bondir et d'ouvrir son imper. Tilly avait rencontré quelques exhibitionnistes à Soho au bon vieux temps : ils traînaient du côté des librairies cochonnes et des boîtes de strip-tease. On lui avait aussi fait deux ou trois fois des propositions malhonnêtes. Tilly n'avait jamais été tentée, même quand elle tirait le diable par la queue. Elle savait pertinemment que Phoebe, Dame Phoebe, avait passé un week-end sur le yacht d'un nabab. Il ressemblait à une grenouille. Elle en était revenue avec des diamants. Tirez-en les conclusions que vous voulez.

Hier, Saskia lui avait présenté sans rien dire une masse de cheveux emmêlés et savonneux trouvés dans la bonde de la baignoire. Il y avait de quoi fabriquer une perruque. Elle les avait posés sur un morceau de papier hygiénique comme s'il s'agissait d'une araignée dangereuse prête à l'attaquer. « Je ne sais pas, moi, mais peut-être que vous pourriez, hum, nettoyer derrière vous ? » avait-elle dit.

Ce n'était que des cheveux, pour l'amour du ciel. Les gens étaient bizarres pour les trucs de ce genre. Phoebe ne supportait pas les ongles de pied, ni les siens ni ceux des autres. Elle allait chez une pédicure tous les mois, ne s'était jamais coupé les ongles de pied elle-même, pas une seule fois dans sa vie ! « C'était ma nanny qui s'en occupait », avait-elle expliqué quand elles vivaient à Soho.

Tilly avait pris l'objet du délit à contrecœur. « Oh là là, on dirait que je perds mes poils », avait-elle dit en essayant de garder sa dignité.

Soudain, Tilly se vit comme si la télévision était un miroir. Un miroir cruel, déformant. Elle avait l'air horrible. Énorme, folle. Cette affreuse perruque Jex. Bien sûr, elle regardait *Collier*, elle s'en rendait compte. Elle n'avait pas complètement perdu la boule. Pas encore.

À l'écran, elle s'activait dans une cuisine à préparer un rôti pour Vince Collier, lui disait qu'il ne mangeait pas correctement, qu'il fallait qu'il se fixe avec une gentille fille. Tilly n'avait jamais fait cuire de rôti de sa vie. « Lâche-moi les baskets, m'man, disait Vince. Tu sais que tu es la seule femme qui existe pour moi. »

Franchement, elle n'avait pas l'air bien. Pressentiments de mortalité[1]. Le Temps, son char ailé[2], etc. Elle n'était pas encore prête à mourir. Elle imagina Phoebe prononçant l'éloge funèbre à ses obsèques, parlant de sa « chère amie », tout le monde triste pendant cinq minutes. Elle serait une note en bas de page pendant quelques années et puis plus rien. Elle aurait un semblant de vie après la mort sur Alibi et ITV3. Remarquez, elle avait déjà rejoint les rangs des « pourraient-bien-être-morts ». Sur le plateau, l'autre jour, il y avait une femme, Tilly n'avait aucune idée de qui il pouvait s'agir, d'une journaliste sans doute – entre deux âges, le genre exubérant aux yeux étonnés et faussement innocents. Quand on l'avait présentée à Tilly, elle s'était exclamée : « Ça alors, je vous croyais morte ! » Texto. Quelle impolitesse.

« T'inquiète, Tilly, avait dit Julia. Je lui ai jeté un sort. Elle sera morte bien avant toi. »

Julia était gentille, c'était quelqu'un de normal. Enfin, plus ou moins. Elle savait vous faire la conversation, elle ne se contentait pas de vous prendre pour auditoire comme tous les autres avaient l'air de le faire. Et elle avait toujours quelque chose d'intéressant à raconter, on ne pouvait en dire autant de la pauvre Saskia qui, au fond, ne s'intéressait qu'à elle. Sa photo était parue dans le *Daily Mail*, la semaine dernière, un torchon abominable : elle était au bras d'un homme – un joueur de rugby – et sortait d'un restaurant. « La star de *Collier*, Saskia Bligh. » Elle l'avait montrée à tout le monde. Elle avait « twitté » la nouvelle. Twitter ! Elle avait toujours son téléphone à la main. Elle twittait, disait-elle. « Vous

1. Jeu de mots sur l'ode de Wordsworth *Pressentiments d'immortalité*.

2. *À sa prude maîtresse* d'Andrew Marvell.

aussi ? » Elle avait montré comment on faisait à Tilly sur son téléphone. C'était un abus de technologie. Tilly ne savait même pas allumer un ordinateur, elle n'était pas de la bonne génération, évidemment. « Twitter » semblait consister à dire à autrui ce qu'on était en train de faire – se mettre sous la douche, préparer le café. Qui diable avait envie de savoir ce genre de truc ?

« Des tweets », disait Saskia. On ne pouvait mieux dire. Du babillage et des gazouillis[1]. Plein de bruit et de fureur et qui ne signifient rien. Les gens ne supportaient plus le vide, il fallait qu'ils le remplissent avec tout ce qui leur tombait sous la main. Il y avait eu une époque où les gens restaient sur leur quant-à-soi. Tilly aimait cette époque. Ils avaient une perruche bleue quand elle était petite. Tweety-pie[2]. Difficile de se prendre d'affection pour une perruche. Son père avait accidentellement marché dessus. Sa mère avait dit qu'elle ne voyait comment on pouvait marcher sur une perruche. Il était trop tard à présent pour savoir le fin mot de l'histoire. Tilly voulait l'enterrer, mais papa l'avait brûlée. Un bûcher funéraire. Elle revoyait le petit corps, les plumes qui s'enflammaient. Elle n'aimait pas particulièrement cette perruche, mais elle était désolée pour elle et l'avait pleurée un certain temps. Quel dommage. Tilly ne voulait pas être incinérée. Jetée dans le feu. Elle allait l'écrire quelque part, rédiger un testament, bien clarifier les choses. Elle avait horreur du feu depuis le bombardement de Hull quand elle était enfant. Bien que, naturellement, être enterrée vivante ne serait pas marrant non plus.

1. *Twitter* et *tweet* signifient gazouillis.
2. Jeu de mots sur *sweety pie* qui veut dire « mon chou, ma chérie ».

Maintenant que son rôti était au four, Marjorie Collier tricotait. Elle attendait un coup de fil de Vince. La caméra se gardait bien de montrer son tricot. Tilly ne savait pas tricoter, alors elle poussait force soupirs et n'arrêtait pas de poser ses aiguilles sur ses genoux. Elle était contente de voir que c'était très convaincant. C'était tout du chiqué. Jouer la comédie était, regardons les choses en face, bête comme chou. Tout était bête aujourd'hui. Tout était du chiqué. Plus rien n'était réel. Vision sans substance[1]. Et ainsi de suite.

Elle se réveilla une fois de plus en sursaut, se mit tant bien que mal sur son séant et alluma sa lampe de chevet. Elle se tira du lit, enfila ses pantoufles et descendit. S'assit un moment à la table : elle cherchait quelque chose, mais impossible de se rappeler quoi. Il y avait une coupe de fruits sur la table, des pommes et des bananes qui s'abîmaient tranquillement. Saskia ne mangeait jamais et Tilly oubliait de manger. Hier, elle avait offert un bonbon à la menthe à Saskia qui avait eu un mouvement de recul comme si elle lui proposait de l'héroïne.

Elle avait faim. Envie de quelque chose de délicieux. Douglas l'emmenait parfois prendre le thé au Dorchester. Merveilleux.

On pourrait tout de même faire quelque chose pour les petits enfants qui souffrent. Tous autant qu'ils sont. Elle mènerait la croisade, la croisade des enfants, non, ça, c'était autre chose, n'est-ce pas ? Ils combattaient les infidèles. On en voyait toujours, des enfants soldats en Afrique, elle avait vu une émission à la télé. Avant,

1. Shakespeare, *La Tempête* (IV, 1).

c'étaient les Arabes qui étaient des infidèles, maintenant, c'était nous. Elle prit une pomme, la peau en était toute flétrie et toute douce dans sa main. Elle se décomposait. C'était ce qui arrivait à son esprit.

« Putain, Tilly, fit Saskia. Qu'est-ce que vous fabriquez ?

— Je fais de la pâtisserie, annonça pompeusement Tilly. En fait, je prépare un gâteau.

— Vous êtes couverte de farine. La cuisine est couverte de farine. Toute la vaisselle est sortie. On dirait qu'il y a eu une bombe.

— Ah, non, je peux vous assurer que les bombes font beaucoup plus de dégâts, dit Tilly. J'étais à Hull, voyez-vous, pendant la guerre.

— Vous savez l'heure qu'il est, Tilly ? »

Tilly regarda l'horloge de la cuisine. « Il est trois heures », dit-elle obligeamment. L'heure du thé. Un bon thé avec une délicieuse tranche de gâteau serait un vrai plaisir. Maman faisait bien la cuisine, surtout la pâtisserie, ses biscuits de Savoie étaient merveilleux, aériens. Maman désespérait de Tilly. *Tu ne trouveras jamais de mari si tu ne sais pas cuisiner.* Eh bien, elle lui montrerait. Elle l'inviterait à prendre le thé et…

« Trois heures du *matin*, Tilly, fit Saskia avec humeur. Trois heures du *matin*.

— Ah, murmura Tilly. Je trouvais aussi qu'il faisait affreusement sombre. » Elle sentit des larmes couler le long de ses vieilles joues démentes. C'était le début de la fin.

∽

Il s'endormit puis fut réveillé par un cauchemar. Dans son cauchemar, il était poursuivi par un torse, le corps sans tête et sans membres d'une femme, en partie Vénus de Milo, en partie mannequin de couturière. Jackson savait qu'il s'agissait en réalité de sa sœur. Toujours sa sœur. Elle avait beau être désincarnée, elle était très vivante dans ses rêves.

La sœur de Jackson économisait pour s'acheter un mannequin quand elle avait été assassinée. Niamh faisait la plupart de ses vêtements. Jackson se souvenait encore de la robe du soir qu'elle avait prévu de porter à la fête de Noël de son bureau. Elle était allée à Leeds acheter le satin vert émeraude. La robe lui arrivait au genou et Niamh était montée sur la table de cuisine chaussée des escarpins qu'elle avait l'intention de mettre avec et avait demandé à Jackson d'épingler l'ourlet. Il avait tourné autour d'elle, mesuré de la table jusqu'à son genou pour tracer des petites croix avec le triangle lisse de la craie de tailleur trouvée dans sa boîte à ouvrage.

Il avait joui d'une étrange intimité avec le satin émeraude et les jambes de sa sœur gainées de bas fins. Leur mère, avare de compliments car elle n'en avait jamais reçu, faisait de temps à autre un commentaire sur la charmante silhouette de Niamh ou ses jambes bien galbées. La mère de Jackson avait des jambes comme des poteaux, disait leur père. Si leur mère n'était pas morte six mois plus tôt, c'est elle qui aurait épinglé l'ourlet. « Une fille a besoin de sa mère », avait déclaré Niamh et, parce qu'elle était triste, il n'avait pas fait remarquer « Un garçon aussi ». Elle le savait bien de toute façon.

« Ce sera plus facile quand j'aurai un mannequin », disait-elle en tournant et en essayant d'apercevoir l'ourlet. Jackson croyait qu'un mannequin était une créature de rêve comme on en voyait dans les magazines de mode. « Non, avait dit Niamh en riant, un mannequin de couturière. Tu l'ajustes à tes mesures. »

La robe n'était pas finie quand elle était morte, l'ourlet n'était que bâti. Elle pendait derrière la porte de sa chambre, plate et molle sans son corps pour l'habiter, comme si Niamh était soudain devenue invisible. C'était le cas, bien sûr. Le frère de Jackson, Francis, avait dit « Dommage qu'elle ne l'ait pas terminée, elle aurait aimé être enterrée dedans ». Puis il avait ajouté « Putain, qu'est-ce que je raconte, Jackson ? *Dommage* ? Qu'est-ce que c'est que ce mot chochotte ? Dommage qu'elle soit morte, oui », et de jeter la robe dans le feu où elle s'était consumée beaucoup plus vite que Jackson ne s'y attendait. Trop vite, certainement, pour qu'il puisse l'arracher aux flammes.

Jackson était allé voir le corps de Niamh aux pompes funèbres. Elle portait un linceul qui ressemblait à une chemise de nuit à l'ancienne. Il lui arrivait au menton, de sorte qu'on ne voyait pas les marques d'étranglement sur son cou. N'empêche que son visage avait quelque chose qui clochait, comme si le cadavre prétendait être sa sœur et n'y réussissait que très moyennement. Elle n'aurait pas choisi de porter un linceul. Elle aimait les tenues chic traditionnelles, hauts talons, pulls moelleux, jupes droites arrivant au genou.

Il avait possédé deux vieilles photos sur lesquelles elle ne se ressemblait pas non plus, mais pas de la même façon que son cadavre lui avait paru étranger. Il ne savait pas ce qu'elles étaient devenues. Elles avaient dû brûler. Quand il habitait à Cambridge, après que Josie l'eut quitté, sa maison avait été détruite par une explosion. (Une fois de plus, le résumé de sa vie était plus passionnant que la version intégrale.)

Niamh aurait été beaucoup plus jolie enterrée dans sa robe verte. Personne n'aurait remarqué qu'elle n'était pas finie.

Quand il était parti de la maison, quelques années après sa mort, la seule chose qui lui restait de sa sœur était une petite poterie porte-bonheur qui disait « Meilleur souvenir de Scarborough ». Niamh y était allée en excursion pour la journée avec des amis et lui en avait fait cadeau. Les cadeaux étaient d'autant plus précieux qu'ils étaient une denrée rare dans sa famille. Le British Museum avait des poteries qui avaient survécu intactes des milliers d'années, mais il ne lui restait pas le moindre tesson du porte-bonheur qui avait été pulvérisé dans l'explosion de sa maison.

Il resta allongé à fixer le plafond, sachant que le sommeil n'était pas près de revenir. Il se demanda ce que la femme avec qui il avait couché la nuit précédente était en train de faire. Elle était peut-être de retour en ville avec sa bande de copines, ou plus vraisemblablement chez elle avec le propriétaire de la planche à roulettes, en train de dormir à poings fermés après avoir préparé sandwiches et uniforme en prévision du lendemain. Jackson éprouva un remords de ne pas lui avoir dit au revoir, d'être parti furtivement comme un renard d'un poulailler. Mais quelle différence ça aurait fait ? Franchement ?

De l'autre lit lui parvint un ronflement canin amical. Il ne faut pas réveiller le chien qui dort, songea-t-il.

Son téléphone vrombit et il tâtonna pour allumer la lumière.

C'était un message de Hope McMaster dans le monde de demain – « *OMD, où avez-vous trouvé cette photo ? C'est moi, j'en suis sûre. AVEZ-VOUS DÉCOUVERT QUELQUE CHOSE ?? QUI SUIS-JE ??!!!!* »

« *Pas encore*, répondit-il assez abruptement. *Ne bougez pas, du calme.* » Il ne voulait pas d'un accouchement prématuré provoqué par des points d'exclamation. Jackson s'aperçut, un peu tard, qu'il n'aurait peut-être pas dû relayer ses découvertes au fur et à mesure, ce qui donnait à Hope McMaster l'occasion de s'angoisser à chaque nouveau mystère. Il eût mieux valu lui présenter le tout à la fin, bien ficelé avec un gros nœud de satin rouge – *Surprise, vous êtes en fait une authentique descendante des Romanov !* (Non, il n'avait jamais annoncé ça à un de ses clients.) Au train où allaient les choses, il ne serait jamais en mesure de dire à Hope McMaster qui elle était, seulement qui elle n'était pas.

∽

« … on boucle donc tous tard et on redémarre tôt demain matin, la plupart d'entre nous n'y verront que du feu parce qu'on va bosser toute la nuit. Je veux juste vous tenir au courant. Pour ceux d'entre vous qui ne me connaîtraient pas, je suis l'inspectrice principale Gemma Holroyd et c'est moi qui suis chargée de l'affaire. »

Barry se laissa aller contre le mur du bureau de l'enquête et ferma les yeux. Deux meurtres en deux jours. Même mode opératoire. En gros. Il ne lui restait plus que quinze jours à tirer. Il voulait tout mettre en ordre. Tirer un trait. Il fermerait la porte, éteindrait la lumière. Adieu l'équipe d'investigation de la Brigade criminelle.

« Récapitulons, Kelly Anne Cross, quarante et un ans, a été découverte vers dix heures ce soir par une voisine. À première vue, le légiste situe la mort entre sept et neuf heures, mais nous aurons une heure plus précise après l'autopsie. Les affaires se bousculent, malheureusement, on est toujours en train de s'occuper du meurtre de Rachel Hardcastle dont le corps a été retrouvé dans une benne à Mabgate, mercredi soir, d'un incendie qu'on croit volontaire à Hunslet et d'un carambolage sur la rocade intérieure.

« Il s'agit néanmoins d'un meurtre, aucun doute là-dessus. D'une agression brutale, elle a, semble-t-il, reçu des coups à la tête et des coups de couteau à la poitrine et dans l'abdomen. Aucune trace de l'arme du crime sur les lieux. Le mode opératoire est similaire mais pas *identique* à celui utilisé pour Rachel Hardcastle », dit-elle avec une exagération inutile. Barry n'eut pas besoin de rouvrir les yeux pour savoir qu'elle le regardait ostensiblement. Il ne lui donnerait pas cette satisfaction.

« Rachel Hardcastle, celle qu'on a trouvée dans la benne de Mabgate, et Kelly Cross étaient toutes les deux des prostituées connues. On a relevé un tas d'empreintes sur la scène de crime de Kelly Cross, un tas d'ADN qu'on est en train d'analyser. Je suis sûre que le labo aura des infos utiles à nous fournir demain.

« Le porte-à-porte n'a pas encore donné grand-chose, il n'y a pas beaucoup de caméras de surveillance dans le coin, et c'est le néant du côté des immatriculations. Le rapport préliminaire sur les traces de sang… »

Barry décrocha. Elle était efficace, il devait lui reconnaître ça. Tailleur soigné, cheveux soignés, chaussures élégantes, très maquillée, pas comme ces goudous hommasses qu'on voyait. Bizarrement, elle lui rappelait énormément son épouse. Mais toutes les femmes lui faisaient cet effet-là. Peut-être pas Tracy. Il avait prévu de charger Gemma Holroyd de la prochaine affaire importante de toute façon, il n'avait pas eu besoin que Tracy le lui souffle.

Il s'était rendu au taudis sordide de Kelly Cross, s'était assis dans le véhicule d'intervention pour la seconde fois en quarante-huit heures. Barry se souvenait de la mère de Kelly Cross, mais il avait oublié son prénom, un truc irlandais. Une garce finie, mais pour tirer un coup vite fait dans une ruelle sombre, ça allait. C'était le bon temps. Autre temps, autre Barry. S'il pouvait recommencer à zéro et s'il vivait comme un saint, est-ce que ça ferait une différence ? se demandait-il parfois. Pas de picole, pas de tabagie, pas de jurons, pas de malhonnêteté ni d'immoralité, pas de putes. Il irait à la bibliothèque municipale, emmènerait Barbara au restaurant, lui achèterait des fleurs. Changerait les couches, réchaufferait les biberons, essaierait de rentrer tous les soirs à temps pour lire une histoire à Amy avant qu'elle ne s'endorme. Il essaierait même de donner un coup de main à Barbara pour les travaux ménagers. Alors peut-être, seulement peut-être, il aurait accumulé suffisamment de bons points pour que l'univers lui donne la moyenne et Amy ne monterait pas dans un tombeau à roulettes avec son mari ivre au volant et son bébé sur la banquette arrière.

En fait, ç'aurait été plus facile s'il s'était ouvert la poitrine le jour de la naissance de sa fille et avait offert son cœur en sacrifice sur un autel. Alors tout se serait bien passé. Ah, il oubliait Carol Braithwaite. Il faudrait qu'il dise la vérité à son sujet aussi. Juste pour se mettre en règle. Il fallait tout mettre en ordre avant de partir.

Barry avalait de l'air par la bouche. Se noyait. C'étaient ses derniers jours. L'empire s'écroulait, les barbares étaient aux portes. Pas les barbares, seulement des petits malins tout beaux tout propres qui se la jouaient avec leur licence en criminologie.

« On dispose d'un élément concret pour lier les deux meurtres ? demanda-t-il à “la fille”, Gemma Holroyd.

— Ce sont toutes les deux des femmes. Mortes toutes les deux, patron », répondit-elle. De toute évidence, elle ne l'aimait pas, mais elle n'était pas la seule.

« Est-ce qu'on sait s'il y a un élément qui lie votre victime à la putain de Mabgate ? demanda-t-il. Elles se connaissaient ?

— “La putain de Mabgate”, fit-elle. On dirait un personnage de tragédie de la vengeance. »

Barry connaissait que pouic aux tragédies de la vengeance. Ça ne l'avait jamais intéressé, merci. Par contre la tragédie, ça oui, ça le connaissait. Et il sentait venir la vengeance, il la humait dans le vent. Carol Braithwaite se levait, nuage d'os et de cendres, réclamant justice. *Ressuscitée d'entre les morts*, avait dit Tracy.

« Quelqu'un pose des questions, avait dit Linda Pallister au téléphone. Qu'est-ce que je devrais faire ?

— Je la fermerais à votre place », avait répondu Barry. *Fermez-la.* Ce n'était pas la bonne réponse, hein ? Crachez le morceau, dites la vérité. Silence radio pendant trente-cinq ans et à présent son nom était sur toutes les lèvres.

« … elle avait l'habitude de ramener des clients chez elle ? demandait Gavin Archer. Elle ne faisait pas le trottoir ? » Archer était inspecteur. Mince, binoclard, il venait au boulot sur un vélo de course, en lycra moule-burnes alors qu'en fait de course, il venait juste de Moortown où il habitait une bicoque aux murs épais comme du papier à cigarette avec sa femme enceinte. Un autre petit malin qui se la jouait.

« Nous avons l'intention de… »

Un vrai bain de sang. Barry le voyait sur la vidéo du véhicule d'intervention. Gemma Machin-Chose avait mis tout le monde dans les starting-blocks rapido. Il avait vu entrer un photographe, deux TSC, deux ingénieurs, le médecin légiste arrivait dans dix minutes. Deux agents de liaison avec les familles cherchaient les antécédents. Bonne chance. Tout le monde costumé en lapin et botté. Tout ça pour une pute morte.

Sur l'écran vidéo, Barry avait vu le biologiste faire un relevé précis des taches de sang. À ses débuts dans la police, les flics piétinaient allègrement les scènes de crime comme s'ils étaient en balade dans un parc.

« Quelqu'un ne l'aimait pas, fit Gemma qui se tenait à ses côtés dans le véhicule.

— Élémentaire, mon cher Watson », fit Barry.

« … R-V donc demain matin à sept heures pétantes pour le briefing. Merci à tous. »

La salle de crise se vida, un flot de gens fatigués mais passionnés passa devant lui. Barry se sentait mal, il avait l'impression d'être un infarctus ambulant. Il avait salement besoin d'un verre. Il en avait eu besoin toute la journée. Toute la semaine. Durant ces deux dernières années. C'était l'anniversaire. On aurait pu croire que ça s'améliorerait avec le temps, mais ça empirait. Sam était encore dans sa poussette quand il avait été tué, aujourd'hui il trotterait, il jouerait peut-être à taper dans un ballon avec lui. Et sa fille qui était dans les limbes parce que personne ne supportait de parler de débrancher le respirateur artificiel.

Il devrait avancer en roue libre vers la fin, trier la paperasserie, passer le relais à son successeur, assister à une ou deux soirées d'adieu. Avait-on prévu quelque chose pour son départ ? Aucun signe de rien. Tracy avait dit en plaisantant que non, mais c'était peu vraisemblable. Ils allaient peut-être lui faire une surprise. Impossible d'imaginer pire. La beuverie d'adieu de Tracy était déjà devenue légendaire. Tout le monde avait Tracy à la bonne, même si beaucoup aimaient prétendre le contraire.

« Commissaire Crawford. Vous vouliez quelque chose ?

— Désolé, inspectrice principale Hardcastle, je me suis endormi. La lecture du soir était trop longue, je suppose.

— C'est Holroyd en fait, patron. Gemma Holroyd. Rachel Hardcastle est la femme qui a été assassinée mercredi soir. La putain de Mabgate », ajouta-t-elle d'un ton sarcastique.

Son téléphone sonna. Strickland. Rien de surprenant. En ressuscitant, Carol Braithwaite les faisait tous sortir du bois.

« Barry ? Comment va ? fit Ray Strickland.

— On fait aller, dit Barry.

— Je téléphone juste pour savoir si tu viens au dîner dansant du club de golf demain soir.

— Dîner dansant du club de golf », répéta Barry en essayant de comprendre les mots. Il se souvenait vaguement d'un dîner destiné à collecter des fonds. On lui avait forcé la main pour qu'il achète un billet : cinquante livres par tête de pipe. Strickland, Lomax, ils n'arrêtaient jamais, Len Lomax était le pire. Ils ne supportaient pas d'être à la retraite, d'avoir perdu leur pouvoir, alors ils passaient leur temps dans des conseils d'administration d'organisations caritatives, des comités de collectes de fonds, des panels de magistrats, histoire de maintenir une présence dans la presse et la ville. Ils ne se consacraient pas aux bonnes œuvres, ils niaient leur impuissance. Une fois à la retraite, Barry avait la ferme intention de se contenter d'acheter le coquelicot du souvenir, le 11 novembre.

« Oui, fit patiemment Strickland, le dîner dansant. Tu viens ? »

Impossible de fermer l'œil. Bigoudis en mousse sur la tête et visage luisant de crème, Barbara ronflait à ses côtés. Il songea à prendre un ou deux de ses somnifères. Toute la boîte même. La solution de facilité plutôt que l'autre. Il venait de s'assoupir quand le téléphone se mit à sonner. Barbara fit un bruit dans son sommeil, un gémissement sourd d'animal blessé. Le réveil de sa table de nuit indiquait cinq heures trente du matin. Ça n'augurait rien de bon.

« Un autre meurtre, patron, lui annonça Gemma Holroyd.

— Encore une professionnelle ? Ne me dites pas que vous en êtes toutes.

— Ah bon ? On n'a pas encore identifié le cadavre. On l'a trouvée devant le cinéma de Cottage Road à Headingley. Blessures à la tête, poignardée.

— Vous savez ce qu'on dit. Une, c'est malheureux, deux, c'est une coïncidence et trois, c'est un tueur en série.

— Je ne pense pas qu'on devrait tirer de conclusions trop hâtives, patron.

— Plus on se hâte, plus on en a vite terminé.

— De toute façon, si les meurtres sont liés, ça ressemble plus à une équipée meurtrière.

— Ce ne sont que des mots, un meurtre est un meurtre. »

Il raccrocha, se rallongea et fixa le plafond. Leeds et les prostituées mortes. Surtout pas de mot qui fâche. Il se tourna vers Barbara et lui tapota le dos. « Tu veux une tasse de thé, mon chou ? »

Il aurait pu se passer d'avoir un trio de femmes mortes sur les bras. S'il n'y avait pas de femmes, les hommes ne les tueraient pas. Ça résoudrait le problème.

Carol Braithwaite. Il se demanda où était passé l'enfant. Enfermé à clé dans cet appartement pendant des semaines avec le cadavre de sa mère. Barry n'arrivait pas à se souvenir de son prénom. Tracy n'avait pas arrêté de leur casser les pieds avec lui pendant des semaines. Michael. C'est ça. Michael Braithwaite.

10 avril 1975

Le lendemain, au service des enfants malades. Un endroit perturbant. Du dos de la main, Tracy caressa la menotte molle dans le sommeil. « Michael », dit-elle tout doucement.

Elle avait envisagé de lui apporter un nounours, mais s'était dit qu'il était peut-être trop vieux pour une peluche. Quand ils avaient fait irruption dans l'appartement de Lovell Park, il serrait dans ses mains une petite voiture de police bleue et blanche comme si sa vie en dépendait, elle lui acheta donc un camion de pompiers à la place. Le glissa dans le lit à côté de lui. Il avait les yeux et les joues creux, mais l'air paisible au repos. On estimait qu'il avait passé presque trois semaines avec sa mère dans l'appartement. Il n'avait pas réussi à ouvrir la porte d'entrée. Personne ne l'avait vu faire des signes pour attirer l'attention, juché sur une chaise à une fenêtre du quinzième étage. Il avait survécu avec la nourriture qui se trouvait dans l'appartement : Carol Braithwaite était allée au supermarché l'après-midi même, il y avait des sacs de courses à moitié déballés dans la cuisine. Après ça, il avait sorti l'épicerie des placards, bu l'eau du robinet. Il faisait un froid de canard dans l'appartement. Il avait mis dans le compteur électrique toutes les pièces qu'il avait trouvées dans le porte-monnaie de sa mère jusqu'à ce qu'il n'y en ait plus.

Il avait recouvert sa mère d'une couverture pour la réchauffer. Au début, il avait dû dormir à côté d'elle. À leur arrivée, il dormait dans une tanière qu'il s'était fabriquée à l'aide de coussins et de couvertures dans le séjour. « Un dur à cuire, ce petit bonhomme », avait dit Lomax. Peut-être qu'il avait l'habitude de se débrouiller tout seul.

Linda Pallister apparut soudain de l'autre côté du lit d'hôpital comme si elle rôdait dans les parages. « Encore vous, fit-elle à Tracy en guise de salutations.

— Qu'est-ce que vous diriez d'une tasse de thé ? proposa Tracy. À la cantine ? Pour parler en laissant nos casquettes au vestiaire ? »

Elles burent du thé trop infusé. Tracy avait pris un gros Kit Kat et Linda une pomme qui avait l'air sure. Le thé et les pommes ne font pas bon ménage, tout le monde savait ça.

« Qu'est-ce qui va se passer pour ce pauvre gosse à présent ? demanda Tracy en cassant son Kit Kat en quatre doigts et en déplorant déjà leur disparition avant même d'avoir commencé à les engouffrer.

— Il va sortir tôt ou tard de l'hôpital et sera placé dans une famille d'accueil, dit Linda en mordant dans sa pomme verte. Il n'a pas de famille. » Elle avait de grandes dents de cheval, elle aurait fait une bonne herbivore.

« Et son père ? » demanda Tracy. Linda Pallister haussa un sourcil et répondit : « Y en a pas.

— Est-ce que je peux parler de ce gosse à quelqu'un ? fit Tracy.

— C'est ce que vous êtes en train de faire. Vous me parlez.

— Vous savez qu'il a été témoin du meurtre de sa mère, n'est-ce pas ? » *Croc-croc-croc*, elle mangeait machinalement sa pomme. « Il m'a dit que c'était son père qui avait tué sa mère, insista Tracy. La PJ n'en a tenu aucun compte.

— Il a quatre ans. Il ne fait pas la différence entre la réalité et un conte de fées. Les gosses mentent, c'est tout. » Il y eut une pause pendant laquelle ses petits yeux – plutôt porcins – parurent jauger Tracy. « Un homme qu'il *croit* être son père, ajouta-t-elle en tapant sur un dossier posé devant elle sur la table. Carol ignorait qui était le père. »

Le dossier en papier kraft avait dans un coin une étiquette sur laquelle était tapé le nom « Carol Braithwaite ».

« Elle était déjà chez vous ? » demanda Tracy en effleurant le dossier. Linda claqua sa main dessus comme si Tracy s'apprêtait à l'ouvrir du regard.

« Miss Braithwaite était connue de nos services, dit-elle très guindée.

— Pour quelle raison ?

— Je ne peux pas parler des cas particuliers. » Elle se leva brusquement en serrant le dossier en papier kraft sur sa poitrine.

« Vous saviez que ce gosse était en danger ? fit Tracy en se levant également et consciente d'être beaucoup plus grande que Linda Pallister. Peut-être que si vous aviez fait votre boulot, vous auriez trouvé Michael un peu plus tôt. Avant qu'il ne passe trois semaines enfermé à clé dans un appartement avec le cadavre de sa mère. »

Tracy eut soudain un flash-back : Linda Pallister lui prenant le garçonnet pour le donner aux ambulanciers. Elle l'avait juché sur une de ses hanches, de sorte qu'il faisait face à Tracy et son regard par-dessus l'épaule de Linda s'était accroché au sien tandis qu'on l'emmenait. Tracy avait eu l'impression qu'il lui avait touché l'âme et en avait emporté un morceau. Elle frissonna au souvenir.

« Je suis débordée de travail, fit Linda Pallister sur la défensive. Chaque cas est jugé selon ses mérites. Et maintenant, si ça ne vous dérange pas, je dois y aller.

— Attendez, fit Tracy en sortant un stylo, laissez-moi vous donner mon numéro de téléphone. » Elle extirpa le dossier des mains serrées de Linda Pallister, dit « Je ne regarde pas, promis », et écrivit « Agente Tracy Waterhouse » ainsi que son numéro de téléphone sur la couverture.

« C'est le téléphone de mon domicile, fit Tracy. Si vous appelez, c'est sans doute ma mère qui décrochera, mais contentez-vous de parler plus fort qu'elle. D'accord ? » Elle ajouta la date pour que ça fasse plus officiel. « Simplement pour rester en contact.

— En contact ?

— Au sujet du gosse, Michael.

— Il faut que j'y aille, fit Linda en lui arrachant le dossier des mains, le visage aigre comme son trognon de pomme.

— Oui, je sais, vous êtes débordée », fit Tracy.

Après le départ de Linda, Tracy retourna voir Michael. Il dormait toujours, mais elle s'assit à son chevet et le regarda jusqu'à ce qu'un docteur passe accompagné d'une infirmière qui minaudait. « Un problème ? demanda-t-il en apercevant l'uniforme de Tracy – elle prenait son service dans une demi-heure.

— Non, je me demandais seulement comment il allait.

— Vous faites partie de ceux qui l'ont trouvé ?

— Oui, fit Tracy, avec mon collègue. »

L'infirmière prit la tension du gamin, jeta un regard dédaigneux à Tracy. Écrivit quelque chose sur sa fiche de suivi. « Merci, Margaret », fit le toubib. Ça alors, c'était une première, un médecin qui remerciait une infirmière. En l'appelant par son prénom, des amours en milieu hospitalier, peut-être ? Les après-midi où elle n'allait pas à son club de bridge, la mère de Tracy lisait des romans à l'eau de rose, allongée sur son canapé.

« Ian Winfield, fit le médecin. Je suis le pédiatre du service. » Tracy crut qu'il allait lui serrer la main et lui parler de l'état de Michael. Il se contenta de dire : « Il va bien, mais il a besoin de repos maintenant. Il vaut sans doute mieux que vous partiez. » Congédiée. Tracy ne voyait pas quel mal il y avait à rester assise à son chevet. L'infirmière lui lança un regard mauvais.

Au moment de quitter l'hôpital, Tracy aperçut de nouveau Linda Pallister. Débordée de travail, tu parles ! Elle sortait de la Cemetery Tavern avec Ray Strickland. Drôle de couple. Il l'attrapa par un coude et la tira à lui, lui dit quelque chose d'un air furieux. Elle eut l'air terrifiée. Puis Ray la lâcha et elle s'éloigna d'un pas chancelant. Pas de bicyclette, remarqua Tracy.

« Je suis allée voir le gosse à l'hôpital, hier, dit Tracy à Ken Arkwright, devant une pinte de bitter.

— Il était comment ?

— Endormi. Je suis tombée sur cette assistante sociale. Linda Pallister. »

Ken Arkwright grommela.

« Y a du nouveau ? On interroge quelqu'un ?

— Faut se rappeler que la police n'a pas les moyens de faire appliquer la loi, de maintenir l'ordre comme avant. Le mieux qu'on puisse espérer, c'est nettoyer le foutoir derrière les gens. » Il déchira un paquet de chips au sel et au vinaigre comme si c'était une épreuve de force et en offrit à Tracy. Elle hésita ainsi qu'il convenait à une fille au régime cottage cheese et pamplemousse. L'odeur des chips lui chatouilla les narines.

« Bon, décide-toi, fit Ken Arkwright.

— Bon, allez, d'accord, dit-elle en craquant et en en prenant une poignée.

— Les gens sont leur pire ennemi, soupira Ken Arkwright. Qu'est-ce qu'on peut y faire ?

— Je sais », dit Tracy. Ils étaient dans un pub d'Eastgate fréquenté par des réfugiés du QG de Brotherton House. C'était juste avant qu'ils n'emménagent au nouveau QG de Millgarth. Une odeur de tabagie se mêlait aux remugles de bière fraîche et éventée. « Double Diamond, la bière que boivent les hommes. » En 2008, Carlsberg annoncerait la fermeture de la brasserie Tetley's qui « renaîtrait » sous forme de restaurants, de boutiques et d'appartements. « Une destination de rêve sur les quais de Leeds. » Ken Arkwright serait mort depuis vingt ans et en 2010 Tracy ferait un « gommage enveloppement, massage à la boue » au Waterfall Spa, grâce au chèque-cadeau offert par ses collègues à son départ de la police.

« Tu n'as pas vu Strickland ou Lomax ? demanda Tracy, la bouche pleine de chips. Ils ne t'ont rien raconté de plus ? Concernant l'enquête ?

— À moi ? Les golden boys d'Eastman ? fit Arkwright. Non, jeune fille.

— Le problème, dit Tracy, c'est que l'appartement était fermé à clé.

— Et alors ?

— Je n'ai vu de clé nulle part, et toi ? On a pourtant bien regardé, on a eu tout notre temps, Lomax et Strickland ont mis une éternité à arriver. Une Yale et une serrure à pêne dormant. Quelqu'un est parti en fermant derrière lui.

— Tu veux en venir où ? fit Arkwright.

— C'était fermé de *l'extérieur.* Tu ne vois donc pas que c'était pas seulement un client qu'elle avait levé. C'était quelqu'un qui avait une *clé.* Quelqu'un qui a enfermé ce petit garçon. »

Arkwright fronça les sourcils derrière sa pinte. « Laisse tomber, jeune fille. La PJ sait ce qu'elle fait.

— Tu crois ça ? »

Tracy retourna à l'hôpital le lendemain. Le lit du gosse était vide et elle se dit, oh, non, mon Dieu, je vous en supplie, faites qu'il ne soit pas mort. Elle trouva l'infirmière qui accompagnait Ian Winfield la veille. « Michael Braithwaite, fit Tracy, les tripes nouées par la peur. Qu'est-ce qui lui est arrivé ?

— Qui ça ? »

ARCADIA

Vendredi

Elle se réveilla en sursaut. Un bruit anormal avait perturbé son sommeil. Pas un chant d'oiseau ni une sonnerie de réveil ni le premier bus passant dans un grondement en haut de la rue. Tracy jaillit de son lit et se précipita à la fenêtre du palier d'où on voyait bien la rue. Elle grouillait de flics. Deux policiers en tenue frappaient à la porte d'en face. Deux voitures de patrouille étaient garées un peu plus haut. Un policier en civil qu'elle reconnut : Gavin Archer. D'autres flics en tenue. Ils faisaient du porte-à-porte dans sa rue. Ça ne pouvait signifier qu'une seule chose : ils savaient qu'elle était allée chez Kelly Cross, hier soir. Ils étaient au courant pour la gamine. Ils avaient probablement visionné les cassettes du Merrion Centre, vu Kelly Cross échanger la gosse contre du liquide comme dans un simple deal au coin de la rue.

Deux flics en tenue se dirigeaient vers sa maison.

Tracy passa la surmultipliée. Elle se rua dans sa chambre, enfila son vieux survêtement et courut à la chambre de Courtney. La gamine se réveilla en un clin d'œil comme si elle avait l'habitude de déménager à la cloche de bois. Tracy mit son doigt sur ses lèvres et murmura « Chut ». La gamine parut comprendre aussi. Elle passa à l'action vite fait, attrapa son précieux sac à dos rose et l'encore plus précieuse baguette magique.

Elles descendirent l'escalier à pas de loup. Au moment où elles atteignaient le vestibule, on sonna à la porte d'une manière bruyante et insistante. Une bouffée d'adrénaline submergea Tracy. Elle saisit son sac, fit enfiler à la gamine son duffle-coat rouge en un tournemain et la poussa vers la porte de derrière. Tracy cafouilla avec la serrure : ses mains tremblaient. Quand elle parvint enfin à ouvrir la porte, elle prit Courtney sous un bras – c'était comme essayer de courir avec un petit mouton – et piqua un sprint jusqu'au portail du jardin. Personne dans la ruelle. Tracy ouvrit la porte du box, fourra la gamine sur la banquette arrière et lui dit « Attache-toi ».

Le cœur de Tracy battait si fort qu'elle avait mal à la poitrine. Elle sortit de la ruelle, tourna à gauche, s'éloigna sans se presser. Elle passa devant un véhicule de police vide et un flic en tenue en train de parler à une femme endormie sur le pas de sa porte. Croisa une remorque de chien policier qui ne lui prêta pas attention. Tracy se faufila à travers les mailles du filet comme un fantôme.

Derrière elle, une Avensis grise avec un lapin rose accroché au rétroviseur quitta son emplacement le long du trottoir en glissant sans bruit comme un gros poisson. Un des flics en tenue qui posait des questions lui boucha soudain la vue.

Ce serait plus sûr de s'en tenir aux petites routes désertes. Elles pourraient traîner aux alentours de sa location de vacances. Elle passerait prendre les clés à quatorze heures. Pas exactement des clés, mais un code pour un digicode qui serait activé avant leur arrivée. Elles n'auraient besoin de voir personne, de parler à personne. Elles pourraient être invisibles, indétectables, comme des bombardiers furtifs. Il ne lui fallait qu'une journée en gros.

La gamine s'endormit. Il y avait du brouillard sur les petites routes. Le brouillard faisait du bien, l'effet d'être un ami. Qu'avait-elle fait ? Une minute, elle achetait un friand chez Greggs et la suivante elle était en cavale pour meurtre et kidnapping. Non qu'elle eût tué Kelly Cross, mais c'était l'impression qu'elle avait. La prochaine fois qu'elle achèterait un gosse, elle souscrirait à une garantie contre le remords de l'acheteur. Une période d'essai de vingt-quatre heures pour s'assurer qu'elle n'en avait pas choisi un qui trimballait des bagages sanglants. Comme si. Comme si elle allait acheter un autre mouflet. Aucun risque, elle s'accrochait à celle-ci comme une sangsue. Pour le meilleur et pour le pire, contre vents et mar… oh, nom d'une pipe… soudain, devant elles, un cerf sortit délicatement du brouillard et resta planté au milieu de la route comme quelqu'un qui se retrouve inopinément sur une scène brillamment éclairée devant une salle comble.

Tracy entendit crier, c'était peut-être elle, elle n'était pas sûre d'avoir jamais crié de sa vie. Elle freina à mort, hurla « Cramponne-toi ! » à Courtney, se souvenant de tout ce qu'elle avait entendu dire au sujet des gens qui rentraient dans des vaches, des chevaux, des cerfs, des kangourous, des moutons même et qui ne survivaient pas à l'expérience. Elle pria le dieu qui empêche les enfants kidnappés d'être tués par les bêtes de la forêt. Ferma les yeux.

Il y eut un coup sourd, comme si elle était rentrée à toute berzingue dans un mur de sable. Tracy reçut l'airbag en pleine poire. Ça faisait un mal de chien. Elle allait s'en sortir avec d'énormes bleus. Elle pivota pour voir comment allait Courtney. Pas d'airbags à l'arrière, c'était une bonne chose, on ne comptait plus les blessures qu'ils infligeaient aux gosses. Courtney était indemne, elle n'avait même pas l'air surprise. « Ça va ? » fit Tracy. La gamine leva le pouce. Adorable.

On avait l'impression que quelqu'un avait jeté une grosse pierre dans le pare-brise. L'impact ressemblait à une horloge en forme d'étoile. Dieu merci, le cerf n'était pas passé par le pare-brise. C'eût été trop.

« Reste où tu es », dit-elle à Courtney, et elle descendit de voiture. Le cerf gisait sur la route, illuminé par les phares. C'était une femelle, une biche. Elle pantelait, émettait des bruits désagréables, tuberculeux. Tracy s'accroupit à côté d'elle et la biche roula follement des yeux. Elle avait une grande entaille au cou et le sang coulait à flots sous son corps. Elle fit un effort désespéré pour se relever, mais il était clair qu'elle ne s'en tirerait pas. C'était horrible de voir un animal blessé à mort. Tracy éprouva plus de compassion pour la biche que pour Kelly Cross. Il fallait qu'elle abrège ses souffrances, mais elle ne pouvait guère l'occire à coups de cric devant la gamine.

Courtney apparut à ses côtés. « Bambi, murmura-t-elle.

— Oui, fit Tracy. Bambi. » C'était plus la mère de Bambi. Disney avait de lourdes responsabilités. Elle n'avait pas l'intention d'acheter ce maudit DVD pour la gamine. Les mères mortes de Disney (des mères assassinées, en fait) qui laissaient leurs gosses affronter le monde seuls, c'était une histoire dont la gamine pouvait se passer. Une histoire dont Tracy pouvait se passer.

Au grand soulagement de Tracy, l'animal se calma, renonça à soulever la tête. Tracy eut les larmes aux yeux. Pauvre chose sanglante. Courtney lui tapota la main. Les yeux de la biche perdirent leur éclat, elle poussa un immense soupir tremblé et resta sans vie.

« Il est mort ? chuchota Courtney.

— Oui, fit Tracy la gorge serrée. Elle. Elle est morte. Partie rejoindre ses amis au paradis des cerfs. » Des sacrifices, pour sauver la gamine. Sauve la gamine, sauve le monde. Tracy caressa le flanc de la biche. La gamine passa sa baguette magique sur le cadavre.

L'Audi avait aussi reçu un coup mortel. « Il va falloir marcher, dit Tracy. Trouver un garage. » Elle entendit une voiture approcher, le bruit du moteur était étouffé par le brouillard. Le brouillard ne semblait plus être un ami.

Elles allaient devoir tenter leur chance. Tracy espérait seulement que ce n'était pas la police. Une voiture grise émergea de la brume grise. Une Avensis. « Merde », grommela Tracy tandis que le conducteur descendait du véhicule et s'approchait.

Tracy attrapa la main de la gamine et siffla « Cours ». Alors qu'elles fonçaient dans le sous-bois, elle entendit le type crier dans son dos : « Tracy ? Tracy Waterhouse ? Je veux juste vous parler.

— Ouais, dit-elle entre ses dents à la gamine, c'est ce qu'ils disent tous. »

Elle s'arrêta et s'affala épuisée au pied d'un grand arbre. « Pour reprendre notre respiration », bredouilla-t-elle à Courtney. La vie avec Kelly Cross avait-elle été si épouvantable comparée à ça ? Kelly serait-elle encore en vie si Tracy ne lui avait pas acheté la gamine ? La gosse s'agenouilla à côté d'elle, ramassa le squelette d'une vieille feuille d'automne et le mit dans son sac à dos. Elle n'avait pas les mêmes priorités.

Le bois semblait se refermer sur elles. Tracy songea à la Belle au bois dormant. Elles pourraient mourir ici et se transformer en terreau avant qu'on ne les découvre. Un craquement brisa le silence, les fit toutes les deux sursauter et Tracy prit Courtney dans ses bras, se cramponna à elle. Les nerfs tendus comme des cordes de piano.

« Y a des loups dans le bois ? chuchota la gamine.

— Pas vraiment », fit Tracy.

Elle comprit qu'elle était acculée : devant elle l'abîme, derrière elle l'obscurité. Le seul moyen d'aller de l'avant, c'était la rage du désespoir. La gamine sentait le shampoing de la veille au soir et un arôme vert de sève. Une nymphe des bois.

« Allez, viens, continuons. » Elle se releva à grand-peine, prit la gamine dans ses bras. Elle était trop petite pour continuer à courir. Est-ce que ce n'était pas ce qui avait attiré son attention sur elle ? Tracy avait supposé que Kelly courait avec la gamine parce qu'elle était en retard ou impatiente, ou tout simplement méchante, mais peut-être qu'elle ne courait pas *vers* quelque chose, peut-être que Kelly *s'enfuyait* aussi. Et si, à sa façon, elle aussi avait essayé de sauver la gamine ? C'est pour ça qu'elle était morte ? L'avait-on punie d'avoir trouvé la gamine ou de l'avoir perdue ?

Le conducteur de l'Avensis essayait-il de récupérer la gamine parce qu'elle appartenait à quelqu'un, à un réseau de pédophiles peut-être ? On avait l'impression qu'il pourrait abriter un pervers sous sa peau grise. Était-il vraiment le détective privé qu'il prétendait être ?

« On va où ? demanda Courtney.

— Bonne question, fit Tracy haletante. Je n'en ai pas la moindre idée. »

Les arbres étaient plus clairsemés et on apercevait de la lumière juste devant. Ne disait-on pas qu'il fallait marcher vers la lumière ?

Elles sortirent du bois en courant. Et faillirent se faire écraser.

Il prétendit avoir été policier. N'importe qui pouvait dire ça.

∽

Il se réveilla à cinq heures trente précises comme d'habitude. La première chose que Jackson aperçut en allumant sa lampe de chevet fut le chien qui se tenait à côté du lit et le fixait intensément comme s'il voulait le tirer du sommeil. Jackson grommela un bonjour et le chien lui répondit en agitant la queue avec enthousiasme.

Il but une mauvaise tasse de café instantané et donna son petit déjeuner au chien qui engloutit sa nourriture en quelques secondes. Jackson commençait à se rendre compte que le chien mangeait toujours comme s'il mourait de faim. Il comprenait ça parce qu'il était pareil. Première loi de la vie apprise à l'armée et renforcée dans la police – si vous voyez de la nourriture, mangez car vous ne savez pas d'où viendra le prochain repas. Et finissez votre assiette. Jackson n'avait aucun scrupule à manger de la viande : pour lui, du museau jusqu'à la queue, tout était bon. Il soupçonnait le chien d'être omnivore comme lui.

Une demi-heure plus tard, il avait réglé sa note et était prêt à prendre la route. Marilyn Nettles allait avoir deux visiteurs inattendus. Un homme et son chien. Il avait l'intention d'aller à Whitby de toute façon, c'était la voix du destin. Il s'exprimait dans une langue étrangère difficile – ça ressemblait à du finnois, d'accord – mais on ne peut pas tout avoir.

Il informa Jane, la voix de son GPS, qu'il se dirigeait vers la côte par la route panoramique, puis tel Lot, il quitta la ville sans se retourner une seule fois.

Le boîtier émetteur que le serveur du room-service avait attaché au collier du chien était présentement dans la boîte à gants de la Saab. Jackson avait envisagé de le coller dans un camion de transport longues distances, imaginant avec une certaine satisfaction la confusion causée par un gros-cul s'arrêtant à Ullapool ou à Pwllheli, mais il ne découvrirait jamais qui le surveillait. La traque marchait dans les deux sens, la proie et le chasseur unis dans une même quête, pas tant un duel qu'un duo.

Le boîtier émetteur était du beau matériel. Jackson ignorait qu'on les avait miniaturisés à ce point. Ça faisait un moment qu'il n'avait pas eu de raison d'acheter quoi que ce soit sur un site de logiciels espions. Il aimerait acheter un truc similaire pour Marlee, un gadget si minuscule qu'elle ne le remarquerait pas car elle n'accepterait jamais (« *Pas question !* ») de porter quelque chose supposant une supervision ou un contrôle parentaux. S'il le pouvait, Jackson équiperait sa fille d'une puce comme un chien. Nathan aussi bien sûr. Il avait deux enfants, se remémora-t-il, c'était juste que l'un n'avait pas l'air de compter autant que l'autre.

Le chien était-il équipé d'une puce ? « Colin » n'avait pas l'air du genre à se soucier suffisamment d'un animal pour ça, mais Colin n'avait pas l'air du genre à posséder un chien dont le moins qu'on puisse dire était qu'il ne faisait pas vraiment de la pub pour son machisme. C'était un homme à avoir un pitbull assorti à son tatouage de la croix de St George et à son crâne rasé. Le chien appartenait-il en fait à une épouse, une mère, un enfant ? Quelqu'un se réveillait-il chaque matin le cœur serré d'avoir perdu son animal de compagnie ? *Je vais te faire piquer, c'est ce que j'aurais dû faire à la minute où cette garce est partie*, avait hurlé Colin au chien à Roundhay Park. Jackson eut un pincement de contrariété à l'idée de cette femme qui s'était tirée des griffes de Colin, mais avait laissé son chien souffrir derrière elle.

Ce qui à Leeds était un léger voile de brume s'épaississait de plus en plus. Il promettait, mais ne garantissait pas une magnifique journée. Il n'en restait pas moins que le brouillard rendait la conduite périlleuse au petit matin, Jackson regrettait de ne pas s'être fait faire les lunettes prescrites par l'opticien.

« Je vois un peu trouble », avait-il dit à la fille ridiculement jeune qui l'examinait. Il avait envie de lui demander si elle était diplômée, mais se sentait bizarrement vulnérable dans le noir pendant qu'elle le regardait dans l'œil avec une torche, si près qu'il sentait son haleine mentholée.

« Oui, fit-elle d'un ton neutre. Votre cristallin durcit. C'est normal à votre âge. » Certains trucs durcissaient, d'autres ramollissaient.

Sur la route moins empruntée[1], toutes sortes d'animaux sauvages risquaient leur vie avec insouciance sur le macadam impitoyable. Il avait failli écraser un blaireau quelques kilomètres plus tôt et ses réflexes s'étaient aiguisés. Jackson se plaisait à se voir sous les traits d'un preux chevalier de la route. Ce serait dommage de ternir son armure resplendissante avec un sang innocent. Il alluma la Sainte Vierge lumineuse du tableau de bord. Si la Mère de Dieu n'avait pas le wattage des pleins phares de la Saab dans les entrailles, elle avait peut-être un pouvoir protecteur d'un autre genre Elle le guidait dans la vallée des ténèbres.

Un creux soudain plongea Jackson, la Saab et la Sainte Mère dans une poche de brouillard plus dense. C'était comme voler à travers un nuage et Jackson s'attendait presque à être secoué par des turbulences. Au cœur cotonneux du creux, il vit un éclair argenté et *Fends l'alouette* lui vint tout à trac à l'esprit, les petits hommes qui géraient sa mémoire ayant attrapé dans leur léthargie matinale la première chose qui leur tombait sous la main. *Enroulée, Pelure après Pelure, en bulbes d'Argent.* L'éclair d'argent annonçait un nouveau genre de péril – une femme. Une femme qui jaillit en trombe des arbres qui bordaient la route.

Une fraction de seconde, Jackson la prit pour une biche – deux ou trois kilomètres auparavant, un panneau de signalisation à peine visible montrait un cerf bondissant. Il n'y avait plus d'ours ni de loups, les seuls prédateurs qui faisaient fuir les femmes de nos jours, c'étaient les hommes. Elle n'était pas seule, elle traînait une gamine par la main, une petite vêtue d'un duffle-coat rouge. On aurait dit une flamme sombre dans le brouillard.

1. *The road not taken*, poème de Robert Frost (1916).

Jackson absorba tous ces éléments dans la nanoseconde qui s'écoula entre le moment où il aperçut la femme et l'enfant et celui où il écrasa la pédale de frein pour éviter de les transformer toutes les deux en cadavres. Réveillé en sursaut par l'arrêt brusque de la Saab, le chien resta à sa place et lui lança un regard indéchiffrable. « Désolé », fit Jackson.

Quand il descendit de voiture, il trouva la femme à quatre pattes comme un chat, essayant de retrouver sa respiration. Jackson était certain d'avoir pilé à temps. C'était une femme forte, peut-être pas aussi volumineuse qu'un cerf, mais il aurait quand même senti le choc, non ? « Vous êtes blessée ? » demanda-t-il. Elle secoua la tête et, s'asseyant sur les talons, réussit à siffler « Je suis essoufflée, c'est tout ». Elle désigna d'un signe de tête la gamine qui se tenait impassible à ses côtés et dit : « Je la portais. Elle est plus lourde qu'il n'y paraît. Bons freins, ajouta-t-elle en lançant un coup d'œil à la Saab qui se trouvait à une dizaine de centimètres.

— Bon conducteur », fit Jackson.

Le duffle-coat rouge de la gosse était ouvert et révélait un costume rose vaporeux. De fée, d'ange, de princesse, tout ça se ressemblait pour Jackson. C'était un domaine auquel Marlee l'avait familiarisé bien malgré lui. Une baguette argentée tordue surmontée d'une étoile signalait qu'il avait affaire à une fée. C'était ça, l'éclair argenté aperçu dans le brouillard ? La gamine la tenait à deux mains comme une hache de guerre, comme si sa vie en dépendait. Jackson n'aurait pas aimé devoir la lui arracher, elle avait beau être menue, elle avait l'air d'avoir du répondant.

Le reste de sa tenue n'était plus très frais non plus. Des brindilles et des morceaux de feuilles s'étaient accrochés au tissu bon marché de sa jupe déchirée. Ça lui rappela une représentation du *Songe d'une nuit d'été* à laquelle Julia l'avait emmené. Les fées étaient des créatures répugnantes, boueuses qui semblaient sorties d'un marécage. À l'âge de quatorze ans, Julia avait joué Puck dans un spectacle scolaire. Au même âge, Marlee aspirait à être un vampire. « C'est une phase », avait dit Josie. « J'espère bien », avait répondu Jackson.

Il aida la femme à se relever. Elle portait un survêtement qui ne faisait qu'accentuer son gabarit. Bâtie en force comme un mineur, songea-t-il. Elle portait un grand sac à main pratique en bandoulière.

Jackson se demanda si elle n'aurait pas dû être un peu plus sur ses gardes à l'idée de monter dans le véhicule d'un parfait inconnu en rase campagne et, qui sait, de vivre un cauchemar pire que celui qu'elle laissait derrière elle. Comment savoir qu'il n'était pas un psychopathe meurtrier ratissant la campagne à la recherche d'une proie ?

« J'ai été policier », dit-il pour la rassurer. Même si, bien sûr, c'était exactement ce qu'on dirait si on espérait attirer quelqu'un dans sa voiture. (Il essayait peut-être de se rassurer, c'était peut-être elle la psychopathe.)

« Ouais, moi aussi, marmonna-t-elle et elle eut une sorte de rire sinistre.

— Ah bon ? » fit-il, mais elle l'ignora délibérément. « Quelqu'un est à vos trousses ? » demanda-t-il. La femme et la gamine se tournèrent instinctivement vers le bois. Jackson essaya d'imaginer quelque chose surgissant des arbres qu'il ne se sente pas de taille à affronter et, hormis un blindé (ou une petite fille brandissant une baguette magique), il ne trouva rien. Au lieu de répondre à la question, la femme dit « Il faut qu'on fasse du stop ».

Jackson, qui n'était pas non plus du genre à gaspiller sa salive, fit : « Dans ce cas, vous feriez mieux de monter. »

Il ajusta son rétroviseur pour essayer d'apercevoir la femme. Il ne voyait pas son visage car elle tordait le cou pour surveiller la route par la lunette arrière. C'était peine perdue. Si quelqu'un les suivait, on ne risquait guère de le repérer dans ce brouillard. Et réciproquement. Il ajusta donc le rétroviseur pour examiner la petite fille. Elle haussa mystérieusement les sourcils à son adresse.

La femme finit par se retourner et regarda droit devant elle. Des ecchymoses commençaient à apparaître sur son visage et elle avait du sang séché sur les mains.

« Vous êtes blessée ? demanda-t-il.

— Non.

— Vous avez du sang sur vous.

— C'est pas le mien.

— C'est pas grave alors », fit Jackson pince-sans-rire. Ses deux passagères avaient l'air légèrement abasourdi qu'il avait vu maintes fois chez des survivants. Elles avaient l'air de rescapées d'un désastre – un incendie ou un tremblement de terre –, d'avoir abandonné leur domicile dans la tenue où la catastrophe les avait surprises. Violence domestique, supposa-t-il. La guerre à la maison – qu'est-ce qu'une femme et un enfant fuiraient d'autre ?

Des minutes s'écoulèrent avant que la femme ne dise « Ma voiture est tombée en panne », comme si ça expliquait leur état à toutes les deux. Soupirant d'un air las, elle ajouta, plus pour elle que pour lui : « La journée a été longue.

— Il n'est que sept heures et demie du matin, fit Jackson étonné.

— Je ne vous le fais pas dire. »

Quand il regarda une fois de plus dans le rétroviseur, il vit que la femme avait attaché la gamine. La ceinture de sécurité était beaucoup trop grande et étranglerait la gosse s'il freinait trop vite. Il n'avait plus de siège enfant depuis belle lurette. S'il emmenait Nathan en voiture, il devait en emprunter un à Julia, ce qui avait le don de l'agacer d'une façon disproportionnée, de l'avis de Jackson en tout cas.

Il ne l'aurait peut-être pas avoué, mais il se sentait légèrement perturbé – le brouillard, les bois, la gosse du *Village des Damnés* sans parler du sentiment de peur que la femme avait fait monter avec elle dans la voiture –, ça s'apparentait plus à un épisode de *La Quatrième Dimension* qu'à une comédie de Shakespeare.

Elle n'avait pas l'air de se préoccuper de leur destination : du moment que ce n'était pas là d'où elle venait, tout lui convenait. Pour Jackson, peu importait où on allait, on ne finissait jamais à l'endroit prévu. Chaque jour était une surprise, on prenait le mauvais train, le bon bus. Une fille ouvre une boîte et elle est surprise par ce qu'elle y trouve.

« Vous ne voulez pas savoir où je vais ? demanda-t-il au bout de ce qui lui parut être une éternité de silence.

— Pas particulièrement, fit-elle.

— Magical Mystery Tour[1], si je comprends bien », lança-t-il joyeusement.

1. Album et film des Beatles.

∽

« Je ne peux pas m'empêcher de me faire du souci pour toi, mon fils. Je suis ta mère, c'est normal.

— Je sais, m'man, et crois-moi, je t'en suis reconnaissant mais je vais bien, je t'assure.

— Bon, d'accord, vas-y dans ce cas, mais souviens-toi du proverbe : Trop de travail abrutit Jack. (*Ils s'embrassent.*) Au revoir, mon chéri. À vendredi, nous…

— Le texte, Tilly, dit en fait "Souviens-toi : Trop de travail abrutit *Vince*".

— Ah bon ?

— C'est censé être amusant.

— Amusant ? Vous trouvez ? demanda Tilly perplexe.

— Il faut t'en prendre au scénariste, chérie, pas à moi. Nous jouons pour le plus petit dénominateur commun. »

Ne sous-estime jamais l'intelligence de l'auditoire, avait coutume de dire Douglas et, comme pour bien d'autres choses, il avait raison, bien sûr.

« On reprend, Tilly ? »

Elle entendit quelqu'un grommeler : « Oh, putain, laisse tomber, elle va faire défiler tous les prénoms avant de nous sortir "Vince", à supposer qu'elle y arrive. »

L'acteur qui jouait Vince lui adressa un clin d'œil. Elle le connaissait depuis tout petit, il était à l'école Conti, il avait joué Oliver Twist dans la comédie musicale *Oliver* – à moins que ce n'ait été le Fin Matois[1] ? – mais elle voulait bien être pendue si elle se rappelait son nom. Quel

1. Jeune pickpocket qui présente Oliver à Fagin.

dommage que tout le monde attache tant d'importance aux noms. Une rose embaumerait autant sous un autre nom[1].

« Vous voulez aller prendre un thé ? Vous disposez d'un petit moment. Miss Squires. » La gentille Indienne tenait sa feuille d'appel qu'elle ne cessait d'égarer. « Merci… » Pima ? Pilar ? Pilaf ! « Merci, Pilaf.

— Je vous demande pardon ? »

Ooh mon Dieu, ce ton, songea Tilly. Qu'est-ce qu'elle avait encore dit de travers ?

« Pilaf comme le riz. Je trouve ça très insultant, voyez-vous, Miss Squires. C'est comme appeler quelqu'un "Papadum". Je me prénomme *Padma.* Si je ne savais pas à quel point vous avez du mal avec les noms, je vous croirais raciste.

— Moi ? » fit Tilly suffoquée.

Pour sa défense (piètre défense, il est vrai), Tilly eut envie de dire « Mon bébé était noir » (à moitié en tout cas) mais il n'y avait pas de bébé pour le prouver. Pas de bébé qui soit devenu un solide gaillard. Tilly l'imaginait toujours sous les traits de Lenny Henry, le comique. Phoebe lui avait rendu visite à l'hôpital après et lui avait déclaré : « C'est mieux comme ça. Même toi, tu dois l'admettre, Tilly.

— Ah oui ? »

Les infirmières étaient toutes horribles avec elle, hautaines et sans pitié, parce que le bébé qu'elles avaient expulsé sans même le lui montrer n'était pas blanc comme lis, blanc comme neige. « Ç'aurait été un enfant de *couleur*, Tilly », avait (théâtralement) chuchoté Phoebe à son chevet. Il fallut à Tilly une seconde pour

1. Shakespeare, *Roméo et Juliette* (II, 2).

comprendre ce qu'elle entendait par là. Sa première idée avait été : comme un arc-en-ciel ?

« Tu aurais eu de telles difficultés, avait dit Phoebe. Tu aurais été ostracisée. Et le travail se serait complètement tari. C'est mieux comme ça. »

Évidemment, c'était en 1963, les Sixties ne faisaient que commencer. Tilly s'en fichait, le bébé aurait pu être violet et jaune avec des pois et des rayures, elle l'aurait aimé tout pareil.

C'était juste le hasard (mais tout n'est-il pas hasard ?). Phoebe avait été invitée à une soirée diplomatique et avait forcé la main de Tilly pour qu'elle l'accompagne. Pour la couvrir, bien sûr. Phoebe avait une liaison avec un membre du Conseil des ministres – marié, naturellement, le tout top secret. Dieu seul savait avec qui d'autre elle couchait, elle aurait pu être une autre Christine Keeler, mais elle avait eu la chance de ne pas se faire pincer. Elle avait toujours eu de la chance. Dans la vie comme en amour. Elles étaient donc allées à cette soirée et, à peine la porte franchie, Phoebe l'avait laissée tomber comme une vieille chaussette.

Il y avait toutes sortes de gens à cette soirée, un vieil acteur célèbre qui était une tantouse notoire et beaucoup de beaux jeunes gens. Un mannequin que Phoebe connaissait, Kitty Gillespie, et une vedette de cinéma, un homme, qui fuirait bientôt les feux des projecteurs pour aller se trouver en Inde. Ils se mêlaient aux invités de diverses ambassades, un photographe de *Vanity Fair* était là, Phoebe portant un collier de diamants emprunté à sa mère et jamais rendu, et évitant manifestement d'être photographiée avec son politicien.

« Bonsoir », fit une voix grave. Tilly se retourna et vit un charmant jeune homme lui sourire. Il était noir comme du charbon. (Est-ce que la fille – Padma, Padma, Padma, si elle le répétait jusqu'à plus soif, elle finirait bien par mémoriser son prénom –, est-ce que *Padma* trouverait sa description raciste ?)

« Je ne connais personne », fit-il. « Enfin, maintenant vous me connaissez », répondit Tilly. Il était nigérian, expliqua-t-il, secrétaire d'un attaché ou un truc de ce genre, Tilly n'avait jamais très bien compris, mais il maîtrisait parfaitement l'art de la conversation. Il avait fait ses études à Oxford et Sandhurst, avait l'air plus anglais que le prince Philip et était intrigué au plus haut point par tout ce que Tilly avait à dire, contrairement à certains amis de Phoebe qui passaient leur temps à regarder par-dessus votre épaule pour voir si quelqu'un de plus intéressant n'entrait pas dans la pièce.

De fil en aiguille, Tilly l'invita dans son petit appartement de Soho le lendemain soir, lui dit qu'elle lui ferait la cuisine, alors qu'elle n'était même pas fichue de faire cuire un œuf, naturellement. Il avait plutôt l'air solitaire, nostalgique, Tilly comprenait ça : toute sa vie elle avait éprouvé de la nostalgie, non pas pour le domicile familial, mais pour l'idée de foyer.

Sa colocataire – la danseuse classique – était en tournée, ils eurent donc l'appartement pour eux seuls. Elle fit des spaghettis bolognaise, un plat difficile à brûler, mais Tilly y parvint. Heureusement, il y avait du bon pain, un beau morceau de stilton et ensuite des pêches en boîte avec de la glace et il avait apporté une délicieuse bouteille de vin français, la soirée ne fut donc pas un désastre complet et après ça, toujours de fil en aiguille – mais à ce stade il ne s'agissait plus tellement de conversation –, elle s'était réveillée le lendemain matin nue dans son lit, à côté d'un Noir également nu, et sa première pensée en ouvrant les yeux avait été : *Qu'est-ce que maman en penserait ?* L'idée l'avait fait rire. Il se prénommait John, mais ne lui avait dit son nom qu'une seule fois lors des présentations et c'était quelque chose d'africain et d'étrange avec un tas de voyelles (c'était raciste de dire ça ?).

Elle fit du café, du vrai avec une cafetière à pression, et courut à la Maison Bertaux acheter des viennoiseries qu'ils mangèrent au lit. Elle eut l'impression de vivre une aventure extraordinaire, une idylle.

Elle avait une répétition et il avait du travail, bien sûr, un mystérieux travail diplomatique, et ils avaient marché ensemble jusqu'à la station de métro Leicester Square. C'était une belle matinée de printemps, tout était propre, frais et plein de promesses. Tilly s'était mise sur la pointe des pieds et l'avait embrassé pour lui dire au revoir, au beau milieu de la station, une fille blanche embrassant un Noir en public. Desdémone et Othello, sauf qu'il ne serait pas dévoré de jalousie et ne finirait pas par la tuer. L'occasion ne s'était pas présentée : elle ne l'avait jamais revu.

Elle était si fatiguée. D'habitude, à cette heure, elle aimait bien manger un sandwich aux œufs durs, mais aujourd'hui elle n'en avait pas envie. Une bonne tasse de thé revigorante. Voilà ce qu'il lui fallait. Aucune trace de Padma nulle part, c'était sans doute aussi bien.

Elle se rendit en clopinant au camion-restaurant. Elle était un peu patraque ce matin. Sa hanche était douloureuse. Les docteurs parlaient de prothèse. Elle ne voulait pas être opérée. Être expédiée toute seule dans les ténèbres. D'une anesthésie qui ressemblerait à la mort.

∽

Barry était tellement perdu dans ses pensées qu'il faillit rentrer dans une femme du labo. Chinoise, aucun espoir de prononcer son nom comme il fallait, il l'appelait toujours « la Chinoise du labo ». Encore heureux qu'il ne dise pas la Chinetoque. Elle agitait un papier et lui demanda : « Vous avez vu l'inspectrice principale Holroyd ? On a des empreintes digitales relevées dans la maison de Harehills.

— Kelly Cross ? C'est du travail rapide.

— On les avait dans nos fichiers, c'est quelqu'un de chez nous. L'ex-commissaire Tracy Waterhouse. C'est sans doute vieux. Il est peu probable que ce soit lié au meurtre.

— Ouais, convint Barry. C'est hautement improbable. Leurs chemins ont dû se croiser. »

La nuit dernière, peut-être. Kelly Cross, pute sans cœur, frappée à la tête, poignardée à la poitrine et à l'abdomen. Le corps avait été découvert par une autre saloperie-de-pute-accro-au-crack vivant dans la même rue. Qu'est-ce que Tracy lui avait dit l'autre soir ? *Je me demandais si tu avais croisé Kelly Cross récemment, Barry ?* Et voilà que Kelly Cross était morte et qu'on avait relevé les empreintes digitales de Tracy sur la scène de crime. Quand il lui avait téléphoné hier soir, elle se trouvait au cœur de la zone d'abattage de Kelly. *Je cherche quelqu'un.* Qui ? Kelly Cross ?

Il n'était encore jamais venu au nouveau domicile de Tracy, n'y avait pas été invité. Un ouvrier polonais y faisait des travaux qui n'en finissaient pas et de toute façon elle n'était pas le genre à pendre la crémaillère. La porte de devant était fermée à clé mais celle de derrière était grande ouverte. Barry sonna et entra en disant très fort « Tracy ? Trace ? T'es là ? »

La *Marie-Céleste*[1]. Un fond de vin dans un verre, un paquet de chips vide. Il monta à l'étage avec l'impression d'être plus un intrus qu'un policier ou un ami. La salle de bains était propre et bien rangée. La chambre de Tracy un peu moins, le papier peint hideux. Tout ça était un peu trop intime pour Barry. L'idée de Tracy se déshabillant, se mettant au lit, dormant le mettait mal à l'aise. Il n'avait jamais nourri ce genre de sentiments à son égard. La deuxième chambre était pleine de cartons. La troisième avait un côté minable, mais quelqu'un avait dormi dans le petit lit. Qui ça ? Boucles d'or ?

Des jouets d'enfant traînaient par terre. Barry ramassa une petite théière en plastique bleu sur la moquette. Amy avait eu une dînette de poupée. Pourquoi Tracy avait-elle des affaires d'enfant chez elle ? Il lui était arrivé malheur ? Elle était de taille à se défendre. Trente ans dans la police, une vraie jument de brasseur, n'importe qui doté d'un minimum de jugeote y regarderait à deux fois avant de s'en prendre à elle, mais il y avait quelque chose qui clochait.

Il se rendit en voiture au Merrion Centre pour s'assurer qu'elle était bien partie en vacances. Il montra sa carte de police à un jeune boutonneux, il aimait intimider les jeunes boutonneux. « Je cherche Tracy, dit-il.

---

1. Bateau retrouvé abandonné entre les Açores et le Portugal en 1872. Le mystère de la disparition de son équipage n'a jamais été élucidé.

— Elle a fait quelque chose ? répondit le jeune freluquet intimidé. Un détective privé est venu ici l'autre jour, il la cherchait aussi. » Ce maudit Jackson qui fourre son nez partout, se dit Barry. « Je croyais que vous étiez venu chercher les cassettes ? fit le jeune boutonneux.

— Les cassettes », répéta Barry d'un ton neutre. Il avait appris depuis belle lurette à éviter les mots comme « oui » et « non ». Ils vous acculaient dans des impasses.

« Oui, les cassettes de vidéosurveillance. Vous alliez envoyer quelqu'un. La femme assassinée la nuit dernière…

— Kelly Cross ?

— Oui, bien connue de nos services et des vôtres. Un policier s'est apparemment rappelé l'avoir vue ici, mercredi. Vous vouliez visionner les cassettes, voir si elle était avec quelqu'un. Je pensais qu'ils enverraient un fantassin, ajouta-t-il, pas un commissaire.

— Je suis un fantassin, dit Barry. Je passe mon temps sur mes jambes. »

Il y avait trois cassettes, du noir et blanc granuleux. Il les visionna de retour à Millgarth, ça lui prit des heures. Tracy apparaissait et disparaissait au fur et à mesure de sa ronde. Il s'était quasiment assoupi quand Kelly Cross fit enfin son apparition avec une gamine à la remorque. Quelques secondes plus tard, on revoyait Tracy qui se mettait à la suivre. Elle marchait d'un pas martial comme si elle s'apprêtait à prendre un fort d'assaut.

Il y avait deux autres caméras de surveillance à l'extérieur du centre commercial, braquées sur la rue dans les deux sens. Barry aperçut de nouveau Kelly sur l'une. Elle était à l'arrêt de bus avec la petite gosse. Puis Tracy réapparaissait et avait un bref échange avec Kelly. Un bus arrivait et Kelly s'y engouffrait. Tracy restait sur le trottoir avec la gamine qu'elle tenait par la main. Au bout de deux secondes, elles s'éloignaient hors de portée des caméras.

Des gosses qui disparaissaient après l'assassinat de leur mère. Oui, Barry voyait pourquoi Tracy se mêlerait d'un truc pareil. Mais des gosses qui disparaissaient *avant* l'assassinat de leur mère, c'était plus curieux. Quelque chose que Barbara lui avait dit ce matin lui revint en mémoire : elle avait rencontré Tracy au supermarché et Tracy était accompagnée d'une gamine. Cette gamine-là ?

Barry éjecta la cassette et la mit dans la poche intérieure de son pardessus accroché au dossier de chaise. Il trouva un adjoint administratif dans le couloir et dit « Signalez à l'inspectrice principale Holroyd que les cassettes du Merrion Centre sont arrivées. Il y en a deux. »

Peut-être que ce Jackson avait réussi à mettre la main sur Tracy. Ça paraissait peu probable qu'un soi-disant détective privé l'ait retrouvée alors que lui, Barry, avait échoué. N'empêche que ça valait le coup d'essayer. Il avait dit qu'il était descendu au Best Western, si ses souvenirs étaient bons. Il enfila son pardessus. « Barry Crawford quitte le bâtiment », dit-il à l'agent d'accueil.

Devant le Slug and Lettuce de Park Road, il y avait une grande benne de chantier. Barry y jeta la troisième cassette du Merrion Centre.

Qu'est-ce qu'on disait déjà ? Prudence est mère de sûreté ?

12 avril 1975

« Qu'est-ce que tu en penses, toi, Barry ?

— Hein ?

— Qu'est-ce que tu en penses, Barry ? »

Ils revenaient d'Elland Road où un match bon enfant avait connu une fin agitée. La police montée avait dû intervenir. Utiliser des chevaux pour contenir les foules n'était pas une bonne idée, selon Tracy, c'était comme les envoyer à la bataille. Barry était avec eux, essayant d'éviter de payer sa tournée.

Tracy ne faisait pas grand cas de l'opinion de Barry, mais personne ne semblait avoir envie d'en parler. On avait apparemment tiré le rideau sur l'affaire Carol Braithwaite. « C'était la mère de quelqu'un, la fille de quelqu'un. On ne connaît même pas la cause de la mort.

— Étranglée, fit Barry.

— Comment tu sais ça ? » demanda Tracy. Barry haussa les épaules. « Personne n'a l'air de faire grand-chose, on dirait que l'affaire est enterrée. » Quatre jours depuis qu'Arkwright avait enfoncé la porte de Lovell Park, mais c'était comme si ça ne s'était jamais produit.

Un entrefilet signé Marilyn Nettles dans le journal et c'était tout. « On n'a même pas l'impression qu'il y ait une enquête, fit Tracy, et toi, dit-elle en se tournant d'un air accusateur vers Barry, qu'est-ce que tu fichais là-bas de toute façon ?

— Où veux-tu en venir ? »

Tracy songea à Lomax et Strickland à Lovell Park, ils avaient tous les deux l'air fuyant, se conduisaient comme les RG : ils en savaient plus long qu'ils ne voulaient bien le dire.

« Est-ce qu'ils t'ont seulement parlé ? » demanda-t-elle à Barry. Il haussa les épaules. « Tu hausses beaucoup les épaules, Barry.

— Ah, les mystères de la PJ, fit Arkwright. Cherche pas midi à quatorze heures, comme on dit dans la Brigade légère. Ça me paraît tout ce qu'il y a de plus simple. La pauvre fille lève un client, le ramène chez elle et elle a tiré le mauvais numéro. C'est des choses qui arrivent.

— Le plus vieux métier du monde, dit Barry, comme s'il était un homme d'expérience. Depuis qu'il y a des putes, y a des gens qui les tuent. C'est pas maintenant que ça va s'arrêter.

— Et tu trouves ça normal, Barry ? Qu'est-ce que tu dis de cette histoire de porte fermée de l'extérieur ?

— Qu'est-ce que tu insinues ? fit Barry. Tu crois que deux types de la PJ ont trucidé une grue avant de maquiller le crime. Tu perds la boule. »

Le scénario paraissait presque plausible à Tracy.

« Tu racontes n'importe quoi, Tracy, dit Barry. Tu ferais mieux de ne pas répandre ce genre de rumeurs, tu risques de te retrouver dehors sur le cul avant d'avoir eu le temps de dire "Eastman".

— Ils avaient un témoin, fit Tracy. Il a quatre ans – et alors ? Il m'a dit, il m'a bien dit que son père avait tué sa mère. Est-ce qu'on ne devrait pas au moins essayer de découvrir qui est son père ?

— Je suis sûr que c'est ce qu'ils font, fit Barry. Mais ça ne te regarde pas.

— Barry a raison, jeune fille. L'enquête est en cours. Ils ne vont pas accourir vers toi chaque fois qu'ils trouvent un indice », fit Arkwright.

« Je me suis dit que j'allais rendre visite à Linda Pallister, l'assistante sociale, dit Tracy à Arkwright, après le départ de Barry.

— La gonzesse hippy ? fit Arkwright.

— Elle vit en communauté.

— Une bande de zinzins crasseux, fit Arkwright. Facilite-toi la vie. Trace. Arrête un peu, on dirait un roquet. »

Une « communauté citadine », selon Linda. Un bien grand mot pour ce qui n'était en réalité qu'un squat, une vieille maison délabrée de Headingley promise à la démolition. Ses habitants élevaient des poulets dans le jardin. Des navets et des poireaux boueux, rabougris, difformes poussaient à l'emplacement d'un petit parterre.

Tracy qui venait de finir son service était toujours en tenue. « V'là les poulets », grommela un des types qui vivaient dans la maison lorsqu'elle le croisa dans le vestibule. Un autre fit « Cot cot codec ». Tracy eut envie de les arrêter, de les faire tous sortir menottés, manu militari. Elle n'aurait pas eu à chercher son excuse très loin : une odeur douceâtre de marijuana flottait dans les lieux.

Linda, la mère poule, la reine des abeilles, portait des sandales de marche pratiques sous une jupe longue en patchwork de coton. Ses cheveux mous étaient coiffés en queue-de-cheval, si bien qu'on voyait la totalité de son visage d'une santé révoltante. Elle faisait partie d'une coopérative d'aliments complets, mangeait du riz brun, cultivait des « germes », pas ceux qui vous filent des maladies, évidemment, et fabriquait de la « levure » pour des trucs comme le pain ou le yaourt. Linda suivait aussi des cours du soir d'apiculture. Tous ces renseignements furent vertueusement transmis à Tracy devant une tasse de thé offerte à contrecœur. Elles étaient assises dans la cuisine, dans le cercle de chaleur émis par une grosse et antique cuisinière Aga.

Le thé était horrible, ce n'était pas du vrai thé. « C'est du Rooibos », fit Linda. Du pissat de chat, ouais, songea Tracy. Il était servi dans de gros mugs affreux fabriqués par « une connaissance ». « On les a eus contre des œufs, dit Linda d'un air suffisant. Un beau jour, ajouta-t-elle le plus sérieusement du monde, il n'y aura plus d'argent. » Sur ce dernier point, il s'était avéré qu'elle n'avait pas tort.

Comme Tracy, Linda Pallister venait de finir son année probatoire. Contrairement à Tracy, elle avait un gamin, car elle s'était fait engrosser au beau milieu d'une louable licence de gestion sociale, à moins que ce ne soit de politique ou de sociologie. Elle avait passé le reste de ses études à transbahuter le gosse d'assistantes maternelles en garderies sur le porte-bébé de sa bicyclette.

Le gamin errait à moitié nu dans la cuisine, zizi caoutchouteux en goguette. Tracy fut choquée.

« Jacob », dit Linda. Il fit pipi par terre sous le nez de Tracy et Linda ne parut pas dérangée. « Les enfants devraient être libres d'agir à leur guise, dit-elle. On ne devrait pas leur imposer nos structures rigides et artificielles. Il est très heureux », ajouta-t-elle comme si Tracy avait suggéré le contraire.

Linda épongea le pipi de Jacob et, sans se laver les mains, coupa quelques tranches d'un gâteau qu'elle avait confectionné. « Du cake à la banane ? » proposa-t-elle à Tracy. Tracy refusa poliment. « Je surveille ma ligne, dit-elle. Faut bien que quelqu'un le fasse.

— Qu'est-ce que vous voulez ? demanda Linda. Vous n'êtes pas venue ici pour parler autarcie et volailles.

— Non, vous avez raison. Je me demandais seulement comment allait Michael.

— Michael ? fit Linda d'un air vague et soudain très occupée à moucher le nez de son morveux.

— Le petit Braithwaite, fit Tracy. Est-ce qu'il a été placé dans une famille d'accueil, parce qu'il n'est plus à l'hôpital ?

— Il est dans un autre hôpital.

— Où ça ? Pourquoi ? »

Linda fixa la tranche peu appétissante de cake à la banane sur son assiette et répondit : « J'peux malheureusement pas vous le dire. C'est contraire au règlement.

— Je ne peux donc pas aller le voir ?

— Pourquoi voudriez-vous lui rendre visite ? demanda Linda.

— Pour voir comment il va. » Parce que je l'ai tenu dans mes bras et que ça m'a brisé le cœur, songea Tracy, mais pas question de montrer la moindre faiblesse à Linda Pallister.

« Je vous l'ai dit, il va bien », dit Linda soudain hargneuse comme un roquet. Quand Linda découvrirait Dieu quelques années plus tard, sa personnalité s'améliorerait énormément. Un des rares arguments prêchant en faveur du christianisme, selon Tracy.

« Je ne vois pas comment il peut aller “bien”, protesta Tracy. Il est resté enfermé dans un appartement avec le cadavre en décomposition de sa mère pendant presque trois semaines.

— D’accord, “bien” n’est peut-être pas le mot juste, concéda Linda. Mais il a tout ce qu’il lui faut. Vous devriez laisser tomber. » Elle prit son gamin contre elle, l’enveloppa d’un bras protecteur et répéta : « Laissez tomber.

— Je ne peux donc absolument pas aller le voir ? insista Tracy.

— Non, soupira Linda. Pas de visites. C’est une directive venue d’en haut. »

Une folle seconde, Tracy crut que Linda parlait du ciel.

C’était ridicule, mais Tracy se disait presque que si personne ne voulait de Michael Braithwaite, elle pourrait peut-être l’accueillir chez elle, l’adopter même. Bien sûr, elle ne connaissait rien aux enfants et vivait encore au domicile familial. Elle voyait d’ici la tête de sa mère si elle ramenait un petit garçon abandonné, traumatisé.

« Il sera adopté par quelqu’un qui l’aimera, dit Linda Pallister. Il oubliera ce qui lui est arrivé, il est trop jeune pour s’en souvenir. Les enfants ont du ressort. »

Tracy posa elle-même la question à Len Lomax, elle n’avait pas eu l’intention de le faire, mais elle le croisa le lendemain au moment où il sortait du QG de Brotherton House.

« Sir, ça vous dérange si je vous demande s’il y a du nouveau dans l’affaire Carol Braithwaite ?

— Du nouveau ?

— Des suspects ?

— Pas encore.

— Vous n'avez pas retrouvé la clé ?

— La clé ? » Il tressaillit. Aucun doute là-dessus. « Quelle clé ?

— La clé de l'appartement de Carol Braithwaite. C'était fermé de l'extérieur.

— Je crois que vous pourriez être dans l'erreur, agente Waterhouse. Alors, comme ça, on joue les détectives, hein ? »

Il sortit d'un air digne et suffisant, monta dans une Vauxhall Victor rouge que Tracy se rappelait avoir vue quelque part. Elle tenta d'apercevoir le chauffeur, entraperçut une coupe au carré affilée comme un rasoir et un nez crochu qui aimait se fourrer là où il ne fallait pas. Pourquoi Lomax montait-il en voiture avec Marilyn Nettles ? Et pourquoi avait-il tressailli quand elle avait parlé de la clé ?

« Il était au courant pour la clé, dit-elle à Barry.

— C'est des conneries », fit-il. Il devenait nerveux chaque fois qu'elle mentionnait le nom de Carol Braithwaite. Pourquoi donc ? (« Parce que t'arrêtes pas de parler d'elle, putain, voilà pourquoi. ») Il but sa pinte cul sec et dit : « Faut que j'y aille, j'ai un rancard. Barbara a accepté de m'accompagner au cinéma. *Monty Python, sacré Graal* au Tower.

— Monty Python ? Oh, c'est romantique en diable, Barry », fit Tracy.

Tracy mit des années pour passer de la police en tenue à la PJ. Ça donnait à penser : c'était parce qu'elle était une femme, ou parce qu'elle était une femme qui posait les mauvaises questions ? Ou les bonnes. L'étoile de Barry, par contre, eut vite fait de briller au firmament. Il ne tarda pas à devenir un compagnon de beuverie de Lomax, Strickland, Marshall, et même d'Eastman, une fine équipe qui buvait de la bière comme du petit-lait et clopait à mort. Tous copains comme cochons. Le bon vieux temps.

∽

Elle était comme un terrier qui a senti un lapin. Elle ne lâcherait pas sa proie.

« Elle s'appelle comment ? fit Ray Strickland en fronçant les sourcils derrière sa pinte.

— Tracy Waterhouse. Elle est bien, Tracy, s'empressa d'ajouter Barry, mais elle n'arrête pas de répéter que le gosse a dit que c'était son père qui avait fait le coup. Elle ne veut pas en démordre. »

Une semaine plus tard, Len Lomax prit Barry à part et lui annonça qu'ils avaient alpagué à Chapeltown un type qui avait avoué être le meurtrier de Carol Braithwaite. « Il a dit qu'il était le père du garçon, fit Lomax.

— Il a donc été arrêté, il va y avoir un procès ? » demanda Barry, et Lomax de répondre : « Malheureusement non, le gars s'est bagarré à Armley pendant qu'il était en liberté provisoire et quelqu'un lui a flanqué un coup de couteau.

— Mort ?

— Ouais, mort. À la lumière de tout le reste, le gamin, ce qui lui est arrivé, l'affaire sera sans doute classée. »

C'est seulement beaucoup plus tard que Barry se demanda si ce que Lomax lui avait raconté était vrai. Il aurait pu inventer cette histoire de toutes pièces. Barry ne posait jamais de questions, prenait toujours ce que Lomax et Strickland lui disaient pour parole d'évangile. Dieu sait pourquoi.

« Fais-le savoir à ta copine, fit Lomax.

— Ma copine ? » s'étonna Barry. Son rendez-vous avec Barbara ne s'était pas aussi bien passé que prévu. Il s'était avéré qu'elle n'aimait pas Monty Python. (*Mais c'est juste une bande d'idiots, qu'est-ce qu'il y a de drôle là-dedans ?*) Les comiques Morecambe et Wise étaient plus son truc.

« À ton agente, fit Lomax.

— Tracy ? D'accord. » Barry se demanda depuis quand il était devenu le larbin de Strickland et Lomax.

« Souviens-toi, Crawford, prudence est mère de sûreté. » Barry n'avait pas la moindre idée de quoi il voulait parler.

Vendredi

Les lumières d'une station-service surgirent du brouillard et la femme demanda « On peut faire un arrêt technique, s'il vous plaît ? » Jackson se gara et, prenant la gamine par la main, elle se dirigea vers les toilettes situées à l'arrière.

« J'en ai pour une seconde », dit-elle. La gamine regarda Jackson par-dessus son épaule. Elle le fixait comme si elle se demandait s'il s'apprêtait à filer et à les laisser en carafe. Elle n'avait toujours pas décroché un mot. Était-elle muette, ou simplement traumatisée peut-être ? Il lui fit un petit signe de la main rassurant à la reine mère et elle lui répondit par sémaphore à l'aide de sa baguette magique.

Il se dit que ça pourrait être une bonne idée de faire des provisions. Bien que pas très grand, le libre-service vendait un peu de tout, des bouquets de fleurs aux sacs de combustible non polluant en passant par les denrées alimentaires et les magazines pornos. Huit heures du matin, l'endroit était désert, juste une ado qui s'ennuyait à mourir derrière son comptoir avec pour toute compagnie deux moniteurs vidéo qui lui permettaient de surveiller les pompes à essence. Elle mâchouillait une mèche de ses cheveux tout en longueur comme si c'était de la réglisse. La fille était menue et Jackson se demanda si elle devrait rester toute seule. Ce serait facile de la maîtriser et de la forcer à ouvrir la caisse, ou pire.

Une fois à l'intérieur, il eut du mal à se décider. Il devrait acheter quelque chose pour ses nouvelles connaissances, la mouflette avait un petit sac à dos, mais il semblait douteux qu'il soit rempli de rations. Il acheta une bouteille d'eau, du lait et du jus de fruit, deux petits pâtés en croûte, des pommes, des bananes, des fruits secs, du chocolat, des friandises pour chien et pour finir un gobelet de café noir à emporter. Le libre-service était plus grand qu'il n'y paraissait vu de l'extérieur.

De retour dans la Saab, Jackson attendit. Il but son café à petites gorgées. Du liquide brûlant, c'est tout ce qu'on pouvait en dire. Avec un vague goût de rouille. Il ouvrit le paquet de fruits secs et en jeta une poignée dans sa bouche. Il entendit un bruit de train étouffé par le brouillard et se demanda où il allait. Une vache, tout près, poussa un mugissement bas et maussade comme une corne de brume. C'était dans les moments de ce genre qu'il avait envie de se remettre à fumer. Il attendit encore un peu. Il se demanda s'il ne devrait pas aller voir si tout allait bien. L'une de ses passagères avait peut-être craqué aux toilettes.

Il vit la fille du garage sortir de son antre et commencer à charrier des seaux de fleurs et des sacs de combustible non polluant pour les installer en devanture. Quel que soit le salaire qu'on lui donnait, il ne devait pas être suffisant. Elle fit une pause sur le seuil en serrant contre elle un seau en plastique de fleurs déjà fanées dans leur linceul de cellophane, le genre de bouquets qu'on voit posés contre des arbres ou accrochés aux clôtures pour indiquer l'endroit où un malheureux cycliste ou piéton a été fauché. Un amoncellement de fleurs en décomposition s'élevait sur les lieux du déraillement. Quelqu'un lui avait montré une photo par la suite. Les bouquets avaient été déposés sur le pont qui enjambait la voie. Avec des peluches et des nounours à l'air kitsch.

C'est juste à cette époque, l'an dernier, que je mourus[1]. Deux ans pour être précis. Pour une obscure raison, le chat de Schrödinger lui vint à l'esprit. « Vivant et mort en même temps », avait dit Julia. Ça décrivait Jackson après l'accident de chemin de fer. « Ni lard ni cochon », aurait dit son frère.

La fille du garage lui lança un regard soupçonneux, mais son attention fut distraite par l'arrivée soudaine d'un quatre-quatre noir qui surgit du brouillard et ralentit pour s'arrêter de l'autre côté de la station-service. Le moteur continua à tourner, vaguement menaçant, comme un taureau qui piaffe en attendant d'être lâché dans l'arène. Avant que Jackson ait pu se faire une opinion (du style quel véhicule de dur à cuire à la con, ils se prennent pour qui, des seigneurs de la guerre, des gangsters ?), un homme – d'une espèce hybride, mi-arrière de rugby, mi-gorille à dos argenté – descendit côté passager et se dirigea vers les toilettes.

Le chauffeur descendit à son tour du Land Cruiser et commença à marcher vers la Saab. Des frères d'armes. Les deux hommes avaient le visage empâté de ceux qui ont été élevés au régime lard et pommes de terre et portaient des vestes de cuir qui avaient été pour la dernière

1. Emily Dickinson.

fois à la mode dans les années 1970, à moins de vivre en Albanie où elles n'ont jamais été *has been* et ne le seront peut-être jamais.

Il n'était qu'à mi-chemin de la Saab lorsque la femme réapparut en hurlant quelque chose à Jackson. Elle traversa la station-service comme un rhinocéros qui charge, la gamine sous un bras pendant que sa main libre essayait d'ôter le sac qu'elle portait en bandoulière. Le gorille à dos argenté la talonnait, mais elle réussit à passer la lanière par-dessus sa tête et la tenant à bout de bras, dans un mouvement d'une grâce surprenante – c'était plus du ballet que du lancer de marteau, la gamine faisant office de lest – elle pivota sur ses talons et balança son sac à la gueule de son poursuivant. Il le reçut en pleine poire et s'effondra. Jackson tressaillit intérieurement et se demanda ce qu'une femme pouvait transporter dans son sac qui occasionne de tels dégâts. Une enclume ? Voilà un sac qui aurait plu à Mrs Thatcher.

Le chauffeur du Land Cruiser changea de trajectoire pour se diriger vers la femme. Jackson descendit de voiture avec l'intention de le forcer à battre en retraite, mais la femme beugla quelque chose en lui faisant signe de remonter dans la Saab. Ce qu'il fit, surpris d'obéir à son ton d'aboyeur de fête foraine.

Inconsciente du grabuge, la fille du garage sortit d'un air hésitant en tenant un seau de tulipes. Malheureusement, le chauffeur du Land Cruiser, qui fonçait vers la Saab comme si c'était la ligne d'essai, ne réussit pas à se déporter à temps et fit valser la fille en éparpillant des tulipes partout sur le ciment. La collision donna juste le temps à la femme de jeter la gamine sur la banquette arrière de la Saab et de monter en quatrième vitesse en hurlant à Jackson « Démarrez, démarrez ! Mais démarrez, putain ! »

De nouveau, il obéit.

Dans son rétroviseur, il aperçut la fille du garage toujours étalée sans vie sur le ciment. Elle aurait de la chance si elle s'en sortait sans rien de cassé. Sa tête par exemple. Il distingua la silhouette du gars estourbi par le sac à main, toujours KO, puis le brouillard engloutit toute la scène. Jackson lança un coup d'œil par-dessus son épaule et vit que la femme avait couché la gamine sur le tapis de sol et qu'elle s'était collée à elle comme un escargot. Elle les croyait armés ? Quand il y avait des armes, Jackson préférait se trouver dans un véhicule blindé officiel plutôt que dans une berline familiale fabriquée dans un pays neutre.

La violence domestique ne semblait plus vraiment plausible.

« C'étaient qui ces nervis ?

— Je n'en ai pas la moindre idée, fit-elle.

— Ils avaient l'air d'être à vos trousses.

— Ça en avait tout l'air. »

Jackson avait toujours de l'adrénaline à revendre, mais ses passagères paraissaient imperturbables. Le chien était toujours résolument endormi au pied de la place du mort. Jackson était convaincu qu'il faisait semblant. Combien de temps faudrait-il avant qu'il regrette son choix de nouveau chef de meute ? La gamine affichait aussi une impassibilité remarquable et sa guerrière amazone farfouillait dans son sac comme si trouver un bâton de rouge à lèvres ou un mouchoir en papier était plus urgent que de réfléchir au carnage qu'elle laissait derrière elle. Elles avaient essayé de se nettoyer un peu dans les toilettes du garage. Il remarqua que la femme n'avait plus de sang sur les mains. Il eut le sentiment qu'il y avait peut-être là une métaphore cachée.

Il repensa au type qu'elle avait estourbi avec son sac à main et qui gisait KO sur le ciment. *Fragilité, ton nom est femme*[1] !

« Mais qu'est-ce que vous pouvez bien avoir dans ce sac ? » finit-il par demander. Le chat et moi, songea-t-il, on ne peut pas s'empêcher d'être curieux.

Elle sortit une grosse torche noire qu'elle brandit dans l'axe de son rétroviseur pour qu'il puisse l'admirer. On aurait dit une vieille torche de police. Ça pesait une tonne, pas étonnant que le gars ne se soit pas relevé. Elle ne faisait pas de quartier, ça c'est sûr. Elle rangea la torche et se remit à explorer son sac dont elle finit par exhumer un portable. Jackson supposa qu'elle allait signaler l'incident du garage.

« Vous prévenez la police ? s'enquit-il.

— Ouais, c'est ça », fit-elle avant de baisser sa vitre et de jeter son téléphone. Il se retourna pour la regarder.

« Eh ben quoi ? » fit-elle.

« Qu'est-ce que vous fabriquez ? » demanda-t-elle quand Jackson dégaina son téléphone. Encore une femme aigrie, songea Jackson en soupirant. Il ne voyait que ça. Des femmes aigries qui donnaient naissance à des filles aigries, de sorte que le cercle n'était jamais brisé.

« J'appelle Police-Secours.

— Pourquoi ?

---

1. Shakespeare, *Hamlet* (I, 2).

— La fille du garage, expliqua-t-il avec une patience exagérée. C'était un témoin innocent, ajouta-t-il en pensant aux tulipes dont les fers de lance éparpillés égayaient la station-service de leurs couleurs primaires.

— Témoin innocent ? fit la femme. Quel témoin innocent ? Personne n'est vraiment innocent.

— Les enfants ? Les chiens ? suggéra Jackson. Moi ? »

Elle émit un grognement moqueur comme aurait pu le faire une femme mariée avec lui depuis dix ans.

« Je vois, vous ne souhaitez pas que la police s'en mêle, fit-il. Vous voulez me dire ce qui se passe ?

— Pas particulièrement. De toute façon, personne n'est vraiment un *témoin*, dit-elle d'un ton songeur comme s'ils étaient plongés dans un débat philosophique. On pourrait arguer que nous sommes tous des témoins.

— Ce n'est pas une question de sémantique, fit Jackson. Nous venons de laisser cette fille et je dirais, eh bien oui, que les mots "innocent" et "témoin" décrivent bien son rôle dans cette affaire.

— Sémantique, murmura-t-elle. Un grand mot pour une heure aussi matinale. »

Dans ce genre de circonstances, l'honnête citoyen moyen a tendance à appeler Police-Secours. Fugitive, criminelle, sac à main assassin, quelle était l'histoire de cette femme ? Jackson soupira. « Vu que j'ai l'air de vous aider à fuir un truc qui paraît des plus louches, c'est le moins qu'on puisse dire, est-ce que je peux croire sur parole que vous êtes du bon côté ?

— Du bon côté ?

— Par opposition au mauvais.

— Parce que je suis une femme ? Une femme accompagnée d'un enfant ? Ça ne coule pas de source. »

L'enfant en question était endormie. La baguette argentée, plus vraiment en état, avait fini par glisser de ses doigts. Il espérait pour elle que ce n'était pas une journée comme les autres. « Non, fit-il. Parce que vous avez dit que vous étiez dans la police.

— Une fois de plus, ça ne coule pas de source, fit-elle en haussant les épaules.

— Je vais quand même la prévenir. » Il s'attendait à recevoir un coup de torche, mais voilà que la gamine se réveille et dit : « J'ai faim. »

∽

« Vous n'auriez pas des bananes par hasard ?

— Il se trouve que si », fit-il en en sortant quatre du sac en plastique posé sur le siège passager. Comme un magicien. Ou un bouffon. Il ne manquait pas de toupet. C'était vraiment un ex-policier ? Il avait un petit côté mauviette, d'être du genre à secourir les demoiselles en détresse mais pas si ça supposait trop d'emmerdements. Il était plutôt séduisant, elle devait lui reconnaître ça, mais c'était le cadet de ses soucis pour l'instant. Jouer les anguilles pour échapper à de mystérieux poursuivants pouvait faire ça à une femme. Être femme pouvait faire ça à une femme. Il avait un stupide petit toutou, on ne pouvait que s'interroger sur ce qui attirait un homme vers un animal de cette taille.

« Je ne connais même pas votre nom, dit-il.

— Non, c'est vrai, reconnut-elle.

— Banane ? Pomme ? Friandise pour chien ? » proposa-t-il. La gamine prit une pomme. « Maman voudrait quelque chose ? dit Jackson en la regardant dans le rétroviseur.

— C'est pas ma maman », déclara la gamine d'un ton neutre. Tracy eut un petit coup au cœur.

« Les gosses disent de ces trucs, fit-elle en lui rendant son regard dans le rétro. Regardez devant vous, ajouta-t-elle. C'est pas le moment d'avoir un accident. Vous avez une fée à bord. »

Qui étaient ces types au garage ? Deux malfrats en vestes de cuir qui travaillaient en tandem, mais pour qui et pourquoi ? Le premier avait ouvert la porte des WC à la volée pendant que la gosse se lavait les mains. Il avait ouvert la bouche pour dire quelque chose mais avant qu'il ait pu cracher son venin, Tracy lui avait flanqué un grand coup de genou là où ça fait le plus mal. Et elle avait couru. Quelqu'un voulait apparemment récupérer la gamine. Et ce n'était pas Kelly Cross qui ne voulait plus rien. Qui ne voudrait plus jamais rien.

Le chauffeur de la Saab composa le 999 tout en conduisant, un coup de fil anonyme pour signaler un « incident » dont il souligna la gravité. Il donnait plus l'impression d'être un pro qu'un « témoin innocent » – son expression favorite, semblait-il. « Envoyez une ambulance », dit-il avec autorité.

« Utilisation d'un portable au volant, fit Tracy quand il en eut terminé. Vous venez de commettre une infraction.

— Arrêtez-moi », dit-il.

Son téléphone était l'équivalent d'un signal lumineux qui flashait son identité à tous ceux qui pourraient la chercher. N'importe qui pouvait vous découvrir si vous aviez un portable. Une femme en cavale avec une gosse enlevée ne devait pas faire de publicité. Elle avait jeté son téléphone par la fenêtre de la voiture. Désormais, elles étaient des hors-la-loi.

Ils étaient sur des routes qui ne lui étaient pas familières, dans des endroits qui ne lui disaient rien – Beckhole, Egton Grange, Goathland – mais voici qu'apparaissaient des panneaux indiquant la côte. Tracy n'avait pas envie d'aller sur la côte, elle voulait se rendre dans sa location de vacances. Elle voyait une bonne raison de rester avec cet homme. Sans lui, elle était une femme solitaire en cavale avec une enfant qui ne lui appartenait pas. Ensemble, ils formaient une famille. Ou un truc qui y ressemblait pour quiconque était à leur poursuite. Tracy envisagea de rester un peu plus longtemps en sa compagnie avant de repousser l'idée. Elle lui tapa sur l'épaule. « Nouvel arrêt technique », dit-elle d'un air contrit.

Il s'arrêta. Ils étaient au milieu de nulle part. Tracy préférait ça au milieu de quelque part.

« Ça ne ferait pas de mal à ce chien de prendre l'air aussi, lui rappela-t-elle. De se dégourdir les pattes, de faire un petit pipi.

— Oui, convint-il, vous avez sans doute raison. »

Ils descendirent tous de voiture. Tracy se dirigea vers un petit affleurement rocheux discret qui se trouvait tout près. « J'ai pas envie, lui chuchota Courtney.

— Parfait », fit Tracy en regardant le chien sauter dans la bruyère suivi de l'homme. Tout ce qu'il lui fallait, c'était que l'homme soit plus éloigné de la voiture qu'elle. Qu'il soit plus lent à réagir. Et dans l'ensemble plus stupide. Il s'avéra être les trois. Elle attrapa la main de la gamine et dit : « Allez, vite, en voiture. »

Le brouillard fut de nouveau leur allié. Avant que le chauffeur de la Saab ait eu le temps de comprendre ce qui lui arrivait, Courtney avait réintégré son siège et bouclé sa ceinture. Il fallait reconnaître une chose à cette gamine : c'était une championne du départ sur des chapeaux de roue. Tracy s'installa au volant et mit le contact. En quelques secondes, elles eurent plusieurs centaines de mètres d'avance sur Jackson Brodie.

Son portable se trouvait sur le siège passager. Tracy ralentit et le jeta sur le bas-côté de la route.

Cent mètres plus loin, Courtney dit : « Il a laissé son sac. »

Cette fois, Tracy s'arrêta, hissa le sac à dos sur le siège passager, ouvrit la portière et le balança dehors.

« Bon débarras ! » dit-elle.

∽

Barry entra au Best Western en brandissant sa carte de police. La réceptionniste fut décontenancée par son entrée en fanfare. Maquillée comme une hôtesse de l'air, elle portait un tailleur trop petit et avait les cheveux relevés en une coiffure si compliquée qu'il lui avait sûrement fallu deux femmes de chambre victoriennes pour mettre toutes les épingles ce matin. Au revers de sa veste, elle portait un badge disant *Concierge* comme si c'était son prénom. Barry se souvenait d'une époque où les concierges d'hôtel étaient tous des types d'âge mûr sans scrupules qui se servaient dans la caisse à la première occasion.

« C'est-à-dire que je l'ai trouvé un peu bizarre ?

— Comment ça, bizarre ? » s'enquit Barry. Il ne pensait pas qu'il y ait quoi que ce soit au monde qui lui paraîtrait bizarre aujourd'hui. Encore une Australienne. Ils étaient partout.

« Un peu, je sais pas, moi, parano ? Il avait toujours l'air d'entrer et de sortir en catimini. Une fois, j'ai cru qu'il cachait quelque chose dans sa veste et il ne se déplaçait jamais sans son sac à dos. De nos jours, on pense aussitôt "terroriste", n'est-ce pas ? Il avait certainement un côté louche. Qu'est-ce qu'il a fait ?

— Je ne sais pas encore, fit Barry. Est-ce que je pourrais jeter un coup d'œil dans sa chambre ? »

Il n'y avait rien. Ce Jackson de malheur avait réglé sa note tôt ce matin et la femme de chambre avait bien fait son travail. Barry ne voyait aucun indice qui révèle sa véritable identité – pas de poils pubiens enroulés dans un coin de la salle de bains ni de belle empreinte digitale bien grasse sous la lunette des WC. Il n'avait apparemment rien laissé, à part un pourboire généreux à la femme de chambre. Dommage qu'il n'ait pas punaisé un mot au mur pour expliquer ce qu'il mijotait.

Barry sortit une mignonnette de vodka du mini-bar, s'assit sur un des lits jumeaux et la but cul sec. Il se sentait tout le temps fatigué. Il prit sa tête dans ses mains et fixa la moquette, remarqua quelque chose qui avait échappé à la vigilance de la femme de chambre : un poil.

Il n'avait pas l'air d'appartenir à un humain. Barry le prit délicatement entre le pouce et l'index et l'examina de près. Ça ressemblait à un poil de chien.

Ce Jackson cherchait la vérité au sujet de Carol Braithwaite. Linda, Tracy, Barry avaient joué des petits rôles, été des figurants dans le drame de sa mort. Il était peut-être temps que les protagonistes entrent en scène. C'était la fin des temps. Barry était en train de couler, autant entraîner d'autres gens avec lui dans le naufrage.

Il n'avait qu'une envie pour l'instant, s'allonger sur le lit et faire un somme, mais il se souleva avec effort et but une seconde mignonnette de vodka. Puis il remplit les deux petites bouteilles au robinet et les remit dans le mini-bar.

Il ne pouvait plus continuer comme ça. Le ressort était cassé. Le jour du Jugement approchait. Pour lui. Pour tout le monde.

« Merci, ma jolie, dit-il en rendant la carte en plastique. Les kangourous ne vous manquent pas trop ? »

∽

Jackson et le chien assis à côté de lui regardèrent la Saab s'éloigner. « Je n'y crois pas », fit Jackson. Il avait l'impression d'avoir perdu une vieille amie. « J'aimais beaucoup cette voiture », dit-il.

La Saab se mit à ralentir et Jackson fit « Allez, viens, elle a dû changer d'avis », et de piquer un sprint. La Saab s'arrêta le temps de balancer son portable sur le bas-côté de la route et repartit avec le chien et lui cavalant derrière. Elle le nargua en s'arrêtant une seconde fois pour jeter son sac à dos. Il se remit à courir et s'apprêtait à la rejoindre lorsqu'elle redémarra. Il récupéra son téléphone et son sac et attendit de voir si quelque chose d'autre allait être éjecté, mais cette fois la Saab s'éloigna pour de bon. « Le sexe faible, tu parles », dit Jackson au chien. (« En amour comme à la guerre, tous les coups sont permis », lui avait un jour affirmé Julia.)

Jackson aperçut la baguette magique qui battait la mesure comme un métronome à la lunette arrière de la voiture. L'adieu de la gamine.

Ils étaient en rase campagne. Téléphoner à un ami ? En avait-il ? Julia peut-être. Elle ne pouvait pas faire grand-chose. Interroger l'auditoire ? Il se tourna vers le chien. Une créature muette. Il trouva le paquet de friandises pour chien dans sa poche, tout ce qu'il avait réussi à sauver de ses emplettes au libre-service du garage. C'étaient des petits biscuits en forme de minuscules os. Ils avaient l'air étonnamment appétissants, mais il résista à la tentation et en jeta un au chien.

Un taxi semblait une option raisonnable, mais bien que son portable eût l'air d'avoir survécu à son vol plané, il n'y avait pas de signal. Il ne restait donc plus qu'à marcher. L'idée souriait naturellement plus au chien qu'à Jackson.

Ils crapahutèrent pendant une bonne demi-heure avant de rencontrer le moindre signe de civilisation. Le chien entendit la voiture avant Jackson. Jackson l'attrapa par le collier et le tira sur le bas-côté où ils attendirent que le véhicule émerge du brouillard. Se rappelant le Land Cruiser, Jackson envisagea de se jeter dans le fossé le plus proche, mais il n'y en avait pas et il voyait à présent que ce n'était pas un quatre-quatre qui roulait vers eux sur la route déserte, mais une Avensis, grise.

Jackson leva la main pour lui faire signe d'arrêter. « La bourse ou la vie ! » murmura-t-il au chien.

L'Avensis stoppa et la vitre du côté gauche s'abaissa. « Tiens donc, vous ici », fit le chauffeur.

Jackson le dévisagea, regrettant une fois de plus de ne pas s'être fait faire de lunettes. Ils se connaissaient ?

Le chauffeur de l'Avensis ouvrit la portière côté passager et dit : « Ne dit-on pas que les grands esprits se rencontrent ? Je vous dépose quelque part, chef ? »

C'était le serveur du room-service qui avait posé le boîtier émetteur. Jackson regarda le chien pour confirmation, mais le chien avait déjà bondi lestement à sa place désormais attitrée : au pied du siège passager.

Jackson le suivit à contrecœur.

Un petit lapin rose en peluche pendouillait au rétroviseur. S'il existait un concours d'accessoires de voiture merdiques, Jackson était certain que sa petite mascotte, la Sainte Vierge lumineuse à ventouse qui tremblotait sur son tableau de bord et contenait une pile dans ses entrailles sacrées, gagnerait haut la main face à un lapin en peluche rose.

« Whitby, c'est bien ça, patron ? fit le chauffeur de l'Avensis en soulevant une casquette de chauffeur imaginaire.

— Oui, merci. » Bizarre, vous avez dit bizarre.

« Gentil clebs, dit le chauffeur de l'Avensis.

— Ouais, fit Jackson. Je crois que vous avez dit ça hier soir quand vous lui avez mis un boîtier émetteur. Pourquoi me suivez-vous à la trace ?

— C'est peut-être le chien que je suis à la trace. » Il redémarra et dit : « Bon, c'est parti, chef. D'abord on prend Manhattan, puis on prend Berlin[1], c'est ça ?

— Vous êtes qui, bon sang ?

— Tout de suite les questions difficiles. Qui suis-je ? répéta pensivement son nouvel ami. Qui suis-je ? Naturellement, on pourrait se demander : qui sommes-nous tous ?

— Ce n'était pas vraiment une question philosophique, fit Jackson.

— Nom, rang, numéro matricule ?

— Je me contenterais d'un nom. » De près, Jackson voyait que l'homme avait l'air un tantinet bouffé aux mites. Il avait la peau grise d'un fumeur et justement le voilà qui se penchait pour récupérer un paquet de cigarettes dans la boîte à gants.

« Vous en voulez une ?

— Non, merci. » Dis-toi que tu es entré dans une autre réalité, songea Jackson. Ça avait dû se produire au moment de son arrivée à Leeds. « Est-ce que ça a quelque chose à voir avec Linda Pallister ? risqua-t-il.

— Qui ça ?

— Ou Hope McMaster ?

— Ah, *L'espoir jaillit éternel dans le cœur humain. L'homme n'est jamais béni, mais doit l'être à la fin.* Alexander Pope. Il a écrit des bons trucs. Vous le connaissez ?

— Pas personnellement, fit Jackson.

---

1. Chanson de Léonard Cohen.

— Qu'est-ce que vous faites si loin de tout ?

— C'est-à-dire… » répondit Jackson abattu par la complexité de son histoire avant même d'avoir commencé. Il opta pour la version simplifiée. « On m'a volé ma voiture. »

Le brouillard commençait enfin à se lever, des rais d'or pâle brillaient à travers les écharpes qui s'effilochaient.

« La journée promet d'être belle », dit le chauffeur de l'Avensis.

« Le premier qui voit la mer », criaient-ils toujours quand ils allaient sur la côte. Jackson, Josie et Marlee. Leur petit trio familial uni lui semblait remonter à des lustres. Le gagnant (toujours Marlee même s'il fallait lui montrer la mer du doigt) avait droit à trois pastilles de chocolat. Josie rationnait les bonbons comme si on était en temps de guerre.

Pas la moindre trace de mer aujourd'hui, le brouillard ensevelissait toujours la côte. Un « sea fret », un brouillard humide, disait-on au Yorkshire. En Écosse, tout là-bas au nord, l'Ultima Thule, Louise aurait dit « haar ». Ils étaient séparés par un langage commun et une frontière invisible. Pensait-elle quelquefois à lui ?

Lorsqu'ils arrivèrent au sommet de la dernière colline, le brouillard avait commencé à se dissiper et Whitby se dévoilait peu à peu dans toute sa splendeur gothique – l'abbaye, le port, West Cliff, le méli-mélo des maisons de pêcheurs.

« On voit pourquoi le comte Dracula a débarqué ici, hein ? dit le chauffeur de l'Avensis.

— Le Dracula dont vous parlez n'est pas un personnage réel, fit remarquer Jackson. C'est un personnage fictif. »

Le chauffeur haussa les épaules et dit : « Réalité, fiction, où est la différence ?

— C'est-à-dire… » fit Jackson. Mais avant qu'il ait eu le temps de suggérer une preuve convaincante (du style *Vous voulez sentir la différence entre un coup de poing fictif et un vrai ?*) ils amorcèrent leur descente sur la ville et le chauffeur de l'Avensis dit : « Je vous dépose au commissariat, c'est ça ?

— Au commissariat ?

— Pour signaler le vol de votre voiture.

— Oui, bien sûr, bonne idée », fit Jackson. L'arrivée de l'Avensis avait été si étrange qu'il en avait momentanément oublié son équipée avec la femme et la gamine. Il avait l'impression d'être dans un épisode du *Prisonnier* : à tout moment une gigantesque boule de chewing-gum allait arriver en rebondissant dans la rue, l'avaler et démontrer que bien peu de choses séparent la réalité de la fiction.

Ils roulaient au pas, le chauffeur de l'Avensis scrutait les alentours comme un étranger dans la ville.

« Vous savez où se trouve le commissariat ? » demanda Jackson.

Le chauffeur de l'Avensis tapota son GPS sur le tableau de bord. « Moi, non, mais elle, oui. » Jackson éprouva une pointe de jalousie. Dans son esprit, Jane était la femme d'un seul homme.

L'Avensis se gara sur le parking du commissariat de Spring Hill. Jackson descendit de voiture, suivi du chauffeur. « Je vais me dégourdir un peu les jambes », dit-il. Il s'avéra que l'exercice consistait à s'appuyer au capot de sa voiture et à s'allumer une autre cigarette.

« Croyez-le si vous voulez, chef, dit-il, mais nous sommes du même bord, nous travaillons tous les deux dans le même but, c'est juste que nos points de départ sont différents.

— Le même but ?

— Morbleu, c'est l'heure qu'il est ? » fit-il en regardant ostensiblement sa montre. (Morbleu ? Qui employait encore ce mot ? Enfin, à part Julia, bien sûr.) « Faut que j'y aille, un devoir urgent m'appelle en certain lieu. »

À moins de l'attacher, de lui mettre un bandeau sur les yeux et de lui jouer de la musique heavy metal non-stop, Jackson ne voyait pas comment obtenir de cet énergumène qu'il lui dise qui il était ou quelle était sa mission. Il fut donc surpris quand le chauffeur lui tendit la main et dit : « Je m'appelle Bond, James Bond. Nan, mon pote, je blague. C'est Jackson.

— Pardon ? fit Jackson.

— Brian Jackson. » Il fouilla dans ses poches et finit par en exhumer une carte de visite bon marché : *Brian Jackson – Enquêtes privées*. « Deux cents livres de l'heure plus les frais. » Avant que Jackson ait pu dire quoi que ce soit, et il avait énormément à dire, Brian Jackson était remonté dans son véhicule. Il descendit sa vitre, dit « Sayonara. À un de ces quatre », et s'éloigna.

« Deux cents livres de l'heure, dit Jackson au chien. Je ne fais pas payer assez cher.

— Plus les frais », ajouta le chien. Dans un univers parallèle, évidemment, où les chiens communiquent et les hommes sont muets. Dans cette réalité, le chien attendit simplement les ordres sans moufter.

Il attacha le chien dehors et entra dans le commissariat. L'agent d'accueil était au téléphone et leva un doigt pour indiquer à Jackson qu'il serait à lui dans peu de temps. Le doigt lui désigna ensuite une chaise fonctionnelle contre un mur. Jackson admira un homme capable de communiquer autant de choses en si peu de mots. Sans aucun mot en fait, juste un doigt.

L'agent raccrocha et fit signe à Jackson d'approcher avec son doigt admirablement articulé.

Jackson hésita. C'était du vol pur et simple. On lui avait pris sa voiture sans sa permission. La femme avait non seulement volé la Saab, mais elle était en cavale avec sa gamine, poursuivie par deux malfrats. Autant de questions qui relevaient de la police. « *C'est pas ma maman.* » Les paroles de la gamine lui revinrent à l'esprit. Il n'allait tout de même pas devoir ajouter un enlèvement à la liste ? Les gosses passent leur temps à dire des trucs de ce genre. Deux mois plus tôt, Marlee lui avait hurlé : « T'es pas mon vrai père ! »

« Sir ? »

S'il signalait le vol de la Saab, la police rechercherait la femme qui était mal barrée mais prétendait être du bon côté. Jackson avait l'instinct rebelle.

D'un autre côté…

Elle lui avait fauché sa *voiture.*

Il repensa à la gamine agitant solennellement sa baguette magique. À la femme lui faisant un bouclier de son corps pour la protéger des balles. Il sentit la balance pencher en faveur de cette dernière.

Quand même.

Sa voiture.

« Sir ?

— C'est rien, fit Jackson. Je me suis trompé. Désolé de vous avoir dérangé. » Bien sûr, il y avait une personne qui pourrait lui retrouver sa voiture. La personne dont le boîtier émetteur se trouvait dans la boîte à gants. Mais ça signifierait employer Brian Jackson à *deux cents livres de l'heure plus les frais* pour un boulot qu'il devrait être capable de faire lui-même. C'en était trop pour son orgueil masculin.

« Les affaires avant le plaisir », dit-il au chien. Un petit plan qu'il avait pris dans un office de tourisme près du port conduisit Jackson à sa destination – un cottage caché dans une cour au fond d'un passage étroit. La maison que Jackson cherchait et dont il avait obtenu l'adresse grâce à 192.com était la dernière, elle soutenait le poids de trois autres cottages qui penchaient de façon spectaculaire en raison d'un affaissement de terrain ancien.

Quand Marilyn Nettles finit par venir lui ouvrir en traînant la savate, Jackson brandit sa carte de visite. Il huma une odeur démodée – lavande et gin. Elle avait un début de bosse de douairière et une bouche suggérant toute une vie passée la clope vissée au bec. Elle prit sa carte comme si elle était souillée par quelque chose de contagieux, l'examina et dit dédaigneusement : « *Détective privé*, ça peut vouloir dire n'importe quoi.

— Ça signifie, expliqua obligeamment Jackson, que j'enquête sur une question d'ordre privé. Carol Braithwaite », ajouta-t-il.

Marilyn Nettles émit un grognement en reconnaissant le nom et fit « Entrez donc, entrez donc », impatiente tout à coup, alors que c'était elle qui le faisait poireauter sur le pas de la porte.

Jackson dut se baisser. Le cottage était minuscule, la porte d'entrée ouvrait directement sur ce qu'un agent immobilier aurait appelé « une pièce multifonctions ».

Un escalier menait au premier. La maison consistait en deux pièces empilées l'une sur l'autre. Il sentit en s'avançant que le sol était en pente comme dans une attraction foraine. Les murs étaient badigeonnés de nicotine.

« Asseyez-vous », dit-elle en lui indiquant un canapé à deux places dont la moitié était occupée par ce que Jackson prit d'abord pour un coussin, puis pour une œuvre de taxidermie féline. Au moment précis où la question *À quoi bon empailler un chat ?* lui traversait le cerveau, l'objet en question se transforma en un vrai chat. À la vue de Jackson, l'animal se leva et s'étira d'une façon extravagante en faisant le gros dos comme une chenille. C'était un geste étrangement menaçant, comme celui d'un pugiliste qui s'échauffe avant de monter sur le ring. Il sortit ses griffes, les fit jouer, les planta fermement dans le tissu du canapé. Jackson était content d'avoir laissé le chien attaché à une grille dans la cour.

Comme si elle lisait dans ses pensées, Marilyn Nettles demanda « Vous avez été en contact avec un chien ? », sur le ton d'une femme jalouse lui demandant s'il était sorti avec une autre femme. « Il déteste les chiens, il les sent à cent pas. » Jackson s'assit avec précaution à côté du chat qui se remit de mauvais poil à imiter un coussin. Jackson se demanda s'il souffrait de tabagisme passif.

Une pendulette sur le manteau de cheminée sonna l'heure avec un bruit métallique et Marilyn Nettles tressaillit comme une femme qui vient de s'apercevoir que ça fait longtemps qu'elle ne s'en est pas jeté un derrière la cravate.

« Du café ? Mr Jackson ?

— C'est Brodie, en fait. Jackson Brodie.

— Hum », dit-elle comme si elle en doutait et elle se dirigea d'un pas mal assuré vers le fond de la pièce où d'antiques appareils ménagers s'alignaient contre un mur. Elle brancha une bouilloire électrique et versa une cuillère de café instantané dans des mugs avant d'ajouter une rasade de gin dans l'un, ce qui expliquait son hospitalité inattendue, supposa-t-il.

L'endroit était minable, des poils de chat et de la poussière dansaient dans les rayons de soleil. Ça faisait longtemps que rien n'avait été retapissé, repeint, ni même lavé. Il sentit dans son dos, derrière son coussin, quelque chose de dur qui s'avéra être une bouteille de gin vide. Des vêtements traînaient sur le canapé. Jackson préféra ne pas les regarder de trop près au cas où il s'agirait des dessous de Marilyn Nettles. Il eut l'impression qu'elle dormait, mangeait et travaillait dans cette pièce.

Une vieille machine à écrire Olivetti Lettera entourée de piles de papier trônait sur une table près de la fenêtre. Jackson se leva et alla y jeter un coup d'œil. Il se mit à lire la page engagée dans le chariot :

> *La menue et blonde Debbie Mathers ne se doutait guère que le bel homme à l'élégance nonchalante qu'elle avait épousé était en réalité un monstre qui mettrait à profit leur lune de miel apparemment idyllique pour l'assassiner afin de toucher l'assurance-vie qu'il…*

« Mr Jackson ?

— Désolé », fit Jackson qui tressaillit. Il ne l'avait pas entendue approcher sur le tapis jonché de miettes de biscuit. « Je n'ai pas pu m'empêcher de jeter un coup d'œil à votre dernière œuvre. Je m'appelle “Brodie” à propos.

— C'est de la daube, dit-elle sans ménagements en indiquant l'Olivetti d'un signe de tête. Mais ça paie les factures. »

Elle désigna d'un autre signe de tête une bibliothèque contenant une série de livres aux titres du style *La Postière empoisonnée, Le Fiancé perfide.* L'éditeur en était Les Presses Rouge Sang dont le logo était un stylo-plume dégouttant de sang. Marilyn Nettles en prit un et le tendit à Jackson. *La Couturière raccourcie*, disait le titre en lettres d'un rouge métallique qui se détachaient en relief sur une couverture racoleuse montrant au premier plan une femme à moitié nue, yeux exorbités, bouche ouverte dans un hurlement, qui essayait d'échapper à une sombre silhouette masculine brandissant un énorme couteau. Au dos, on voyait une photo au flou artistique de « Stephanie Dawson », qui avait l'air d'avoir été prise des décennies plus tôt. Entre cette photo et la femme qu'il avait sous les yeux, il y avait eu beaucoup de cigarettes et d'alcool.

« Mon nouveau livre s'intitule *La Mariée mutilée.* Ils appellent ça du "Vrai Noir", dit Marilyn Nettles. En fait, c'est destiné aux gens qui ne savent pas lire. » Elle examina la couverture de *La Couturière raccourcie.* « Des femmes en danger, dit-elle en tendant à Jackson un mug de café. Ça fait un tabac. Ça donne à réfléchir.

— Oui », admit-il. Le mug n'avait visiblement pas vu de liquide vaisselle depuis belle lurette. Lubrifiée par son Nescafé-gin, Marilyn Nettles paraissait plus disposée à parler, bien que toujours un peu réticente. Elle alluma une cigarette sans en offrir à Jackson et demanda : « Qu'est-ce que vous voulez au juste ?

— Qu'est-ce que vous pouvez me dire de Carol Braithwaite ?

— Pas grand-chose. Guère plus que ce qu'il y avait dans mon article. Pourquoi ? Qu'est-ce qui vous intéresse chez elle ?

— Je travaille pour une cliente, fit Jackson. Quelqu'un qui, je crois, pourrait être lié à Carol Braithwaite.

— Qui ça ?

— C'est un renseignement confidentiel, j'en ai peur.

— Vous n'êtes pas un foutu prêtre. Nous ne parlons pas du secret de la confession. »

Jackson persévéra. « Il y a eu votre article dans le journal, puis l'affaire semble avoir été enterrée. Avez-vous interviewé qui que ce soit à l'époque, avez-vous découvert quoi que ce soit au sujet de Carol Braithwaite ? »

Elle regarda d'un air interrogateur l'extrémité de sa cigarette comme si elle allait lui fournir les réponses. « Tant de questions et ça remonte à si loin, murmura-t-elle.

— Mais vous devez vous souvenir, dit Jackson.

— Ah bon ?

— Linda Pallister ou Tracy Waterhouse ? Une assistante sociale et une agente de police, en 1975 ? Ces noms ne vous disent rien ? » Une petite lueur s'alluma dans l'œil de Marilyn Nettles. « Hope McMaster ? Dr Ian Winfield ? Kitty Winfield ? insista Jackson.

— Tous ces noms, pour l'amour du ciel, fit-elle agacée. Je ne savais quasiment rien. On m'a *encouragée* à ne rien savoir, pourrait-on dire. On m'a mise en garde.

— Mise en garde ?

— Oui, mise en garde. Et je n'ai pas cru qu'il s'agissait de menaces en l'air. Plus d'articles, ne parlez pas de l'enquête, oubliez tout.

— On vous a donc menacée ? fit Jackson. Qui ça ?

— Oh, des noms, toujours des noms, dit dédaigneusement Marilyn Nettles. Tout le monde veut des noms. Ça n'a plus d'importance maintenant. Ils sont morts pour la plupart de toute façon, même ceux qui sont encore en vie. » Elle parut s'abîmer dans ses pensées. Au bout d'un moment, elle revint sur terre et tapota le manuscrit qui se trouvait sur la table. « Je suis descendue à Londres, je voulais faire carrière dans la presse nationale, mais ça ne s'est jamais vraiment produit. J'ai fini par revenir ici où je tiens la rubrique faits-divers de la *Whitby Gazette* et où j'écris ce genre de truc pour survivre.

— Aucun de nous ne finit là où il l'avait prévu, fit Jackson.

— Je ne sais pas pourquoi on ne peut pas laisser cette femme reposer en paix, je ne sais pas pourquoi tout le monde tient tant à la déterrer.

— Tout le monde ?

— Un type est venu tout à l'heure. Il se disait détective privé aussi. Si vous voulez mon avis, vous ressemblez tous les deux à des vendeurs de brosses au porte-à-porte.

— Il vous a laissé sa carte ? »

Marilyn Nettles fouilla dans les pages de *La Mariée mutilée* et lui tendit la carte de visite bon marché. « Brian Jackson », soupira Jackson. Ils s'étaient de toute évidence talonnés toute la semaine. Il venait de Whitby quand il avait offert de déposer Jackson quelque part. C'était son nom qui figurait dans l'agenda de Linda Pallister, le matin du premier rendez-vous de Jackson avec elle. Jackson avait vu « B. Jackson » et s'était dit que Linda Pallister avait dû s'emmêler les pinceaux. Est-ce que c'étaient les questions de Brian Jackson qui l'avaient effrayée au point qu'elle avait disparu ?

Marilyn Nettles soupira, parut rassembler ses esprits et continua : « De toute façon, une bonne partie de ce qui s'était passé ne devait pas tomber dans le domaine public, a été censurée "pour protéger des innocents", comme on dit. Il y a eu des injonctions, en veux-tu en voilà. On ne m'a permis d'écrire quasiment rien sur Carol Braithwaite et rien du tout sur l'enfant.

— L'enfant ? » fit Jackson qui dans son impatience bondit quasiment du canapé poussiéreux. Ça ne pouvait être que Hope McMaster, non ? « Vous n'aviez pas parlé d'un enfant ?

— Vous n'avez pas posé la question. Il se prénommait Michael, dit Marilyn Nettles. Un garçon de quatre ans. »

Jackson retomba sur le canapé, découragé et déçu. « Carol Braithwaite avait un fils ?

— Oui. Ils ont dit qu'ils le protégeaient de la presse, de la curiosité du public. C'était une histoire à sensation.

— Pourquoi ?

— Il était resté enfermé dans l'appartement avec le corps de sa mère morte. Environ trois semaines, d'après leurs estimations. Mais il avait été témoin d'un meurtre., et après ça il a disparu.

— Vous pensez qu'on l'a tué ?

— C'est tout comme. Il a disparu dans le système, une vie de misère à l'Assistance publique et cetera, dit-elle d'un air las. Je commence à en avoir marre de cet interrogatoire, j'ai du travail qui m'attend. Il est temps que vous partiez. » Elle se leva subitement, vacilla un peu sur ses jambes, se raccrocha à la table et Jackson bondit sur ses pieds avec l'intention de l'épauler si nécessaire. Ce faisant, il fit tomber le manuscrit et les pages de *La Mariée mutilée* voletèrent comme des oiseaux désincarnés à terre. Réveillé en sursaut, le chat étrécit ses yeux méchants et marmoréens et, passant la surmultipliée en deux secondes, se mit à siffler et à cracher à l'adresse de Jackson.

Exit Jackson poursuivi par un chat.

Il s'en était fallu d'un poil. Il jeta au chien une friandise en lançant le minuscule os en l'air. Le chien sauta et l'attrapa habilement.

Peut-être que tout compte fait la fille de la photo n'était pas Hope McMaster. Mais ça soulevait une question : si ce Brian Jackson exploitait le même filon mystérieux que lui – Linda Pallister, Marilyn Nettles, Tracy Waterhouse –, que cherchait-il au juste ?

∽

Dès qu'il se gara devant la maison de Linda Pallister, Barry sentit remuer tous les rideaux de dentelle des alentours. Des voisins curieux, le meilleur ami du policier. Barry descendit de voiture et sonna, mais il n'y avait apparemment personne au logis. Les rideaux étaient tirés et la maison avait un air d'abandon. Il tambourina bruyamment à la porte et cria « Linda ! » par la fente de la boîte aux lettres.

Une voisine apparut soudain comme si elle était accroupie prête à bondir derrière la haie de troènes.

« Janice Potter, dit-elle. J'habite à côté. Je peux vous aider ?

— Je ne sais pas, fit Barry. Vous avez un partant pour la course de quinze heures trente à Lingfield Park ? » Il dégaina sa carte et dit : « Je cherche Mrs Pallister, Linda Pallister ?

— Quelqu'un d'autre la cherchait hier. Un détective privé.

— Pouvez-vous me dire quand vous avez vu Linda pour la dernière fois ?

— Hier soir, s'empressa-t-elle de répondre. Juste après *Collier.* Elle est montée dans une voiture. Elle n'est pas revenue.

— Quel genre de voiture ? » Avec des pipelettes pareilles, pourquoi installer des caméras de surveillance ?

« Une berline quatre portes. Grise.

— La nuit, tous les véhicules sont gris », fit Barry.

Un maudit Mouron rouge, ce Jackson : il était ici, il était là, il était partout, toujours avec une longueur d'avance sur lui. Et partout où il allait, des femmes disparaissaient.

« Bon », dit Barry en remontant en voiture. Il parlait pas mal à sa voiture. Elle ne lui répondait pas, n'attendait rien de lui. « Admettons à titre d'exemple que ce Jackson enquête pour le compte du gosse de Carol Braithwaite, il est adulte aujourd'hui, il doit avoir quoi – la trentaine ? Il veut en savoir plus long sur lui, toutes les foutaises qui préoccupent les gens d'aujourd'hui. Très peu pour moi, je serais content d'en savoir moins. Donc, au nom de Michael Braithwaite, il contacte Linda Pallister. » *Quelqu'un pose des questions*, lui avait-elle dit au téléphone, mercredi. « Et ce même Jackson cherche Tracy pour la même raison – Carol Braithwaite. Mais voilà que Linda et Tracy disparaissent toutes les deux. C'est pas bon signe, non ? »

Michael Braithwaite avait tiré sa mère de son sommeil éternel. Telle une tempête de poussière, elle se levait, demandait justice, vengeance. Une tragédie de la vengeance.

∽

Jackson et le chien se baladaient sur la jetée, deux flâneurs au bord de la mer. Jackson sentait la chaleur du soleil sur son cuir chevelu. Il était venu à Whitby enfant. Il ne savait pas d'où était sorti l'argent – il n'y en avait jamais pour acheter des vêtements et de la nourriture convenables, encore moins pour des glaces et des pantomimes –, alors pour des vacances, pensez. Jackson devait avoir cinq ou six ans à l'époque, la moitié de l'âge de sa sœur, il était encore assez jeune pour être son petit chouchou. Francis, leur frère, était déjà un adolescent qui traînait son ennui dans les jeux d'arcade le soir. Il n'existait aucune preuve photographique de leur permission exceptionnelle car aucun d'eux n'avait jamais possédé d'appareil photo. Les riches avaient toujours commandité des portraits d'eux-mêmes, les pauvres traversaient l'histoire invisibles.

Impossible d'expliquer ce passé primitif à sa fille et encore moins à son fils, né dans un avenir de science-fiction où chaque seconde de sa vie était digitalement enregistrée, généralement par Jonathan Carr, Mr Métrosexuel.

(Julia était encore plus évasive que d'habitude au sujet de Jonathan. Est-ce que c'était fini entre eux ?)

Il lui restait très peu de choses de ces vacances d'antan en famille, seulement des souvenirs impressionnistes de sons et d'odeurs. Ils étaient descendus dans une pension de famille où un gong annonçait le dîner et où les repas n'avaient strictement rien à voir avec l'ordinaire familial à base de pommes de terre et de pain : aujourd'hui encore, son souvenir le plus vif était un poulet cocotte et un gâteau au citron qui avaient amené sa mère à renifler et à dire « Pff, quel flafla », comme si ces plats étaient davantage une critique de sa cuisine qu'une occasion de se régaler.

Il y avait du lait et des biscuits à l'arrow-root pour les enfants le soir – luxe inconnu chez lui où seul un coup de gant de toilette brutal sur la figure annonçait l'heure du coucher.

Il se remémora soudain un détail remisé depuis belle lurette dans un coin perdu de sa mémoire par les petits bonshommes qui géraient son cerveau. Sa mère lui avait acheté un jeu de drapeaux en papier à planter sur des châteaux de sable – il revoyait encore un lion rouge sur fond jaune. Et son père dans son costume bon marché, ses bas de pantalon roulés révélant ses tibias écossais pâles et poilus. Ç'avait été une enfance pauvre à tous points de vue. Sa place était au musée.

Pas un musée aussi intéressant que le Whitby Lifeboat Museum, le musée des secours en mer situé sur la promenade. Devant tous ces récits d'héroïsme et de désastres, Jackson eut une boule dans la gorge. *Nous devons sortir, mais pas nécessairement rentrer*, la devise des garde-côtes américains, le mot d'ordre de tous les sauveteurs. Le sacrifice, à l'instar du stoïcisme, n'était pas un mot à la mode. Jackson fourra un billet de vingt livres dans le bateau de sauvetage miniature qui faisait office de tronc à la porte.

Il poursuivit son chemin, passa devant des magasins vendant des coquillages, des magasins dédiés aux vampires (impossible d'y échapper), au jais, aux bougies parfumées dont l'odeur lui soulevait le cœur et à une foultitude d'horreurs bon marché. Il emprunta le pont tournant pour gagner la vieille ville où il visita le Captain Cook Memorial Museum afin de rendre hommage au grand navigateur.

Ensuite, il s'acheta des caramels chez Justin's Fudge Shop et remarqua une maison à vendre dans Henrietta Street, mais s'aperçut que toute la rue s'affaissait et que la fumerie de harengs qui se trouvait au bout sentait un peu trop le pittoresque.

L'endroit grouillait de visiteurs. C'était le dernier long week-end de mai. Avant, ça s'appelait les fêtes de la Pentecôte, le changement s'était produit quand ? Il monta en courant les cent quatre-vingt-dix-neuf marches menant à l'abbaye et fut content de constater qu'il était encore très en forme. Partout autour de lui, les gens soufflaient et ahanaient. Il n'avait jamais vu autant de gros patapoufs. Il se demanda ce qu'un visiteur du passé en penserait. Avant, c'étaient les pauvres qui étaient maigres et les riches qui étaient gros, maintenant, c'était le contraire, apparemment.

Il laissa le chien sous le porche et entra dans l'église St Mary. Il s'assit sur un banc portant une vieille inscription *Réservé aux étrangers.* Ça tombait bien. Il était toujours un étranger à présent. Il examina l'intérieur de l'église, œuvre de charpentiers de marine. Les seuls autres visiteurs étaient un jeune – très jeune – couple goth, vêtements noirs, rouge à lèvres noir et piercings partout, qui faisait le mariole. Le garçon dit quelque chose à la fille qui ricana. Des fanas de vampires.

Dans le cimetière de St Mary, il s'assit un moment sur un banc. Les pierres tombales étaient toutes de guingois comme des arbres ployant sous le vent, les épitaphes effacées par l'air marin. « *En sûreté dans leurs chambres d'albâtre* », murmura-t-il au chien. Le chien pencha la tête de côté d'un air interrogateur. Des mouettes se disputaient comme des chiffonniers au-dessus de leurs têtes. La mer scintillait comme des diamants. Jackson se rendit compte qu'il commençait à dégainer les clichés. Il se leva et dit tout haut « Il est temps de partir » aux morts qui gisaient sous ses pieds, mais les humbles ayants droit de la Résurrection[1] ne firent aucun effort pour se remuer et seul le chien répondit à l'appel.

Il regagna la ville par la ruelle pavée plutôt que par les cent quatre-vingt-dix-neuf marches, et finit les caramels de chez Justin's en chemin.

« Allez, le premier arrivé », dit-il au chien.

Il atteignit la plage en courant. Jackson ne se rappelait pas la dernière fois qu'il avait couru sur une plage.

Quand ils parvinrent à Sandsend, le chien explora les flaques laissées par la marée, trouva un petit calmar mort aux allures de préservatif usagé, qu'il tritura un moment jusqu'à ce qu'il se désintègre. Un gros morceau d'algue saumâtre l'amusa quelques minutes encore. Jackson

---

1. Emily Dickinson, traduction de Patrick Reumaux. *Idem* pour « En sûreté dans leurs chambres d'albâtre ». *Poèmes choisis*, Éditions Points, 2007.

s'assit sur un rocher et contempla l'horizon. Qu'est-ce qu'il y avait là-bas ? La Hollande ? L'Allemagne ? Le bout du monde ? Pourquoi avait-on essayé d'enterrer l'affaire Carol Braithwaite ? Et quel était le lien, si tant est qu'il y en ait un, avec Hope McMaster ? Et bien d'autres questions qui restaient sans réponse, en fait, plus il posait de questions, plus elles se multipliaient. Ça avait commencé par *Je me demandais si vous pourriez trouver des renseignements sur mes parents biologiques* et explosé de façon exponentielle.

Il passa un certain temps sur la plage à faire faire l'exercice à sa nouvelle recrue : *assis, pas bouger, au pied, ici.* Le chien était drôlement bon. À *assis*, il tombait sur son arrière-train comme si ses pattes arrière s'étaient dérobées sous lui. Quand Jackson disait *pas bouger* et s'éloignait, le chien restait collé au sable, tout son corps frémissant tant il devait lutter pour ne pas se précipiter derrière Jackson. Et lorsque Jackson trouva un bout de bois flotté et le brandit au-dessus de la tête du chien, ce dernier non seulement se dressa sur ses pattes de derrière, mais il fit même quelques pas. Qu'est-ce que ce serait la prochaine fois ? Il allait se mettre à parler ?

Un homme âgé et un labrador tout aussi âgé arrivèrent en traînant la patte. L'homme souleva sa casquette à l'adresse de Jackson et dit : « Devriez être dans un cirque, mon gars. » Jackson n'était pas sûr de savoir à qui la remarque s'adressait, au chien ou à lui ? Aux deux peut-être. Jackson et l'Étonnant Chien Qui Parle.

Jackson et le chien jouèrent à jeter et à rapporter le bout de bois pendant un moment, puis, malheureusement, le chien déposa allègrement une de ses volutes brunes antisociales sur le sable et un Jackson coupable dut utiliser le bout de bois en guise de pelle pour l'enterrer, les sacs en plastique ayant été volés en même temps que sa voiture.

Le moment semblait venu pour deux garnements de s'éclipser discrètement.

Il s'acheta un fish and chips – la nourriture soul du nord – et s'assit sur un banc de la jetée pour regarder monter la marée. Il partagea son dîner avec le chien, agitant les morceaux de poisson en l'air pour les refroidir avant de les lui donner, comme il le faisait autrefois pour Marlee. La mer envahissait peu à peu la plage. Plus loin, les vagues étaient plus fortes et Jackson les regarda s'écraser avec un grand *voumf* contre les piles de la jetée.

La nuit tombait et il commençait à faire froid, la chaleur de l'après-midi n'était plus qu'un souvenir improbable. Patinant sur la mer du Nord, le vent était une lame glacée qui vous pénétrait jusqu'à l'os. Jackson jeta donc l'emballage de son fish and chips dans une poubelle et se dirigea vers le Bed & Breakfast qu'il avait réservé la veille au soir par téléphone. Vingt-cinq livres la nuit pour des « articles de toilette offerts à titre gracieux, un plateau de bienvenue et un petit déjeuner du Yorkshire complet ». Jackson se demandait ce qui le différenciait des autres petits déjeuners complets.

« Bella Vista », évidemment. Il se trouvait au milieu d'une rue de maisons identiques, cinq niveaux du sous-sol au grenier. La plupart étaient aussi des B&B – Dauphin, Brise Marine, Mon Havre. Jackson se demanda si l'un d'eux, existait dans son enfance, si c'était dans le vestibule de Brise Marine ou de Mon Havre qu'un gong en cuivre annonçait l'heure du dîner et le faisait peut-être toujours.

Bella Vista, le nom était mal choisi : il n'y avait pas la moindre vue. À moins de grimper sur une chaise au dernier étage peut-être. INTERDIT AUX CHIENS, INTERDIT DE FUMER, INTERDIT AUX GROUPES, annonçait un panneau sur une des colonnes de la porte. Dessous, écrits à la main en plus petit, figuraient les mots *Mrs B. Reid, propriétaire.*

Mrs Reid l'accueillit avec un « Il est tard ». Jackson vérifia sa montre, il était huit heures. C'était tard ?

« Mieux vaut tard que jamais », répondit-il avec affabilité. Il se demanda si beaucoup de clients revenaient à Bella Vista. Mrs Reid était une blonde endurcie, une femme d'un certain âge, la seule catégorie que Jackson avait l'air de rencontrer désormais. Elle le conduisit dans un grand hall d'entrée carré : une table présentait une pile de brochures sur les attractions touristiques du coin et une boîte en forme de vieille cabine téléphonique rouge, destinée à l'argent du téléphone. Des petites plaques de porcelaine fixées aux portes indiquaient le salon et la salle du petit déjeuner.

Dans la salle du petit déjeuner, il vit les tables mises pour le lendemain matin : des petits pots de confiture et de marmelade, de minuscules portions de beurre enveloppées de papier aluminium. Étranges, cette miniaturisation de tout, ces économies de bouts de chandelle. Jackson se disait que s'il dirigeait un B&B (ce qui nécessitait une imagination débordante) il se montrerait généreux : des jattes de confiture, une grosse motte de beurre jaune sur une assiette, des pots de café géants.

Mrs Reid le conduisit au dernier étage jusqu'à une chambre donnant à l'arrière, où les domestiques avaient dû être jadis serrés comme harengs en caque. Une débauche de fleurs. Des lits jumeaux avec des dessus-delit à motif de pivoine. Des rideaux où s'épanouissaient des roses.

Un « plateau de bienvenue » était posé sur la commode – une bouilloire électrique, une petite théière en inox, des sachets de thé, de café et de sucre, de minuscules pots de lait longue durée, un paquet de cellophane contenant deux biscuits de farine d'avoine, une fois de plus tout était mesuré au plus juste. La pièce était aussi encombrée d'un tas de bibelots inutiles – des napperons au crochet, des soucoupes de pot-pourri et une troupe de poupées à tête de porcelaine coiffées avec des anglaises. Dans la petite cheminée en fonte, il y avait un vase de fleurs séchées qui, en ce qui concernait Jackson, étaient juste des fleurs fanées sous un autre nom. Jackson se demanda s'il y avait un Mr Reid. Il y avait visiblement longtemps que la maison avait échappé à la main sobre et mesurée d'un homme. Divorcée ou veuve ? Veuve, devina Jackson. Elle avait l'expression d'une boxeuse qui a réussi à survivre à un partenaire d'entraînement. Certaines femmes sont destinées au veuvage, le mariage n'est qu'un obstacle à surmonter.

Une plaque fixée à la porte disait *Valerie.* Jackson avait remarqué en montant que les autres chambres avaient aussi des noms – *Eleanor, Lucy, Anna, Charlotte.* On aurait dit des noms de poupées. Jackson se demanda comment on décidait du nom d'une chambre. Ou d'une poupée. Ou d'un enfant d'ailleurs. Trouver un nom de chien semblait encore plus compliqué.

Mrs Reid jeta un coup d'œil circulaire et dubitatif. Il était plus qu'évident que Jackson n'avait pas sa place dans ce boudoir. Elle songeait sans doute à corriger son panneau. INTERDIT AUX CHIENS, INTERDIT DE FUMER, INTERDIT AUX GROUPES, INTERDIT

AUX HOMMES DÉBRAILLÉS EN TREILLIS ET BRODEQUINS NOIRS N'AYANT AUCUNE RAISON APPARENTE D'ÊTRE ICI. L'odeur dans *Valerie* était écœurante et chimique, comme si on venait d'y vaporiser vigoureusement du désodorisant.

« Affaires ou plaisir, Mr Brodie ?

— Pardon ?

— Êtes-vous ici pour affaires ou pour le plaisir ? »

Jackson réfléchit à la question un peu plus longtemps qu'il ne semblait nécessaire. « Un peu les deux au fond », finit-il par répondre. Un doux gémissement s'échappa de son sac à dos.

« Merci », fit Jackson à Mrs Reid et il lui referma la porte au nez.

Il leva la fenêtre guillotine pour laisser entrer un peu d'air frais et découvrit qu'il y avait un escalier de secours métallique sous sa fenêtre. L'idée qu'il pourrait s'enfuir rapidement de *Valerie* si nécessaire plut à Jackson.

Un e-mail anormalement bref de Hope McMaster se fraya un chemin dans l'éther jusqu'à lui avec un petit *ping.* « *Du nouveau ?* » demandait-elle. « *Rien*, répondit-il. *Je croyais vous avoir trouvée, mais vous vous êtes révélée être un garçon prénommé Michael.* »

Toujours en train de chercher, le chien de berger qui ramenait les brebis égarées. À Londres, il avait rencontré un type prénommé Mitch, Sud-Africain, variété Boer dur à cuire, idées politiques plus de droite que Thatcher si c'était possible, mais avec un cœur gros comme ça. Jackson ne connaissait pas toute l'histoire, il savait seulement qu'il y a bien longtemps, Mitch avait eu un petit garçon qui avait été kidnappé et dont on n'avait jamais retrouvé la moindre trace. À présent, maintes fois divorcé et pas à court d'argent, il dirigeait une boîte spécialisée dans la recherche des enfants disparus dans le monde entier. Elle ne faisait pas de pub. Des centaines d'enfants disparaissent chaque jour dans le monde : ici un moment, disparu l'instant d'après. Certains de ceux qu'ils laissaient derrière eux finissaient chez Mitch.

Mitch avait une énorme documentation, un dossier d'une épaisseur déprimante, rempli de fugues et d'enlèvements en tous genres. Il en savait plus long qu'Interpol sur certains gosses. Toutes ces photos brisaient le cœur de Jackson. Des instantanés de vacances, d'anniversaires, de Noëls, les temps forts de la vie familiale. Jackson trouvait les photos troublantes dans le meilleur des cas. Il y avait un mensonge au cœur de la photo, elle laissait croire que le passé était tangible alors que c'était le contraire.

Lorsqu'il photographiait Marlee, Jackson s'arrangeait toujours pour qu'il y ait une photo, chaque année, qui la montre bien de face, en buste. C'était d'ordinaire celle dont Josie disait « Ça lui ressemble vraiment », et il ne lui avait jamais expliqué que c'était au cas où leur fille disparaîtrait. Les enfants changent tous les jours : si on les fixe du regard assez longtemps, on les voit grandir. Quand il était dans la police, il avait vu trop de mauvais instantanés (de vacances, d'anniversaires, de Noëls) et trop souvent entendu « Elle ne ressemble plus vraiment à ça aujourd'hui ». C'était ce qui vous arrivait quand vous étiez policier, même par une journée ensoleillée à bord d'un *bateau-mouche** sur la Seine ou lors d'un pique-nique dans une crique des Cornouailles, la mort était omniprésente et vous la regardiez dans les yeux à travers un objectif. *Et in Arcadia ego.* Sans compter, bien sûr, qu'il connaissait les statistiques : quatre-vingt-dix-neuf pour cent des enfants enlevés meurent dans les vingt-quatre heures. Près de la moitié au cours de la première heure. Aucune photo, si bonne soit-elle, ne changerait cette réalité.

Un enfant qui disparaissait était la pire chose qui puisse arriver. Ceux qui ressuscitaient d'entre les morts, les Natascha, les Jaycee Lee, représentaient un pourcentage infime, moins d'un pour cent, et n'offraient qu'un espoir futile.

La documentation de Mitch recensait la taille, la couleur des yeux, des cheveux. Les signes particuliers, bras gauche cassé à l'âge de cinq ans, petite cicatrice au genou gauche, tache de vin ayant la forme de l'Afrique sur l'avant-bras, petit doigt cassé, deux dents en moins, allergies, maladies, opérations de l'appendicite, des végétations et des amygdales, radios, cicatrice en croissant de lune, ADN. Des petits signes désespérés. Les enfants disparus ne revenaient jamais, voilà la vérité. Ils étaient tous morts ou bousillés.

Il y avait une autre catégorie d'enfants disparus, naturellement. Ceux qui échappaient à l'attention des médias. Les enlèvements par un parent. Les opérations secrètes. Bien sûr, il valait mieux que votre gosse soit enlevé par un ex possessif et mécontent plutôt que de voir ce même ex l'enfermer dans la voiture et l'asphyxier avec le pot d'échappement ou le poignarder dans le cœur pendant son sommeil lors d'une visite, mais ça ne voulait pas dire que vous pouviez ignorer le droit de garde et vous enfuir dans un pays qui n'extradait pas. Ou qui s'en fichait. Ou qui pensait que c'était permis d'enlever un enfant à sa mère. Il fallait que quelqu'un les ramène, ces gosses, autant que ce soit Jackson. Ça valait mieux que d'être un vrai mercenaire – il avait été contacté par un tas de sociétés de surveillance privées en Irak – ou de s'occuper de la sécurité dans les mines de diamant en Sierra Leone, une vie aventureuse où on risquait sa peau chaque fois qu'on mettait le pied dehors.

Il avait recherché des gosses au Japon, à Singapour, à Dubaï. Munich. C'était surprenant. Jennifer, la fille de Munich, avait un frère qui vivait avec des parents quelque part. Jackson ne savait pas si on l'avait jamais retrouvé. Ni l'un ni l'autre n'avaient jamais quitté leur mère avant que leur père égyptien ne les emmène en vacances avec la bénédiction du tribunal. Il vivait et travaillait en Allemagne, avait simplement changé le nom de la fillette, l'avait inscrite à l'école, avait déclaré que sa mère était morte. Le temps que la gamine sache suffisamment d'allemand pour expliquer sa situation à quelqu'un, elle aurait probablement oublié sa mère. Les gosses oublient facilement, c'est un réflexe de défense. Jackson les retrouva beaucoup plus vite que les lents rouages de la bureaucratie allemande ne risquaient de le faire. Six heures après que Steve et lui l'eurent enlevée de la maison en pain d'épice de Munich, elle était de retour à Tring auprès de sa mère. *Mother and child reunion.*

Quelque chose le turlupinait mais il ne savait pas quoi. Jackson sortit de son portefeuille la photo volée dans le bureau de Linda Pallister. Une petite fille sur une plage. Un bon cliché pris de face. Au fond de son cœur, Jackson était sûr qu'il s'agissait de Hope McMaster. Il soupira et rangea la photo.

Il était à peine neuf heures et demie du soir, mais Jackson alla se coucher. C'était un petit lit et le chien en occupait déjà une bonne partie. Quand Jackson se glissa entre les draps, le chien remua, releva la tête et le regarda sans le reconnaître comme un somnambule, puis repiqua du nez. Jackson resta un bon moment allongé sous la surveillance impassible des poupées aux yeux morts.

∽

Il retrouva l'invitation au dîner dansant du club de golf au fond d'un tiroir dans son bureau. Barry ricana en lisant « Mettez-vous sur votre trente et un – tenue de soirée exigée ». Le carton promettait un orchestre jusqu'à minuit suivi d'une disco des années 70, d'une loterie avec des « prix fantastiques » : un mini-séjour pour deux personnes sur l'île de Wight « (traversées en ferry comprises) », un coffret DVD signé de *Gavin and Stacey*, sans parler d'une « batte grandeur nature signée par l'équipe de cricket, Yorkshire CCTV First XI ». C'était le genre de pince-fesses auquel Barbara aimait aller – une bonne excuse pour s'affubler et se vanter auprès des autres femmes des A-levels d'Amy, de son diplôme universitaire, de ses fiançailles, de son bébé. Il n'y avait plus de quoi se vanter désormais.

« Mettez-vous sur votre trente et un, disait l'invitation, Barry », fit Len Lomax en riant quand il l'aperçut. Contrairement à Barry, il était en smoking, en train de fumer un cigare, chaleureux, plein d'assurance. C'était un grand gaillard qui n'avait pas encore rétréci avec l'âge, il avait l'air en bien meilleure forme que Barry. Quel âge avait-il – soixante-dix, soixante-douze ans ? Les retraités ne se conduisaient plus comme des retraités, ils se prenaient tous pour ce maudit Sean Connery.

« Je peux aller vous chercher une assiette de quelque chose si vous voulez ? » offrit la femme de Ray Strickland, Margaret. Une Écossaise. Barbara disait qu'elle avait un « cancer de femme », mais elle était semblable à elle-même, tout en nerfs et sans viande. Tendre à l'extérieur, dure à l'intérieur. Barbara n'avait jamais aimé Margaret Strickland – ce qui ne voulait pas dire grand-chose, car il y avait un tas de gens que Barbara n'aimait pas, à commencer par lui. « Je suis sûre qu'il reste à manger à la cuisine », fit Margaret. Le menu sur la table disait *Agneau rôti et purée de pommes de terre**.

« J'espère que vous avez révisé votre français avant de venir », fit Ray Strickland. Il n'avait pas l'air dans une forme aussi olympique que Len Lomax, mais il était toujours animé par la même énergie nerveuse. On ne savait jamais trop comment il allait tourner, gentil ou méchant. Il était juste un peu instable. Barry aurait voulu pouvoir retourner en arrière, que son moi plus jeune ait le cran de dire à Strickland et Lomax de foutre le camp et de lui fiche la paix.

« Ou du dessert ? proposa Margaret. Il y a du tiramisu. »

Les gros bonnets avaient tous fini leur tiramisu à en juger par les traces brunes sur leurs assiettes : on aurait dit de la merde.

« Je n'ai pas faim, dit Barry. Merci quand même.

— On ne vous voit jamais ici, Barry, dit Margaret Strickland.

— C'est parce que je ne joue pas au golf.

— Mais tu bois », fit Lomax en lui versant un whisky. L'orchestre s'accordait et Alma, la femme de Len, dit

« Vous venez danser, Barry ? » Elle avait mal vieilli, trop de vacances passées sous un soleil étranger bon marché. Plus de soixante-dix balais mais toujours juchée sur des talons aiguilles et maquillée comme une voiture volée. Dieu merci, le moule qui avait produit Alma et Barbara était cassé.

Ray Strickland lui indiqua d'un petit signe de tête qu'il voulait lui parler dehors. Barry tapota l'épaule d'Alma et lui dit « Plus tard, peut-être, mon chou ». Quand les poules auraient des dents. Il suivit Ray Strickland à l'extérieur. L'air frais de la nuit lui fit l'effet d'un remède.

« Je me suis dit qu'on n'aurait peut-être pas l'occasion de se parler, demain, aux obsèques de Rex, fit Strickland.

— Ah bon ?

— Je ne sais pas trop comment présenter la chose », fit Strickland. Il regarda ses souliers cirés et fronça les sourcils.

« Quelqu'un fouine et pose des questions au sujet de Carol Braithwaite ? suggéra obligeamment Barry.

— Oui, fit Strickland dont le soulagement se lut sur son visage.

— Tu veux que je m'en occupe ? demanda Barry.

— Si ça t'est possible ? demanda Ray Strickland d'un air hésitant.

— Oh, ouais, fit Barry. Pas de problème. »

Remontant avec lassitude dans son véhicule, Barry se demanda si les gros bonnets lèveraient leur verre à la mémoire de Rex Marshall avant la fin de la nuit. Peut-être avant le début de la disco des années 70.

Ils étaient tous présents au réveillon du Metropole, Eastman dans toute sa pompe, Rex Marshall, Len et

Alma Lomax, Ray Strickland et sa drôle de petite femme, Margaret, les Winfield.

Ian Winfield était peut-être encore en vie. Barry ne savait pas si on avait eu des nouvelles des Winfield depuis qu'ils avaient décampé pour la Nouvelle-Zélande. Il n'avait pas pensé à eux depuis belle lurette. Kitty Winfield. Ian Winfield. Il se sentit tomber dans un long tunnel noir et émergea dans le passé. *Je vous apporte quelque chose, monsieur l'agent ? Barry, c'est bien ça ?*

Carol Braithwaite se levait. Elle ressuscitait d'entre les morts.

21 mars 1975

Barry s'alluma une clope. Il était assis dans sa voiture devant le domicile des Winfield. Très belle baraque. Barry n'arrivait même pas à s'imaginer habitant une maison pareille, vivant à Harrogate, la capitale du chic nordique. Il devrait amener Barbara à Harrogate. S'il trouvait le courage de l'inviter à sortir. Il allait lui proposer d'aller au cinéma. Barbara était très sophistiquée comparée à la plupart des filles qu'il connaissait, toujours tirée à quatre épingles. « Une fille comme ça, elle va te dépenser tous tes sous », disait sa mère.

Il ne savait pas du tout à quoi jouait Strickland. Sa voiture était soi-disant au garage pour un contrôle technique, il était donc sans moyen de locomotion, est-ce que Barry pouvait venir le chercher ? Barry ne voyait pas ce qui l'empêchait de prendre un taxi. Barry n'était pas de service, il venait de s'attabler devant une grande assiettée de saucisses, d'œufs et de bacon que sa mère avait fait revenir à la poêle. Il aurait aimé que Ray Strickland n'ait pas son numéro personnel. « Pas de voiture de patrouille », avait-il précisé.

Strickland attendait devant l'immeuble de Lovell Park quand Barry s'était arrêté dans sa vieille Ford Cortina. La MK2. Une voiture que Barry se rappelait encore avec affection trente ans après.

Strickland tenait dans ses bras un gosse, endormi, enveloppé dans une couverture. Strickland avait l'air de trembler, de vraiment trembler. Et aussi d'être en proie à une sorte de stupeur. L'alcool, supposa Barry. Tout le monde savait que Strickland ne tenait pas l'alcool. Barry lui ouvrit la portière arrière de la Cortina. « Chef ? fit-il espérant une explication.

— Démarre, Crawford, se contenta-t-il de dire d'un air las. Harrogate. Les Winfield. » Barry savait qui était le couple Winfield. Elle était éblouissante, un ex-mannequin. Il se la ferait volontiers.

Strickland émergea de sa torpeur lorsqu'ils tournèrent dans la rue des Winfield. « C'est gentil de ta part, dit-il quand la voiture s'arrêta devant la maison. J'apprécierais vraiment que tout ceci reste entre nous.

— Votre secret ne court aucun risque avec moi, patron », fit Barry. Il ne savait pas du tout en quoi il consistait, notez bien.

« Les apparences sont trompeuses », fit Strickland à Barry en descendant de voiture avec le gosse toujours endormi dans les bras. De nouveau, Barry ne savait pas du tout de quoi il voulait parler. Il le regarda remonter l'allée, sonner à la porte.

Il attendit dix minutes, un quart d'heure. La porte d'entrée se rouvrit et Ian Winfield sortit. Barry baissa sa vitre et Winfield dit « Je vous apporte quelque chose, monsieur l'agent ? Barry, c'est bien ça ? » Il savait parler aux malades.

Barry se demanda ce qu'il avait à lui offrir. « Non, merci, ça ira, fit-il.

— L'inspecteur Strickland sera là dans une minute », dit Winfield sur le ton apaisant qu'on utiliserait avec un enfant agité.

Cinq minutes plus tard, Strickland était de retour, encore plus flageolant qu'avant. « Ramène-moi à la maison, Crawford. Ma femme va se demander où j'étais passé. »

C'était trois semaines avant qu'on ne découvre le corps de Carol Braithwaite à Lovell Park. On disait qu'elle était morte depuis trois semaines. Même Barry savait calculer. Strickland l'avait tuée et avait pris le gosse.

Vendredi

(*Le living-room de Marjorie Collier/Intérieur/Nuit*)

Marjorie Collier
Qui êtes-vous ? Qu'est-ce que vous fabriquez ici ?

Premier voyou
On cherche Vincent, il est où ?

Marjorie Collier
Je sais pas, je sais pas où il est.

Second voyou
Tu nous prends pour des imbéciles, ma belle ?

Marjorie Collier
Vous pouvez pas débarquer comme ça chez les gens.
Allez, dehors !

Premier voyou
Pas avant d'avoir vu Vince, mon ange.
Je te suggère de passer immédiatement un coup de biglo
à ton petit chéri et de lui dire que sa vieille maman

ne va pas tarder à bouffer les pâquerettes par la racine s'il ne rapplique pas ici en quatrième vitesse.

Marjorie Collier
Vous pouvez toujours courir. Je me suis pas battue contre Hitler pour céder à des terreurs de cour de récréation comme vous.

(*Elle jette un regard à la ronde, repère le tisonnier près de l'âtre.*)

Premier voyou (*au second*)
Courageuse, la vieille chouette, hein ?

Second voyou (*au premier*)
Stupide, la vieille bique, tu veux dire.
(*à Marjorie*) N'essaie pas de jouer les héroïnes, ma belle.

Marjorie Collier (*se précipitant vers le tisonnier*)
Vous me faites pas peur.

(*Ils se battent. Le premier voyou frappe Marjorie et la jette à terre. Sa tête heurte le garde-feu.*)

Elle finissait non pas avec un boum mais avec un gémissement[1]. Le metteur en scène lui avait remis le scénario personnellement en affichant une mine compatissante. Un avis d'exécution. La pauvre vieille Marjorie Collier avait une triste fin. La fin des haricots.

« Attention, Till, avait fait Julia lorsqu'il s'était approché. On dirait qu'il t'apporte une invitation à t'embarquer à bord du vaisseau de la mort.

1. *Les Hommes creux* de T.S. Eliot.

— Nous y voilà, Tilly ma chérie, avait dit le metteur en scène. The End. »

À présent, c'était au tour de Saskia de la traiter comme une invalide. Elle lui avait apporté un mug de lait chaud au miel avec une assiette de sablés et était même allée jusqu'à lui enrouler son pashmina autour des épaules.

« Ça fait un choc, hein ? dit-elle. Je me rappelle quand je suis morte dans cet horrible accident de voiture dans *Hollyoaks* – mon petit ami était un désaxé qui me suivait à la trace et qui avait l'intention de poser une bombe dans l'église le jour de mon enterrement –, souvenez-vous, qui pourrait oublier un truc pareil ? Quand j'ai lu le scénario pour la première fois, ça m'a vraiment fichu les jetons, mais j'ai été nominée pour le prix de la meilleure actrice de soap-opéra, tout s'est donc bien terminé pour finir. Vous verrez, tout se passera bien. De toute façon, un peu de repos ne vous fera pas de mal. Pas le repos éternel, évidemment, juste un peu de détente. Pouvoir regarder un peu de télé des ménagères, vous offrir une séance dans un spa. »

Dieu merci, Saskia finit par s'essouffler et avec un geste vague en direction des oreillers auxquels Tilly était adossée, elle dit : « Bonne nuit.

— Bonne nuit », fit Tilly, soulagée de pouvoir enfin enlever sa perruque.

Saskia ne pouvait dissimuler son bonheur à l'idée de voir partir Tilly, elle avait déjà obtenu de la production la garantie qu'elle n'aurait plus jamais à partager son logement, même si la rumeur disait qu'elle quittait bientôt le pays de toute façon. Elle allait apparemment tenter sa chance à « L.A. ». « Petit poisson, grand étang, dit Julia. Elle va se noyer.

— Enfin, pas littéralement, j'espère, dit Tilly. Juste patauger un peu. »

Naturellement, la raison de l'euphorie de Saskia était que son petit ami arrivait demain soir. Pas le joueur de rugby, c'était apparemment de l'histoire ancienne. Le nouvel élu n'était pas un « pipeul », Tilly n'avait aucune idée de ce que ça voulait dire. Il était dans l'armée, lieutenant des Coldstream Guards.

« Vous n'aimez pas les hommes en uniforme ? » demanda Saskia à Tilly.

La seule fois où Tilly avait eu l'occasion de voir un uniforme de près, c'était dans HMS *Pinafore*[1], elle avait une assez jolie voix dans sa jeunesse. C'est bizarre, le spectacle lui était complètement sorti de l'esprit. Elle se demanda si elle pourrait encore atteindre les notes. Le lieutenant de Saskia se prénommait Rupert et venait apparemment d'un milieu très traditionnel, détail qui semblait l'angoisser énormément. « Évidemment, avait dit Julia. Saskia est complètement accro à la coco. Elle ne sera jamais capable de sauver les apparences. Elle va aller déjeuner dans le manoir de Père et Mère, prendre son accent de la haute, mettre son twin-set et son collier de perles et ils vont la surprendre en train de sniffer une ligne de coke sur leur siège de WC chicos, enfin l'un d'eux parce que je suis sûre qu'ils en ont plusieurs. » Tilly avait parfois du mal à suivre Julia. Elle ne savait pas si c'était sa pauvre cervelle qui rétrécissait ou seulement Julia.

Elle soupira, rechaussa ses lunettes et reprit sa lecture du scénario. Qu'est-ce que c'était que cette histoire de

1. Opéra-comique de Gilbert et Sullivan.

Marjorie Collier qui s'était « battue contre Hitler » ? Elle était censée avoir soixante-huit ans – pas vraiment un âge canonique, à moins d'être un scénariste impubère qui ne s'intéressait qu'à attirer un public plus jeune. Joanna Lumley avait dans les soixante-cinq ans, pour l'amour du ciel, personne ne s'attendait à ce qu'elle tricote en pantoufles au coin du feu. Tilly l'avait rencontrée à un bal de charité. « Viens avec moi, avait dit Phoebe, j'ai besoin de toi. » Phoebe se déglinguait de partout : elle avait des prothèses aux genoux, aux hanches et même aux pouces. Il était question de lui en mettre aux épaules. Tilly ne savait même pas que ça existait. Dommage qu'on ne lui ait pas mis de prothèse cardiaque. Toujours est-il que Joanna Lumley était très gentille, même si les canapés aux fruits de mer avaient filé la courante à Tilly pendant plusieurs jours.

Gros plan sur le visage de Marjorie.

(*Dans un murmure*) Vince, mon garçon. (*Elle meurt.*)

Franchement, quel tas de balivernes. Elle devrait faire durer la scène de sa mort au maximum. Y mettre une vraie émotion pour que sa fin fasse couler quelques larmes.

Elle se dit qu'elle ferait mieux d'apprendre son texte, mais elle avait à peine dépassé la première ligne qu'elle s'endormit. Saskia avait dû rentrer plus tard, lui enlever ses lunettes et éteindre la lumière car lorsqu'elle s'éveilla au milieu de la nuit après ses habituels rêves agités, il faisait noir comme dans un four. Une petite répétition pour le grand sommeil.

∽

Samedi

Quatre heures du matin, si le vieux radio-réveil de sa table de nuit disait vrai. L'heure morte. Quelque chose l'avait tiré de son sommeil, mais il ne savait pas quoi. Le chien était réveillé aussi.

Jackson se leva et se dirigea à pas de loup vers la petite fenêtre. Il jeta un coup d'œil dans la cour déserte en contrebas et au-delà, dans la ruelle qui passait derrière. *Bella Vista*, tu parles. Quelqu'un était tapi dans la ruelle, une silhouette corpulente sous le manteau de la nuit. Elle se détacha de l'ombre et descendit la ruelle en traînant les pieds, trop éloignée pour que Jackson puisse distinguer ses traits.

Le bon sens dictait de laisser tomber. De laisser tomber et de regagner son lit bien chaud pour une aventure sans danger au pays des rêves, plutôt que d'enfiler des vêtements, d'enjamber le rebord de fenêtre et de sortir sur l'issue de secours pour participer à un cauchemar au pays des vivants.

« Allez, hop », dit-il au chien. Ce dernier pencha la tête de côté et lui lança un regard interrogateur. Jackson fit une démonstration en réintégrant la chambre et en enjambant une nouvelle fois le rebord de fenêtre. Après une seconde d'hésitation durant laquelle Jackson sentit sa crédibilité jaugée, le chien sauta habilement sur l'escalier de secours et, guidé par Jackson, descendit cahincaha les marches métalliques.

Jackson ouvrit le portail de la cour avec des précautions exagérées. Il ne voulait pas encourir l'ire de son hôtesse pour la nuit en la tirant de son sommeil de jouvence. Elle en avait sacrément besoin.

La ruelle était déserte. Il repensa à son auto-stoppeuse rebelle et à son sac assassin et regretta de ne pas avoir quelque chose d'aussi pratique sur lui. Son couteau suisse était ce qui ressemblait le plus à une arme et il était resté dans son sac à dos dans la chambre.

Il parcourut toute la longueur de la ruelle et déboucha dans une autre rue de maisons identiques à Bella Vista. Le chien ne le lâchait pas d'une semelle : l'escapade n'était apparemment pas de son goût.

Une silhouette jaillit devant eux. Fâcheuse rencontre au clair de lune[1]. Un des types du Land Cruiser. C'est à leurs vestes que vous les reconnaîtrez. Jackson sentit ses poils se hérisser sur sa nuque et pivota pour regarder derrière lui. Ouais, ils allaient par deux, veste de cuir, gants de cuir, gros brodequins de cuir, Jackson était pris en sandwich. Celui de derrière fit jouer ses articulations, geste qui rappela à Jackson le chat de Marilyn Nettles essayant de lui foutre les jetons.

Le chien se hérissa aussi et émit un grondement étonnamment menaçant de la part d'un si petit toutou. Ouais, c'est ça, se dit Jackson, amenez-vous ici, affrontez-nous, moi et mon roquet, nous sommes prêts. Il se mit en position sur le trottoir de façon à avoir les deux types du Land Cruiser dans son champ de vision. Twideuldeume et Twideuldie.

« On venait justement vous rendre visite, dit l'un. Jolie chambre, hein ? J'adore le bord de mer. » Sa voix ressemblait d'une manière déroutante à celle de son frère : même accent rugueux, même fond cynique. L'accent de

---

1. Shakespeare, *Le Songe d'une nuit d'été* (II, 1).

Jackson avait été poncé au fil des ans et il se demandait parfois s'il reconnaîtrait son moi plus jeune s'il l'entendait aujourd'hui.

« Vous êtes qui au juste ? fit Jackson. Qu'est-ce que vous me voulez ? Vous êtes venus ici uniquement pour me casser la gueule – pour des raisons qui m'échappent totalement – ou quoi ?

— On est venus pour le "ou quoi", fit l'autre. Mais on te cassera sans doute quand même la gueule. » Les plaisantins sont toujours les pires.

« Messieurs, je crois qu'il y a malentendu, fit Jackson. Vous cherchez une femme, celle que vous traquiez au garage. Je ne sais pas où elle est.

— Tu nous prends pour des cons ? fit celui dont la voix ressemblait à celle de son frère.

— Euh…

— C'est toi qu'on traque.

— Moi ? Qu'est-ce que j'ai fait ?

— Tu fourres ton nez là où il faut pas, dit Twideuldie. Tu poses des questions partout.

— On a un message pour toi, fit Twideuldeume.

— Parce que vous êtes des messagers maintenant ? » D'aucuns penseraient que lorsque les chances sont contre soi, il vaut mieux simplement passer son chemin plutôt que de narguer l'ennemi de face avec un grand bâton. C'est pourtant ce que fit Jackson. « Ne me dites pas que vous allez vous foutre à poil[1] », lança-t-il à Twideuldeume qui fléchit les genoux, prêt à la castagne. Twideuldie fit de nouveau jouer ses articulations. Bonjour les dégâts, se dit Jackson.

---

1. Envoyer un messager ou une messagère qui effectue un strip-tease devant le ou la destinataire à l'occasion d'un anniversaire ou autre se faisait beaucoup pendant les années Thatcher.

Twideuldeume fonça tout à coup sur Jackson, lui rentra dedans à toute berzingue, le cogna comme un sourd et avant qu'il ait pu répondre à cette joute soudaine, Twideuldie lui asséna un grand coup sur la tempe. Jackson chancela mais réussit quand même à coller un marron sur le nez de Twideuldeume. « *Touché** », parvint-il à dire avant que Twideuldie ne se mette à lui bourrer l'estomac de coups de poing.

Jackson se retrouva par terre, tout ce qu'il entendait, c'étaient les aboiements furieux du chien. Il voulait lui dire d'arrêter avant qu'il ne lui arrive malheur, ces types n'y réfléchiraient sans doute pas à deux fois avant de l'envoyer en touche.

Puis celui dont la voix ressemblait à celle de son frère prit la parole, étonnamment près de son oreille. « Le message, petit malin du sud, est le suivant : laisse tomber Carol Braithwaite. Si tu ne le fais pas, voilà ce qui t'attend à chaque fois. » Jackson voulut protester : que des natifs de son comté natal n'aient pas reconnu en lui un des leurs était pire que d'avoir mordu la poussière. Malheureusement, avant qu'il ait pu dire quoi que ce soit, un de ses pays le frappa à la tête et la nuit tomba une seconde fois pour Jackson.

∽

Hou-ou… ouu, suivi de *ki…ouik.* Un mâle qui appelait, une femelle qui répondait. Les chouettes hulottes étaient des oiseaux très territoriaux. Tracy le savait parce qu'elle avait trouvé un livre sur les oiseaux des îles Britanniques sur une étagère. « Cottage » était trompeur, la maison était immense, Tracy avait apparemment négligé ce détail en louant. « Œuvre de Burges », de même que l'église à deux cents mètres de là. En gothique victorien. La maison se dressait au milieu d'un parc de cerfs médiéval. Extraordinaire.

Si elles restaient toute la semaine, elles rouleraient comme deux pois dans une énorme cosse. Dans l'immédiat, elles campaient pour la nuit dans le séjour. Tracy ne voulait pas se retrouver coincée dans les chambres, devoir se frayer un chemin dans l'escalier à grands coups de torche. Rez-de-chaussée, sortie rapide par la porte de derrière. La Saab était bien cachée derrière la maison. Personne n'irait la chercher là.

À leur arrivée, tout à l'heure, elles étaient descendues au lac artificiel. Il y avait un café au bord de l'eau et elles avaient mangé des glaces en terrasse. Elles avaient gardé l'extrémité de leur cornet pour la donner à une oie gourmande. Tracy avait eu un livre intitulé *L'Oie gourmande* quand elle était petite. À les voir, n'importe qui les aurait prises pour une mère et sa fille en sortie. Imogen et Lucy.

Après leur glace, elles avaient traversé les jardins d'eau pour se diriger vers Fountains Abbey. Parc paysager du XVIIIe, cascades, lacs et folies, il n'y avait aucun mal à améliorer la nature, selon Tracy. Des bandes de têtards au bord des étangs, ici et là, l'éclat argenté d'un petit poisson. Tracy repensa aux carpes koi de Harry Reynolds. De gros poissons hors de prix. Tracy ne se voyait pas acheter un poisson si ce n'était pas pour le manger.

La gosse était une bonne marcheuse, le genre un pied devant l'autre. Elle visait à l'utile. À leur arrivée à

Fountains, une sorte de fête médiévale battait son plein. Une « feste » probablement. Des figurants en costume faisaient la cuisine dans la cheminée, montraient aux gens comment tisser le lin, tirer une flèche dans une cible. Un cochon entier rôtissait sur une broche.

Elles quittèrent les lieux avant les danses. « Il faut toujours savoir lever le camp », dit Tracy.

Elles firent un dîner improvisé – des toasts au fromage et aux haricots blancs en boîte – puis ressortirent flâner dans l'air du soir embaumé. C'était le genre d'endroit qui vous donnait envie d'employer des mots comme « embaumé ». Entre chien et loup, l'heure fatale. Mai, le mois magique. Tous les visiteurs étaient rentrés chez eux pour la journée et elles avaient les lieux pour elles toutes seules, rien que Tracy, la gamine, les cerfs et les arbres. Aucun des bruits bestiaux qu'on entend d'ordinaire à la campagne : meuglements, bêlements, cocoricos qui signifient en fin de compte l'abattoir et le massacre. Ici, on n'entendait que le chant des oiseaux, le bruit de l'herbe qui poussait et était mangée, des arbres qui grandissaient centimètre par centimètre en direction des nuages.

Il y avait des centaines de cerfs dans le parc. Beaucoup de faons. « Des Bambi », disait Courtney. Tous en vie, Dieu merci. Tracy se demanda s'ils pouvaient deviner qu'elle avait récemment écrasé un des leurs. Elle envisageait sérieusement de devenir végétarienne.

Les cerfs étaient quasi apprivoisés. Si vous vous approchiez trop près, ils se contentaient de lever le nez, d'agiter un peu la queue, de se déplacer de quelques mètres et se remettaient à tondre l'herbe. La gamine était épatée : à part des chiens enragés, elle n'avait probablement jamais vu d'animal de près. Il faudrait que Tracy ajoute fermes et zoos à la liste des choses à lui faire découvrir.

Puis, ô miracle, au moment où la nuit s'apprêtait enfin à tomber, un cerf blanc, jeune, surgit du crépuscule, venu de quelque passé médiéval. Pas un figurant, un vrai de vrai. Il s'immobilisa et fixa Tracy. Impossible de trouver un homme aussi beau. Il savait que les lieux lui appartenaient, il était son supérieur à tous les égards. Un prince parmi les hommes.

Bordel, se dit-elle. C'était exceptionnel. Ça ne pouvait qu'être bon signe, non ?

L'endroit était rempli d'arbres très anciens, des chênes qui devaient exister à l'époque de Shakespeare. Trois cents ans à grandir, trois cents ans à vivre, trois cents ans à mourir. C'était ce que disait un autre livre trouvé sur l'étagère du « cottage ». Elle avait décidé de lire toute la nuit. Du charbon dans le poêle, Courtney endormie sur un des énormes canapés, enroulée dans une couverture, Tracy, les pieds allongés sur l'autre. Elle veillait, torche à portée de main, apprenait un tas de choses sur les forêts de chênes, les parcs de cerfs, les abbayes médiévales. C'était une façon comme une autre de s'instruire – passer toute la nuit éveillée au cas où un de ces tarés s'arrêterait pour dire un petit bonjour.

D'abord le chauffeur de l'Avensis, puis les vestes de cuir, Tracy n'avait jamais eu autant d'hommes à ses trousses. Dommage que leurs intentions soient si peu honorables. Sans parler du « détective privé » qui la cherchait pour lui poser des questions sur Carol Braithwaite. C'étaient qui tous ces gens ? On les envoyait pour récupérer la gamine ou pour se venger du fait que Tracy l'avait enlevée ? Les deux, sans doute. L'un d'eux était-il responsable du meurtre de Kelly Cross ? Probablement. Courtney méritait-elle un tel déploiement d'efforts ?

Il y avait un téléphone dans la maison et Tracy décida de passer un coup de fil à Barry pour voir s'il savait quelque chose sur l'assassin de Kelly Cross, s'il savait quoi que ce soit sur quoi que ce soit. Il avait l'air encore plus morose que d'habitude. Il avait dû boire.

« Barry ? Tu sais, ce détective privé qui posait des questions ? Est-ce qu'il a une Avensis grise ?

— J'sais pas.

— Il posait des questions sur Carol Braithwaite ?

— Il posait toutes sortes de questions sur toutes sortes de gens, apparemment. Toi, Linda, les Winfield. C'est comme un putain de virus qui a contaminé le système.

— Fais machine arrière, fit Tracy. Les Winfield ? Le type qui était médecin et marié à ce mannequin ?

— Ils ont adopté un gosse peu de temps après l'assassinat de Carol Braithwaite, puis ils ont émigré vite fait en Nouvelle-Zélande.

— Oh, mon Dieu », murmura Tracy. Ça expliquait la disparition de Michael : les Winfield l'avaient emmené. Elle se rappelait Ian Winfield lors de sa visite à l'hôpital, combien il était protecteur envers Michael.

« J'en ai trop dit, fit Barry.

— T'en as pas dit assez.

— Tout finira par être révélé.

— Qu'est-ce qui finira par être révélé, Barry ? Qu'est-ce qui se passe ? »

Barry poussa un long soupir. Suivi d'un long silence.

« Tu es toujours là, Barry ?

— J'ai pas bougé. Tracy ? Je t'ai vue sur une cassette en compagnie de Kelly Cross au Merrion Centre.

— Merde.

— Ça, tu peux le dire. Et ils ont trouvé tes empreintes digitales au domicile de Kelly. Qu'est-ce qui se passe ?

— Je l'ai pas tuée.

— J'ai jamais cru ça, fit Barry.

— Je lui ai acheté la gamine, dit Tracy.

— Merde. »

Il faisait noir dehors. Des ténèbres épaisses comme elle n'en avait encore jamais vu. Si elle sortait et parcourait le court sentier menant au portail, ce qu'elle faisait toutes les heures environ afin de sécuriser le périmètre, Tracy sentait l'immensité du ciel noir, une poignée d'étoiles qui disparaissaient à mesure que le brouillard tombait une fois de plus. Quelque part dans l'obscurité, Tracy crut entendre les cerfs respirer.

Juillet 1975

Tracy avait enfin réussi à se débarrasser du fardeau encombrant de sa virginité. Lassée d'attendre d'être admise à suivre la formation de la police, elle avait commencé à prendre des leçons de conduite. Son moniteur, Dennis, la quarantaine, gérait son auto-école tout seul et était séparé de sa femme.

Après la première leçon, il avait suggéré à Tracy d'aller prendre un verre et l'avait emmenée dans un endroit près de Harrogate Road, où il lui avait offert un poiré cognac sans lui demander ce qu'elle souhaitait. C'était apparemment « la boisson préférée des dames ». Elle se demanda ce qu'Arkwright aurait dit si elle lui avait raconté que, la fois suivante, Dennis avait flanqué une pinte de bière devant elle. Idem après la troisième leçon (« Vous avez un bon petit coup de volant, Tracy »). Après la quatrième leçon (« Il faut surveiller votre compteur, Tracy »), ils étaient allés au-delà de Heptonstall et avaient fait ça sur la banquette arrière, dans une allée forestière. Il n'était pas ce qu'on pourrait appeler un beau parti, mais Tracy n'avait pas l'intention de le garder.

« Où étais-tu passée ? » lui avait demandé sa mère au retour de son rendez-vous galant. Ses antennes frémissaient, Dorothy Waterhouse aurait fait merveille pendant la guerre. On aurait pu faire l'économie de Bletchley Park[1]. « Tu as l'air différente, avait-elle dit d'un air accusateur.

— Je suis différente, répondit Tracy avec assurance. Je suis une femme. »

Elle savait gré à Dennis de la nature terre à terre de l'acte, mais il lui était encore plus reconnaissant d'avoir vingt ans et d'être « bien rembourrée », de sorte que l'échange était relativement bien équilibré. Elle annula la leçon suivante, lui dit qu'elle émigrait. Elle s'inscrivit chez BSM et obtint son permis au bout de huit leçons. Ça semblait froid, mais il n'en attendait guère plus. Il téléphona chez elle par la suite et le malheur voulut que ce soit sa mère qui décroche. « Un certain Dennis t'a appelée, annonça-t-elle quand Tracy rentra du travail. Il voulait savoir si tu avais un trou avant d'embarquer. Je lui ai dit d'arrêter de dire des cochonneries. »

Les choses continuèrent à s'améliorer pour Tracy. Peu de temps après avoir obtenu son permis, elle signa le bail de son premier chez-soi. *She's leaving home.* Elle laissa derrière elle le petit lit dans lequel, exception faite de leur évacuation annuelle à Bridlington, elle avait dormi toutes les nuits depuis son arrivée de la maternité privée qui, dans l'idée de ses parents, donnerait à leur bébé (un garçon avec un peu de chance) un meilleur départ dans la vie qu'un hôpital du National Health Service.

1. QG des services de renseignement britanniques où furent déchiffrés les messages allemands cryptés avec la machine Enigma.

La maternité était tellement mal chauffée que Dorothy Waterhouse était rentrée chez elle avec des engelures et Tracy avec le croup. Il n'en restait pas moins qu'elles avaient côtoyé une catégorie supérieure de mères et de bébés et c'était ça le plus important.

Le nouveau domicile de Tracy était un studio exigu avec un chauffe-eau Ascot et une moquette crasseuse. Pour tout chauffage, elle avait un radiateur électrique à deux résistances qui dégageait une odeur de grillé, et une bouillotte qu'elle serrait contre elle la nuit, recroquevillée dans le canapé-lit du séjour. Le studio n'était pas meublé et Tracy avait tout acheté d'occasion, entreposant ses emplettes dans la remise de son père jusqu'à ce qu'elle ait accumulé suffisamment de possessions pour mener une vie de joyeuse célibataire. Lorsqu'elle eut la clé, Arkwright et Barry l'aidèrent à emménager. Après, ils prirent le thé avec des biscuits, assis sur le canapé-lit. « Tu ne resteras pas longtemps ici, ma jolie, fit Arkwright. Un brave gars ne tardera pas à venir t'arracher d'ici. » Et de tapoter le canapé-lit comme si ce serait l'endroit de la demande en mariage.

Barry eut un petit sourire narquois et s'étrangla avec son biscuit.

« Quelque chose ne va pas, mon gars ? demanda Arkwright.

— Rien », fit Barry.

Avoir son chez-soi souleva maintes questions que Tracy ne résolut jamais vraiment. Devait-elle acheter quatre grandes assiettes ou deux par exemple ? Un étal du marché vendait du Wedgwood second choix. Question stupide, elle n'en avait besoin que d'une : elle dînait seule tous les soirs. Crêpes surgelées Findus, curries

Vesta, purée instantanée. Cuisiner pour elle, c'était faire frire des beignets de pommes de terre.

Elle s'était imaginé un avenir casanier, invitant ses collègues à venir « manger un morceau » et présentant une tourte au poisson ou des spaghettis arrosés de piquette et suivis d'une glace industrielle bas de gamme et tout le monde disant : *Tracy est une fille bien, vous savez.* Ça ne s'était jamais produit, bien sûr. Ce n'était pas ce genre de vie. Ni ce genre de gens.

Sortant du commissariat peu de temps après son déménagement, Tracy avait eu la peur de sa vie : Marilyn Nettles avait soudain surgi devant elle. Elle avait décidément un côté ténébreux.

« Vous auriez un moment ? » fit-elle. Si elle cherchait à lui tirer les vers du nez, elle se trompait d'adresse. « On pourrait peut-être prendre un café quelque part ? Je ne cherche pas à obtenir des infos, ajouta-t-elle. C'est le contraire, en fait. C'est moi qui veux vous mettre au courant de quelque chose. »

Elles burent un cappuccino laiteux écœurant dans un café embué. Dehors, il pleuvinait, un affreux crachin d'été. Tracy se demanda, ni pour la première fois ni certainement pour la dernière, comment ce serait de vivre ailleurs. Marilyn Nettles sortit un paquet de cigarettes de son sac à main et demanda à Tracy : « Un clou du cercueil ?

— Non merci. Non… attendez, si, tout compte fait. »

Tracy tira sur sa cigarette. Elle perdrait peut-être du poids si elle se mettait à fumer. Elle entreprit de remuer la mousse de son cappuccino. « Qu'est-ce que vous vouliez me dire ?

— Le garçon », dit Marilyn Nettles.

Tracy arrêta de tourner sa petite cuillère. « Quel garçon ?

— Celui de Carol Braithwaite. Michael. Vous savez où il est ?

— Dans une famille d'accueil. À moins que vous ne disposiez d'autres renseignements.

— C'est le cas. On l'a mis dans un orphelinat. Chez les bonnes sœurs. » Marilyn frissonna. « Je les déteste.

— Un orphelinat ? » fit Tracy. Elle avait imaginé Michael Braithwaite chez des parents nourriciers expérimentés, un couple solide qui allait à l'église et qui aurait vu des centaines d'enfants dans la détresse passer entre ses mains, des gens qui savaient guérir et consoler. Mais un orphelinat ? Le mot seul évoquait la mélancolie. L'abandon.

« Ils ont changé son nom. Il y a une injonction, fit Marilyn Nettles. Tout un jargon juridique. Pour le protéger, soi-disant. On m'a mise en garde. Ça venait d'en haut. »

Tracy entendit la voix de Linda Pallister dans sa tête, *Pas de visites, c'est une directive venue d'en haut.*

« Il a été témoin d'un meurtre, dit Marilyn Nettles dont la voix se réduisit à un murmure. Et puis il disparaît. Pouf ! Comme ça. Je trouve ça suspect. J'irais peut-être jusqu'à dire qu'on l'a *fait* disparaître. »

Barry avait expliqué à Tracy que Len Lomax lui avait « confié » que quelqu'un, quelqu'un qui se disait le père de Michael, avait avoué le meurtre et s'était dépêché de mourir en prison. Ce n'était guère un truc qu'elle pouvait répéter à Marilyn Nettles, elle s'emparerait de la nouvelle et, avant que Tracy ait eu le temps de dire « ouf », elle serait dans tous les journaux. « Pourquoi vous me racontez ça ? » demanda-t-elle à Marilyn Nettles.

Marilyn Nettles secoua la tête comme si elle essayait de chasser un insecte. « J'en ai déjà trop dit. » Elle jeta un regard nerveux autour d'elle. « Je voulais juste en parler à quelqu'un. C'est pas que je raffole des petits enfants, mais on ne peut qu'être désolé pour ce pauvre gosse. Quelles sont ses chances ?

— Ils l'ont mis dans quel orphelinat ?

— Ça n'a pas d'importance, ils l'ont déjà changé. » Elle se leva brusquement et laissa une poignée de pièces sur la table. « Pour mon café », dit-elle comme si Tracy allait imaginer que c'était pour autre chose.

Tracy régla sa consommation et vérifia sa montre. Elle gémit intérieurement et peut-être extérieurement aussi à l'idée de la soirée qui l'attendait.

Les parents de Tracy faisaient un saut dans l'inconnu, ils se lançaient dans une entreprise encore jamais tentée chez les Waterhouse. Ils recevaient. La tension était palpable dans le pavillon de Bramley.

À quelques années de la retraite, son père avait eu « une promotion significative » et dans un moment de folie ses parents avaient décidé de fêter l'événement. La liste des invitations était problématique, ses parents n'ayant pas d'amis en tant que tels, seulement des connaissances et des voisins, plus quelques collègues de travail pour son père. D'une manière ou d'une autre, ils réussirent à réunir un quorum.

Le deuxième dilemme fut la formulation des invitations manuscrites de façon que les gens partent rapidement à la fin. On finit par opter pour *Apéritifs et amuse-gueules de 18 heures à 20 heures.* « *Les invités* », disait sa mère, comme s'il s'agissait d'une espèce animale dangereuse.

On força la main de Tracy pour qu'elle fasse une apparition. « Tu peux inviter deux, trois amis si tu veux », dit sa mère. « OK, fit Tracy. Je viendrai seule. »

Elle arriva de bonne heure et planta dans le crâne vert pâle d'un chou des cure-dents sur lesquels étaient empalés des cubes d'ananas et de fromage. À l'arrivée des invités, Tracy circula comme une serveuse avec des assiettes de vol-au-vent que sa mère avait passé tout l'après-midi à garnir de crevettes ou de poulet émincé. Elle n'en avait pas fait assez et quand on fut à court, sa mère siffla : « Va chercher les allumettes au fromage dans la cuisine. Dépêche-toi ! » Comme si elle demandait un renfort de munitions.

Dorothy Waterhouse avait espéré qu'ils pourraient passer les deux heures dehors, sur les dalles de ciment récemment posées du patio. La mère de Tracy vivait dans la hantise que leurs connaissances, des gens jusque-là mesurés, ne se transforment en une foule chahuteuse sous l'effet du punch de son mari, dont l'ingrédient principal n'était pas le rhum mais l'orangeade.

Au grand dam de sa mère, il avait évidemment plu et tout le monde s'écrasait dans le séjour récemment agrandi (mais pas suffisamment), les coudes serrés comme des ailes de poulet. La banalité de l'occasion était déprimante (*L'entrepreneur n'a pas essayé de vous plumer ?... De mon temps, on s'arrêtait quand on voyait passer un corbillard... On dit que le numéro 21 a été vendu à une famille de Pakis*). Tracy chipa une poignée d'allumettes au fromage et se réfugia dans la salle de bains. Remercia le ciel de ne plus vivre chez ses parents.

Elle baissa le couvercle des WC et mangea les allumettes au fromage en regardant la pluie ruisseler sur le verre « goutte de pluie » de la fenêtre. Des gouttes de pluie sur du verre goutte de pluie, n'était-ce pas un excès d'humidité dans une ville déjà pluvieuse ? Entendit le mot creux « orphelinat » dans son cerveau. Elle aurait pu offrir un foyer à ce gosse. Elle aurait dû l'arracher à son lit d'hôpital, s'enfuir avec lui, lui donner l'amour dont il avait besoin.

Tracy soupira, enfourna le restant d'allumettes au fromage, épousseta les miettes de ses vêtements et se lava les mains. Elle revit soudain la salle de bains froide, exiguë dans l'appartement de Lovell Park. Il y avait un fouillis de produits de maquillage sur une étagère. Un sous-marin en plastique échoué au fond de la baignoire encrassée. Les dernières pensées de Carol avaient-elles été pour son fils ? Elle avait dû redouter qu'on le tue également. *Quelles sont ses chances ?* avait demandé Marilyn Nettles.

Dans la cuisine, sa mère démoulait une charlotte russe capricieuse. « Faut que j'y aille, m'man », cria Tracy depuis le vestibule. Elle décrocha son imper léger du portemanteau et sortit en vitesse tandis que les protestations sans conviction de sa mère la suivaient le long de l'allée du jardin.

Elle crapahuta sous la pluie, visita tous les orphelinats et les foyers répertoriés. Aucun n'avait entendu parler d'un Michael Braithwaite, mais c'était normal, bien sûr, on avait changé son nom, selon Marilyn Nettles. Elle essaya de le décrire : *Petit garçon, quatre ans, mère assassinée*, mais partout où elle allait, les gens secouaient la tête, les portes se refermaient. Sa carte de police ne paraissait pas du tout arranger la situation, bien au contraire. Il était dix heures du soir quand elle finit par rentrer chez elle, trempée jusqu'aux os. La fête était finie depuis longtemps, sa mère avait dû aspirer la moindre miette.

Linda Pallister avait une voiture à présent. Une Hillman Imp. Elle ne pouvait pas démarrer pourtant parce que Tracy était plantée devant.

« Dites-moi où il est, Linda. Dites-moi son nom. »

Linda baissa sa vitre et dit : « Allez-vous-en, fichez-moi la paix ou j'appelle la police.

— Je suis de la police. Cet uniforme n'est pas un déguisement. »

Elle aurait dû la cogner. Lui arracher les ongles un à un jusqu'à ce qu'elle crache le morceau.

SACRIFICE

Samedi

Rien était le mot qui décrivait le mieux ce qui suivit. Il faisait noir comme dans un four, Jackson était paralysé et l'air autour de lui était aussi nauséabond qu'en enfer. Il était déjà mort une fois, mais ça ne ressemblait pas à ça. La première fois, après le déraillement du train, ç'avait été le scénario classique : couloir blanc avec sa sœur morte et un sentiment d'euphorie. Il était allé, brièvement, au paradis qui était presque à coup sûr le résultat d'un manque d'oxygénation de son cerveau. Cette fois-ci, il avait apparemment pris l'escalier dans l'autre sens.

Il perdit une fois de plus connaissance, revint à lui et s'aperçut qu'il n'était pas en fait paralysé, mais troussé, non pas comme une dinde, mais plutôt comme une momie égyptienne. Il avait les chevilles étroitement liées, les mains attachées dans le dos et du ruban adhésif sur la bouche. Au début, ce fut douloureux, puis ce fut insoutenable, mais au bout d'un moment la douleur fit place à un engourdissement, ce qui était pire d'une certaine façon. Sa tête lui faisait un mal de chien, ce qui s'expliquait par le fait qu'elle avait été bourrée de coups de pied et de coups de poing. Il pourrait s'estimer heureux s'il s'en sortait sans lésions cérébrales.

Il pourrait peut-être s'estimer heureux s'il s'en sortait tout court. Il se tortilla comme un ver particulièrement empoté jusqu'à ce que sa tête heurte une surface dure. Lentement, il manœuvra pour explorer ce qui s'avéra être un espace d'une exiguïté inquiétante, guère plus grand qu'un cercueil. Un sarcophage d'une forme bizarre rempli de trucs qui puaient.

À force de se contorsionner, il finit par comprendre qu'il partageait sa prison avec des ordures ménagères : arôme de chop suey et remugles de fish and chips. Il était enseveli dans une grande benne à ordures contenant les reliefs de plusieurs restaurants du coin, dont la spécialité était le graillon. *J'ai entendu une Mouche – en mourant*[1]. Ça devait être parce qu'il y avait bel et bien une mouche qui bourdonnait, car elle était agacée de ne pas pouvoir sortir non plus.

Il éprouva un certain soulagement. Il n'était pas devenu fou, ni allé en enfer, il ne s'était pas métamorphosé en ver géant. Il avait simplement été estourbi par deux armoires à glace et jeté dans une poubelle.

Son soulagement fut de courte durée. Il ne pouvait ni appeler au secours ni bouger – se tortiller ne comptait pas vraiment – et il n'avait aucun moyen de s'échapper. Où était passé le chien ? Il n'avait pas l'air d'être à l'intérieur avec lui. Est-ce qu'il gisait blessé ou mutilé quelque part ? Un chien en danger.

Puis il y eut pire. Bien pire. Il entendit soudain un vrombissement de véhicule industriel. Le grondement

---

1. Emily Dickinson, *Escarmouches,* trad. Charlotte Mélançon, Orphée.

féroce des premières vitesses, un bras hydraulique qui se levait et retombait, le fracas insouciant et les échanges amicaux signalant l'arrivée d'un camion d'éboueurs matinal. Il se débattit comme un fou pour essayer d'ébranler la poubelle, mais ce fut peine perdue. Il tenta de donner des coups de pied avec ses chevilles attachées, le résultat fut dérisoire. Un pauvre gémissement sourd et désespéré s'échappait de la barrière d'adhésif qui le muselait.

Il y avait d'autres poubelles à côté, il les entendit rouler vers le camion, se soulever, se vider et revenir. Deux. La sienne allait être la troisième. Il entendit un éboueur dire à un autre « T'as regardé *Top Gear* hier soir ? », et l'autre répondre « Non, ma bourgeoise regarde *Collier*. Faut que je m'abonne à Sky Plus. *Collier*, c'est merdique ».

Jackson les entendait parfaitement. Il était à quelques dizaines de centimètres d'eux, mais impossible d'attirer leur attention. Il avait survécu au Golfe, à l'Irlande du Nord, à une catastrophe ferroviaire et il allait finir comme une ordure (à tous les sens du mot), broyé par un camion-poubelle.

La poubelle fut soudain secouée et il bringuebala bruyamment vers sa triste destinée. Jackson en danger.

Ça y était.

The End.

Jackson entendit aboyer. Pas seulement aboyer, japper furieusement, le genre de bruit qui rend les gens cinglés s'il est sans répit. Il n'y eut pas de répit. Le chien aboyait éperdument. Des « ouaf ouaf » qui avaient quelque chose de familier.

« Qu'est-ce qu'il y a ? dit un des éboueurs. Qu'est-ce que t'essaies donc de me dire ?

— Quesse-tu nous racontes, Skippy ? fit un autre avec un mauvais accent australien. Quelqu'un a des ennuis, c'est ça ?

— Moi ! » rugit silencieusement Jackson.

Quelqu'un rit et dit : « Skippy, c'est un kangourou, pas un chien. Tu devrais dire Lassie.

— Plutôt Milou, si tu veux mon avis. »

Il allait mourir pendant qu'autour de lui on débattait du sexe d'un chien ?

La lumière du jour tout à coup. Si vive qu'il en fut ébloui. Et l'air frais de la mer. De la lumière et de l'air, que fallait-il de plus à un homme au fond ? Un ami fidèle qui ne le laisse pas partir au grand cimetière du ciel sans faire un tintouin de tous les diables, peut-être ?

« T'es un bon soldat, tu ne laisses aucun homme derrière, hein ? » dit Jackson au chien en regagnant cahin-caha Bella Vista.

∽

Tilly se fit une tasse de thé matinale. Fini le beau temps, la pluie cinglait le carreau de la cuisine. Les horloges indiquaient cinq heures dix, et même si Tilly n'était plus absolument certaine de ce que ça signifiait, elle était sûre que c'était le matin car elle entendait Saskia ronfler derrière la porte de sa chambre. Saskia refusait de l'admettre, elle n'arrêtait pas de se plaindre : « Eh ben, dites donc, Tilly, on aurait dit un train express dans un tunnel la nuit dernière », ou (lors d'une conversation surprise avec Padma – tiens, Padma, elle s'était rappelé son prénom sans problème) « Je n'en peux plus, je ne dors plus, vous savez, c'est comme partager une maison avec une truie qu'on égorge », et Padma répondant « Avez-vous essayé de mettre des boules Quies, Miss Bligh ? »

Captain Bligh, oui, Sir. Ou plutôt « Non, Sir », supposa Tilly, vu la mutinerie du *Bounty*. Comment s'adressait-on à un capitaine de vaisseau ? En disant « Sir » ou « Mon commandant » ? HMS *Pinafore* n'était pas d'un grand secours. Est-ce que le lieutenant des Coldstream Guards de Saskia saurait ça ? Un militaire était un militaire après tout. Comment s'appelait-il, déjà ? Saskia était la maîtresse du lieutenant. Tilly avait joué les utilités dans ce film, un rôle de servante. Lyme Regis, un endroit merveilleux, *les jeunes gens surtout désiraient ardemment voir Lyme*. Son Jane Austen préféré. *Persuasion*. Son cerveau était comme de la dentelle, délicat et plein de trous. Ou un châle de baptême. De la laine blanche sur une peau noire.

Rupert, voilà comment il s'appelait ! Comme Rupert l'ours. Elle adorait recevoir ces albums à Noël. Rupert et ses amis. Bill, le blaireau, Ping Pong, le pékinois (est-ce que c'était raciste ?). Elle avait oublié les autres. Un lendemain de Noël, elle avait fait quelque chose qui avait mis son père en colère – Dieu seul savait quoi, il ne fallait pas grand-chose pour le faire sortir de ses gonds – et il avait pris son album de *Rupert* et en avait déchiré les pages une à une. Oh, mon Dieu, est-ce que quelqu'un pourrait arrêter tout ça ? Les souvenirs, les mots. Il y en avait trop.

Le lieutenant arrivait ce soir, non ? Ça expliquerait le hachis Parmentier qui trônait mystérieusement sur la table de la cuisine.

La pluie était si violente qu'on aurait dit qu'on jetait des seaux d'eau contre la fenêtre. Il y eut un grondement de tonnerre, comme un bruitage. *Sur un bateau, la nuit : on entend un bruit de tonnerre et d'éclair dans la tempête*[1]. Elle avait joué Miranda en plein air. Quelque part dans les Home Counties, elle ne se rappelait pas grand-chose, son cœur n'y était pas parce qu'elle était amoureuse de Douglas. Elle était coincée dans la cambrousse du Berkshire ou du Buckinghamshire, un Machinshire des Home Counties en tout cas, pendant que Douglas montait une pièce de théâtre à Londres. Il avait quinze ans de plus qu'elle. Elle n'avait que vingt ans, c'était un rôle merveilleux – quelle douce innocence –, elle n'avait pas conscience à l'époque qu'elle n'aurait plus jamais l'occasion de le jouer. Elle était Prospero à présent, pauvre vieille Tilly, cassant son bâton magique, prête à renoncer à tout. Le divertissement prenait fin[2]. La fin des haricots.

Bien sûr, c'est cet été-là que Phoebe lui avait volé Douglas. Il était son metteur en scène dans *Major Barbara.* Elle était la plus jeune actrice à jouer ce rôle sur les planches londoniennes. *La nouvelle star la plus étincelante de sa génération*, disaient les critiques. Le tremplin d'une brillante carrière. Tilly n'avait jamais compris pourquoi Douglas ne lui avait pas confié le rôle, elle était aussi bonne actrice que Phoebe, certainement pas pire. Trop tard pour lui poser la question à présent. Après ça, Phoebe avait obtenu tous les rôles juteux, naturellement, Cléopâtre, la duchesse de Malfi, Nora Helmer.

1. Shakespeare, *La Tempête* (I, 1).
2. *Ibid.* (IV, 1).

Quand Tilly regarda à nouveau par la fenêtre, elle vit qu'il ne pleuvait pas, que ce n'était pas du tout mouillé dehors. La pluie était donc *dans* sa tête ? Une tempête sous un crâne. *Oh, j'ai souffert avec ceux que j'ai vus souffrir*[1].

Le hachis Parmentier était en train de décongeler sous son film alimentaire. Des arbres miniatures de brocolis étaient coupés et lavés dans une passoire. Le dîner de ce soir était sur la table à six heures du matin. Bien sûr, le lieutenant des Coldstream Guards arrivait ce soir. Saskia faisait son numéro de ménagère. Ce n'était pas elle qui avait préparé le hachis, mais le gentil garçon du camion-restaurant. « Donnez-lui un air authentique, lui avait recommandé Saskia, un côté fait maison. Comme si j'étais une bonne cuisinière, mais pas un cordon-bleu. » Quelle sotte.

Dans un café avec Douglas. Près du British Museum. Il lui avait payé un baba au rhum, son gâteau préféré, puis il avait posé sa main sur la sienne et dit « Navré, très chère Matilda » – c'est comme ça qu'il parlait, il avait grandi en regardant les acteurs des années 30. Sa mère avait été une Bluebell Girl avant de l'avoir. (Et Tilly était à Bluebell Cottage. Curieux, non ?) Pas de père pour Douglas, sa mère était une rapide, ce genre de milieu ne pouvait que tourner la tête d'un garçon. L'odeur du fard gras lui était familière depuis la naissance. Ça la remplissait d'une terrible tristesse de penser à Douglas bébé, il avait vécu un tel supplice à la fin, il n'avait plus que la peau sur les os. Le sida, évidemment. Il avait emporté beaucoup de ces pauvres garçons. Le bébé de Tilly était

1. *Ibid.* (I, 2).

un petit garçon. Il avait été expulsé. Noir. Noir comme la nuit. *Elle est comme un joyau sur la joue de la nuit, un brillant à l'oreille d'une Éthiopienne.* La première fois qu'elle avait joué Juliette, c'était au lycée. Un lycée de filles, son Roméo se prénommait Eileen. Elle se demandait ce qu'elle était devenue. Morte peut-être bien.

Il y avait un hachis Parmentier sur la table. Curieux, non ? Elle devrait le mettre au four. Vince et son copain venaient ce soir « lui remonter le moral ». Ils avaient dit qu'ils apporteraient à manger – est-ce que c'était déjà fait ? Ils étaient déjà là ? Où ? Son cerveau lui rejouait un tour, lui faisait l'effet d'un écran de télé neigeux. Peut-être qu'elle avait des petites attaques, l'une après l'autre, ce qui expliquerait toute cette météo en elle.

Ils avaient fait du hachis Parmentier en « éducation ménagère » à l'école. Les cours d'éducation ménagère vous apprenaient tout ce que vous aviez besoin de savoir pour tenir une maison, être une bonne épouse.

« Putain de bordel, Tilly ! Qu'est-ce que vous foutez ? Vous faites cuire le putain de hachis Parmentier, il est six heures du matin, putain. Espèce de pauvre conne sénile ! »

Tilly agita désespérément les mains en l'air. Elle avait envie de dire « Ne criez pas », elle détestait qu'on lui crie après, elle se contractait à l'intérieur. La grande gueule de son père, l'odeur de poisson mort qui lui collait à la peau. Elle ne put rien dire, les mots ne voulaient pas sortir. *Ar-aw-oo-ar-ay-ee-ar-aw-oo-ar-ay-ee-ar-aw-oo-ar-ay-ee-ar.*

Elles petit-déjeunèrent de toasts tartinés de Marmite, assises à une table de réfectoire fabriquée par Robert Thompson, l'homme à la souris. Tracy avait lu une brochure et montré sa signature à Courtney : une petite souris sculptée qui grimpait à un pied de table. Une dizaine de chaises assorties entouraient la table. Courtney s'était mise à quatre pattes et avait compté toutes les souris sur les pieds de chaise.

Imaginez une vie où vous petit-déjeûniez tous les matins sur une table en chêne, dans une maison victorienne de style néogothique, avec vue sur une harde de cerfs. La baguette magique était posée à côté du pot de Marmitc. Ellc était brisée à présent, Courtney avait conservé la moitié surmontée d'une étoile, qui ressemblait plus à une hachette qu'à une baguette magique. Après avoir fini ses tartines, Courtney hissa son fidèle sac à dos rose et étala son butin sur la table de l'homme à la souris. Au bout de trois jours de ce rituel, Tracy croyait connaître le contenu par cœur, mais il y avait toujours quelque chose de nouveau. L'inventaire actuel était le suivant :

Le dé à coudre en argent terni
La pièce chinoise trouée au centre
Le porte-monnaie arborant la tête d'un singe qui souriait
La boule à neige contenant une maquette grossière du palais de Westminster
Le coquillage en forme de cornet à la crème

Le coquillage en forme de chapeau de coolie
La pomme de pin
La bague de fiançailles de Dorothy Waterhouse
La feuille en filigrane trouvée dans le bois
Quelques maillons de chaîne en or bon marché

La chaîne en or était une nouveauté. La gamine était une vraie pie. Trouver, collectionner, arranger était une manie chez elle. Elle était renfermée. Est-ce que ça augurait une scientifique collationnant patiemment des données, une artiste absorbée dans sa création, ou y avait-il un petit côté autiste dans tout ça ?

Tracy débarrassa la table, emporta la vaisselle sale à la cuisine attenante. Une ou deux minutes plus tard, elle entendit un bruit venu de l'autre pièce. C'était si inattendu qu'il lui fallut un moment pour comprendre que c'était Courtney qui chantonnait *Étincelle, étincelle, petite étoile.* La première ligne. Tracy jeta un coup d'œil dans la pièce. Courtney répéta la première ligne (Qui connaissait la suite ? Personne). Au mot « étoile », elle ferma les poings, puis les rouvrit en faisant l'étoile de mer avec les mains. Une enfant abîmée qui était encore capable de chanter n'était pas irrécupérable. On pouvait l'emmener à la pantomime, au zoo, dans une ferme enfantine, à Disneyland. Elle ne finirait pas par racoler le client dans Sweet Street West. Chevaunne. Elle aurait pu être sauvée jadis. Ils auraient tous pu être sauvés, toutes les Chevaunne, tous les Michael Braithwaite, tous les enfants affamés, battus et abandonnés. S'il y avait eu assez de gens pour les secourir.

« Désolée, dit-elle à Courtney. Mais il faut qu'on parte de ce bel endroit. »

Elle téléphona à Harry Reynolds. Elle entendit des glaçons tinter dans un verre. Ça paraissait un peu tôt pour l'apéro. C'était peut-être son jus d'orange matinal. Elle l'imagina debout près du téléphone dans sa maison hors de prix, chaussé de pantoufles hors de prix, regardant ses carpes hors de prix. Les glaçons lui firent penser à des diamants. Diamants et cafards. La fin du monde. Il répondit avec circonspection : « Oui ?

— J'arrive », dit-elle. On aurait dit une espionne du temps de la guerre froide.

Une longue allée toute droite conduisait au portail et à la route de Ripon. Chassée du paradis, se dirigeant vers l'est d'Eden au volant d'une voiture volée. Ayant en sa possession une enfant volée.

Elles n'étaient pas parvenues au portail qu'une voiture s'engagea dans l'allée. Grise, quelconque, elle s'approcha lentement. Il s'en dégageait une aura lugubre et le cœur de Tracy se serra. Le chauffeur fit un appel de phares et leva la main comme un agent de la circulation. L'Avensis.

Tracy avait rencontré l'instrument de sa perte, elle le sentait. Tôt ou tard, elle devrait découvrir ce qu'il lui voulait, supposa-t-elle.

L'Avensis s'arrêta au niveau de la Saab et le conducteur fit un petit salut à Tracy comme un dépanneur à l'ancienne, baissa sa vitre. Tracy l'imita.

« Quoi ? aboya-t-elle en faisant l'impasse sur les plaisanteries.

— Tracy, ça ne vous gêne pas que je vous appelle comme ça ? » dit-il. Copain comme cochon. C'était qui, bon sang ? « Je vous cherche, ajouta-t-il.

— J'ai beaucoup de succès en ce moment. Surtout auprès des hommes ou des crétins comme on les appelle parfois. Vous me suivez pour quelle raison ?

— Ça dépend du point de vue, non ? D'aucuns diraient que c'est *vous* qui me suivez.

— Foutaises. »

Il éclata de rire et dit : « Vous êtes une farceuse, Tracy.

— Une farceuse ? » répéta Tracy, perplexe. D'où sortait cet olibrius, d'une boîte reléguée sur une étagère et étiquetée *Gus de l'Essex vers 1943* ? Il descendit de voiture et contourna l'avant de la Saab. Tracy envisagea de l'écraser. Comme un cerf, de laisser sa carcasse sur la route pour que les touristes la trouvent. Pas de caméras de surveillance ici. Si ? Le National Trust avait sans doute des caméras déguisées en nichoirs. Avant que Tracy ait pu décider si oui ou non elle allait lui passer sur le corps, il avait atteint la portière côté passager. Il l'ouvrit et elle attrapa sa torche.

« Inutile, dit-il aimablement. Je ne suis pas la personne dont vous devriez avoir peur. » Il s'assit à côté d'elle et soupira d'aise comme s'il venait de se plonger dans un bon bain chaud. « Je m'appelle Brian Jackson à propos. » Il sortit une carte bon marché de sa poche et la lui tendit. *Brian Jackson – Enquêtes privées.* Suivait un numéro de portable. On pouvait se procurer des cartes de ce genre dans les gares. *Un type est venu au commissariat, il te cherchait*, avait expliqué Barry. *Il dit s'appeler Jackson Machin ou je ne sais quoi. Il prétend qu'il est détective privé.*

« C'est merveilleux ici, hein ? dit-il pour engager la conversation. On a l'impression que le temps s'est immobilisé. Vous avez eu l'occasion de visiter l'abbaye ? C'est un site inscrit au patrimoine mondial, vous savez. »

Elle le fixa du regard jusqu'à ce qu'il lève les mains en l'air et dise : « C'était juste pour causer. Je vous ai cherchée toute la semaine. J'ai trouvé tous les autres, mais vous êtes insaisissable.

— Tous les autres ?

— Chaque fois que je vous rattrape, vous partez comme une flèche. J'ai failli avoir un infarctus quand vous êtes rentrée de plein fouet dans cette biche. Ç'aurait pu mal finir. Ça s'est mal terminé pour elle, évidemment.

— C'était donc vous qui me poursuiviez ?

— Je vous suivais, je ne vous poursuivais pas, dit-il d'un air blessé. Je ne sais pas pourquoi vous vous êtes enfuie comme ça dans le bois. » Il ouvrit la boîte à gants, farfouilla dedans et en sortit un petit gadget électronique. « Je ne vous aurais jamais retrouvée sans ça. C'est un boîtier émetteur, dit-il en le brandissant pour qu'elle puisse l'examiner. Il était destiné à votre ami, je voulais être sûr de pouvoir le suivre. Nous cherchons tous les deux la même chose, on est des sortes de coéquipiers. Heureuse coïncidence, même si je dis toujours qu'une coïncidence n'est qu'une explication qui attend son heure.

— Qu'est-ce que vous me racontez là ?

— Très pratique la façon dont ce truc m'a mené à vous. Votre ami est très fâché à propos. Pour sa voiture.

— C'est pas un ami, fit Tracy.

— Il pourrait l'être. »

Elle eut un sentiment de défaite, d'une chape de plomb qui s'abattait sur elle. À quoi bon ? Elle ne pouvait ni courir ni se cacher, il y aurait toujours quelqu'un pour les chercher. Pour leur coller un dispositif de localisation. Des satellites tout là-haut dans la stratosphère tournaient à leur moindre mouvement. Des caméras étaient braquées sur elles. Des yeux dans le ciel et des drones jouaient aux devinettes : ça commence par un « T ». Le Pentagone et le Kremlin les surveillaient sans doute aussi. Des extraterrestres les avaient dans un rayon tracteur invisible. Aucun moyen de s'échapper, aucune issue. Elle se demanda si elle pouvait juste poser sa tête sur le volant et s'endormir et quand elle se réveillerait tout serait différent. Peut-être que la forêt aurait poussé autour d'elles et leur ferait une cage d'épines et d'églantiers. Elle aurait dû y penser plus tôt, se débrouiller pour que la gamine se pique le doigt à un rouet et elles seraient tranquilles. Endormies mais tranquilles, comme Amy Crawford.

L'homme fourrageait toujours dans la boîte à gants. Cette fois-ci, il en exhuma ce qui ressemblait à un bonbon noir et blanc. « Un bonbon à la menthe d'Everton, dit-il. Ça fait longtemps que je n'en ai pas vu. » Il sortit un mouchoir, nettoya un peu le bonbon et le tendit à Courtney qui ouvrit la bouche avec la dévotion et le sérieux de quelqu'un recevant l'hostie.

Le bonbon gonflait la joue de la gosse comme dans une bande dessinée. Tracy s'imagina qu'elle allait l'avaler tout rond et s'étrangler. « Croque-le, fit-elle, ne le suce pas. » Elle se tourna vers Brian Jackson qui fouinait toujours dans la boîte à gants. « Vous cherchez quoi ?

— Rien, je me demandais juste ce qu'il avait là-dedans. Je ne peux pas m'empêcher d'être curieux, c'est quoi le grand mot déjà, ah ouais, alter ego, ce type est mon alter ego.

— Qu'est-ce que vous me chantez là ?

— *Tout va bien ici. Amitiés, N.* » : il lisait à haute voix une vieille carte postale qu'il venait de dénicher. « Jolie ville, Cheltenham. Vous connaissez ? » Il examina les CD. « De la musique country, grands dieux, qui l'eût cru ?

— Vous êtes ici pour l'enfant, fit Tracy.

— Oui. Vous m'avez pris la main dans le sac. Je suis là pour l'enfant. Pas celle-ci pourtant, même si je la trouve intéressante. » Il se retourna et dévisagea Courtney. Elle soutint son regard.

« C'est peine perdue, fit Tracy. Elle ne baissera pas les yeux la première. Qu'est-ce que vous voulez dire, vous ne vous intéressez pas à elle ? » Son moral remonta. Elle était vachement contente. « Vous voulez dire que vous n'êtes pas venu la récupérer ?

— Nan. Je suis ici pour un autre enfant. »

« Un autre enfant ? fit Tracy.

— Enfin, plus maintenant. Un enfant dans le passé.

— On l'a tous été.

— Pas moi. »

Une bande de faons traversa nonchalamment la route devant eux.

« Regarde, fit Courtney.

— Je les vois, ma puce, fit Tracy les yeux toujours fixés sur Brian Jackson.

— Pourquoi on ne monterait pas tous dans ma voiture, Tracy ? proposa Brian Jackson. Ce serait beaucoup plus sûr pour vous. Le vol de cette voiture a été signalé. Ce n'est pas le cas de la mienne, parole de voleur. Je vous dépose où vous voulez. Leeds, c'est ça ? On pourra bavarder en chemin.

— Pas avant que vous m'ayez expliqué de quoi il retourne. » Elle se sentit soudain incroyablement irritée, la chape de plomb de la défaite, réduite à une méchante métaphore, s'était envolée. Tracy avait de nouveau la niaque. « Je suis très occupée en ce moment, alors arrêtez de me faire perdre mon temps, parlez.

— D'accord, d'accord. Ne montez pas sur vos grands chevaux. » Courtney fit un bruit indiquant la surprise et, sans se retourner, Tracy lui dit : « C'est une façon de parler, ma colombe.

— J'attends, fit Tracy.

— Michael Braithwaite. Ce nom vous dit quelque chose ?

— Michael Braithwaite ?

— Oui, je me disais aussi que ça pourrait. J'ai quelques questions. Des lacunes à combler. Vous êtes un témoin clé, comme qui dirait. Qu'est-ce que vous en pensez – on y va ? »

« Vous avez dit que vous n'étiez pas la personne dont je devrais avoir peur, dit Tracy. De qui je devrais avoir peur ? »

∽

Il était dans la salle à manger de Bella Vista et prit son « petit déjeuner complet du Yorkshire » comme si la seule chose qui lui était arrivée entre le moment où il avait fermé les yeux la nuit dernière et celui où il les avait rouverts ce matin avait été une nuit paisible dans le boudoir fleuri de *Valerie*.

Les éboueurs estomaqués (pour ne pas dire traumatisés) avaient voulu appeler Police-Secours, mais Jackson avait on ne sait comment réussi à les persuader qu'il avait fini dans la poubelle à la suite d'une blague amicale. « Une plaisanterie qui a mal tourné.

— Tu parles d'une blague », fit l'un d'eux.

Ils avaient dû incliner la poubelle pour le libérer et il avait roulé avec les ordures comme une bestiole sans pattes. L'un d'eux avait sorti un couteau Stanley et coupé le ruban adhésif qui lui liait les chevilles et les poignets. Il fallut un certain temps pour que le sang se remette à circuler dans ses membres, mais il parvint à enlever son bâillon lui-même et s'éloigna en trébuchant dans la rue, conscient d'être suivi par des regards dubitatifs. Il passa devant une vitrine d'horloger. Toutes les aiguilles étaient à la verticale. Six heures. Il croyait avoir passé des heures dans la poubelle, mais il y était resté moins de deux heures. Pas une poubelle à roulettes, mais une machine à voyager dans le temps et l'espace.

Le chien parcourut tout le chemin pour rentrer à Bella Vista en gambadant dans un état de quasi-euphorie. Lors de la catastrophe ferroviaire, deux ans plus tôt, la vie de Jackson avait été sauvée par une fille qui lui avait fait la respiration artificielle. Aujourd'hui, il devait la vie à la fidélité d'un chien. Moins il était innocent, plus ses sauveteurs le devenaient. Il s'opérait dans l'univers un échange qu'il ne comprenait pas.

Ils avaient regagné *Valerie* comme ils en étaient sortis, par l'issue de secours. Une odeur de bacon s'infiltrait déjà sous la porte et concurrençait le parfum du désodorisant imprégné dans le tissu des rideaux et des coussins.

Il se glissa dans la petite salle de bains attenante et prit la meilleure douche de sa vie, malgré la serviette de toilette riquiqui et la minuscule savonnette qui ne tarda pas à fondre. Rien de tel qu'une expérience aux frontières de la mort pour ouvrir l'appétit d'un homme et, une fois redevenu présentable, il laissa le chien – tout malheureux devant cette ingrate désertion – et sortit de *Valerie* par la voie normale pour aller goûter le « petit déjeuner complet du Yorkshire » offert par Mrs Reid.

Jackson ne savait pas à quoi il s'attendait : à des Yorkshire puddings, à une rose blanche symbolique découpée dans les toasts peut-être – au lieu de ça, il eut droit à l'habituel petit déjeuner complet : des tranches de bacon flasques, un œuf pâle et vitreux, des champignons qui ressemblaient à des limaces et une saucisse qui faisait immanquablement penser à un étron de chien. Le pire, ce fut la déception (prévisible) que fut le café, de la lavasse acide qui le rendit légèrement nauséeux.

Seule une autre table était occupée par un couple entre deux âges. Hormis l'occasionnelle remarque à peine audible du genre « Passe-moi le sel », le duo petit-déjeuna dans un silence lugubre proche de l'hostilité.

L'absence de dialogue conjugal procura à Jackson la paix nécessaire pour digérer les événements de la nuit. Le « message » du petit matin : *Laisse tomber Carol Braithwaite.* Ça voulait dire quoi ? Qu'il s'était approché de trop près d'une vérité qui fâchait ? Il avait pourtant l'impression de n'avoir rien découvert du tout concernant la mort de Carol Braithwaite. Plutôt le contraire. Qui l'avertissait et pourquoi ? À cause de quelque chose que Marilyn Nettles lui avait dit hier ? Ou qu'elle ne lui avait *pas* dit peut-être ? Elle n'avait pas été très explicite dans ses réponses.

Quelque chose le taraudait hier soir avant sa rencontre avec Twideuldeume et Twideuldie. Il avait repensé à Jennifer, la fillette que Steve et lui avaient enlevée à

Munich, il essayait de se rappeler le prénom de son frère et puis – ça lui revint tout d'un coup – il n'avait pas posé la bonne question à Marilyn Nettles. C'était une question si simple en plus.

Les petits déjeuners étaient servis par une jeune fille. Elle lui disait quelque chose et ce n'est que lorsqu'elle vint lui remplir à nouveau sa tasse – qu'importe le goût pourvu qu'on ait la caféine – qu'il reconnut en elle la moitié féminine du couple goth aperçu la veille dans l'église St Mary. Elle était coiffée d'une queue-de-cheval et ne portait aucun maquillage. Tous ses piercings, du moins ceux qui étaient visibles, avaient disparu. Une ado agressive plutôt que quelqu'un qui jouait les vampires.

« Belle matinée, dit Jackson qui cherchait à engager la conversation et se vit récompensé par un regard revêche.

— Si on ne vous oblige pas à travailler, répondit-elle.

— C'est le cas ? On vous y oblige ? » demanda-t-il. Elle n'avait pas l'air d'être le genre qu'on oblige à quoi que ce soit.

« C'est la traite des Blancs. »

À Whitby. Ça paraissait improbable.

Elle sortit de la salle à manger en traînant les pieds et en répandant négligemment du café en chemin. Il entendit pousser brutalement la porte de la cuisine et le bruit de quelque chose qui tombait et se brisait. La verte réprimande de Mrs Reid fut contrée par la voix de la fille disant « Oh, *m'man* ! » sur le même ton geignard que Marlee adoptait à présent.

La fille sortit en trombe de la cuisine et monta l'escalier au pas de charge.

« Impossible de trouver du personnel de nos jours, hein ? » lança joyeusement Jackson à ses voisins lugubres qui ne ressentirent ni l'un ni l'autre la nécessité de faire une répartie spirituelle, ni d'ailleurs de répartie tout court.

Il récompensa le chien avec la saucisse-étron dérobée au petit-déjeuner du Yorkshire, déplorant seulement que tout ce qui entrait par une extrémité doive ressortir par l'autre.

Jackson défit le lit, laissa les draps en tas sur le matelas. Il mit dessus les vingt-cinq livres dues pour la nuit. Pas de pourboire car il n'avait pas remarqué de service qui mérite récompense. C'était de l'argent facile pour Mrs Reid. Il aurait pu régler la note normalement bien sûr, mais ça lui semblait mieux ainsi. Ça lui épargnait un tas de paroles inutiles.

« Je n'en ai pas pour longtemps », dit-il au chien en l'attachant à la grille de la cour de Marilyn Nettles.

Aucun signe de vie dans le cottage. Il fut surpris, elle ne semblait pas le genre lève-tôt. La maison avait le même air d'abandon que celle de Linda Pallister. Où disparaissaient donc toutes ces femmes ? Y avait-il un trou noir quelque part qui aspirait toutes les femmes entre deux âges – Tracy Waterhouse, Linda Pallister et maintenant Marilyn Nettles ? Toutes liées d'une façon ou d'une autre à Hope McMaster.

À moins qu'il ne s'agisse d'une sorte de complot – Brian Jackson, Tracy Waterhouse, Marilyn Nettles, Linda Pallister, tous y trempaient. Jackson ne savait pas ce que ce « y » recouvrait, mais c'était ça l'intérêt, non ? Résoudre une énigme, c'était traquer le « y », lui faire mettre les mains au-dessus de la tête et cracher le morceau. C'était comme participer à un jeu dont on ne connaît pas les règles, dont le but est loin d'être clair et où on ignore l'identité des autres joueurs. Était-il un pion ou un joueur ? Était-il en train de devenir parano ? (*Devenir !* entendit-il Julia s'exclamer.)

Il se mit à quatre pattes et regarda par la chatière. Air mort. « Vous ne passerez jamais par là », fit une voix.

Chargée de sacs de supermarché, Marilyn Nettles entra d'un pas traînant dans la cour. Jackson entendit un bruit de bouteilles qui s'entrechoquaient. Pas de trou noir, ni de femme en danger, juste une vieille alcoolo au visage marqué qui faisait ses courses journalières.

« Qu'est-ce que vous voulez, cette fois-ci ?

— Carol Braithwaite avait combien d'enfants ? »

Ils quittèrent Whitby. En car.

Jackson s'assit sur l'impériale et admira le paysage. Le chien était couché à ses pieds. Ils retournaient à Leeds. Là où tout avait commencé. Là où tout finirait si Jackson avait son mot à dire. À Scarborough, ils descendirent du car pour prendre un train. Jackson n'aimait pas le train. Il avait encore des flash-back du déraillement, des hallucinations sensorielles désagréables – odeur d'huile qui brûle et de feux électriques, crissement de métal sur du métal. C'était la première fois qu'il remontait dans un train depuis la catastrophe.

Une femme avait perdu le contrôle de son véhicule qui était tombé du pont sur la voie et avait fait dérailler le train. Bilan : quinze morts. La femme avait une tumeur au cerveau, qui avait provoqué un accident vasculaire cérébral. Un petit groupe de cellules endommagées suffisait à tuer et à mutiler *en masse**. Faute de clou.

Jackson n'aimait vraiment pas le train.

∽

Il avait pris son petit déjeuner à la maison, ce qui ne lui était pas arrivé depuis un bon moment. Barry se contentait d'habitude d'avaler une tasse de café en vitesse et partait pour Millgarth. Barbara avait coutume de se tracasser quand il faisait ça, *tu ne peux pas partir sans rien dans le ventre, tout le monde sait que le petit déjeuner est le repas le plus important de la journée*, blablabla. Plus maintenant.

« Je mangerais bien des œufs au bacon », dit-il.

Quand elle posa l'assiette devant lui, il demanda « Tu n'en veux pas ? », et elle répondit « Je n'ai pas faim », mais s'assit en face de lui et prit son petit déjeuner habituel de Valium et de thé. Elle était vêtue d'un deux-pièces élégant, ses cheveux étaient démêlés et tirés en arrière.

« Merci, ma chérie », fit-il après avoir nettoyé son assiette avec un morceau de pain. Il se leva, avala son café puis dit : « Bon, ben, j'y vais.

— Il sort aujourd'hui, fit-elle d'une voix dénuée d'émotion.

— Je sais. » Il tenta de l'embrasser pour lui dire au revoir, autre chose qu'il n'avait pas fait depuis longtemps, mais elle réussit à se dérober et il finit par lui tapoter l'épaule à la place. « Bon, ben, au revoir », fit-il.

Ça faisait deux ans que Barbara avait invité Amy et Ivan à dîner, passé toute la journée en cuisine, à mitonner des recettes compliquées, et Barry toute la soirée à dire à Ivan quel propre à rien il était. Il était en train de perdre son entreprise, allait être déclaré en faillite, l'homme qui avait promis de protéger et nourrir sa fille.

« Barry, comment ça va ? » avait-il lancé quand il était allé leur ouvrir. Il détestait la façon dont Ivan l'appelait « Barry » comme s'ils étaient des potes au pub, comme s'ils étaient des égaux. « Tu ne voudrais tout de même pas qu'il t'appelle Mr Crawford, disait Barbara. C'est ton gendre, pour l'amour du ciel. » En fait, Barry aurait préféré qu'Ivan l'appelle « Commissaire ».

« Un petit apéritif ? » proposa Barbara une fois qu'ils eurent enlevé leur manteau et installé Sam dans son berceau au premier. Barbara avait tout acheté en double – berceau, siège enfant, chaise haute, poussette –, imaginant une vie de baby-sitting.

« Très volontiers, Barbara, dit Ivan en se frottant les mains. Je prendrai du vin blanc. » Barry savait qu'il rendait son gendre nerveux mais il s'en fichait. Barbara n'avait pas encore sorti la bouteille de Chardonnay du frigo qu'il faisait des commentaires sarcastiques à mi-voix. « S'il te plaît, papa », dit Amy en lui touchant le bras.

Ivan jeta un regard appréhensif à Amy au-dessus du cheese-cake au chocolat et à la ricotta. Il avait l'air d'un homme qui s'apprête à sauter d'une falaise. Il s'éclaircit la gorge et dit : « Barry, on se demandait, Amy et moi, si vous ne pourriez pas nous prêter dix mille livres pour nous aider à nous remettre sur pied ? »

Barry eut envie de lui foutre son poing dans la gueule, là, tout de suite, à table. « J'ai travaillé dur toute ma vie, tonna-t-il en se drapant dans son personnage de patriarche, et vous voulez que je vous donne mon argent parce que vous êtes un branleur, un jean-foutre. Autant me demander de le jeter directement dans la cuvette des WC et de tirer la chasse. »

Amy bondit de table : « Je ne resterai pas pour entendre mon mari se faire insulter, papa », et elle monta en courant au premier chercher Sam.

Avant que Barry ait pu faire quoi que ce soit, elle était dehors en train d'attacher son petit-fils dans son siège enfant. « Franchement, papa, tu es le dernier des salauds parfois. »

Barbara, debout sur le seuil, le visage comme un masque de béton armé, regardant la voiture démarrer. « Il a trop bu, dit-elle. Il ne devrait pas prendre le volant. C'est entièrement ta faute, Barry. Comme d'habitude. »

Il aurait donné n'importe quoi pour sa fille, mais il avait rechigné devant un malheureux prêt de dix mille livres. Il aurait pu dire oui, ils auraient ouvert une bouteille de mousseux pour fêter ça et mangé le cheese-cake au chocolat et à la ricotta. Barbara aurait dit « Oh, vous n'êtes pas en état de conduire, les lits sont faits, restez donc », et Barry serait monté embrasser son petit-fils endormi pour lui souhaiter bonne nuit. Mais ça ne s'était pas passé comme ça, hein ?

Entrant dans le commissariat, il faillit être renversé par Chloe Pallister, agitée comme une fourmilière dans laquelle on aurait donné un coup de pied. « Ma mère a disparu, fit-elle.

— Disparu ? fit Barry

— Depuis mercredi soir. Je suis allée chez elle, personne, elle n'est pas allée au travail, personne ne l'a vue. »

Barry se souvint qu'Amy avait lancé son bouquet en visant sa meilleure amie, mais que Chloe avait trouvé le moyen de trébucher sur ses escarpins de satin orange et que c'était une fille plus dégourdie qui avait attrapé les fleurs.

« Tu as remarqué s'il manquait quelque chose ?

— Son passeport.

— Son passeport, répéta-t-il. Si son passeport n'est plus là, elle s'est très vraisemblablement enfuie.

— Enfuie ? Ma mère ? »

Ça paraissait peu probable, Linda n'était pas le genre à s'enfuir, il s'entêta cependant dans cette explication facile. « Elle en a eu marre de cette existence à la con et elle est partie vivre sa vie sur une plage en Grèce, dit-il. En ce moment même, elle est sans doute dans une taverne en train de faire de l'œil à un serveur, dans l'espoir de jouer les Shirley Valentine.

— Pas ma mère, fit vigoureusement Chloe.

— Parfois, on se surprend soi-même, mon chou. » Il avait l'esprit nébuleux. Il n'avait pas l'énergie pour ce genre de truc. Il avait d'autres chats à fouetter. Pas de quartier, pas de cadavres. Il conduisit Chloe Pallister à une salle d'interrogatoire et lui dit que quelqu'un allait venir prendre sa déposition. Il la laissa là et oublia de signaler sa présence à quelqu'un.

Gemma Holroyd passa la tête à la porte de son bureau et dit : « Pour info, patron, le labo a trouvé le même ADN sur la scène de crime de Kelly Cross que sur la putain de Mabgate. » *Pour info*, songea Barry, il exécrait cette expression. « Et la troisième ? s'enquit-il. Celle du cinéma de Cottage Road ?

— On n'a pas encore les résultats. »

Il alluma son ordinateur et se mit à rédiger ses dernières volontés.

Il était en train de mettre les points sur les *i* quand on frappa à la porte. Elle s'ouvrit avant qu'il ait eu le temps de dire « Entrez ».

« Vous, dit Barry. J'aimerais bien savoir à quoi vous jouez. Qu'est-ce que vous voulez au juste ?

— La vérité ? » fit Jackson Brodie.

∽

« Commissaire. Entrez donc. »

Torchon à vaisselle à la main, Harry Reynolds lui tint la porte, l'image même du bonheur domestique.

La chaleur de serre vous frappait en entrant. Et l'arôme de café auquel se superposait une odeur de pommes et de sucre. « Je fais une tarte aux pommes pour le déjeuner dominical, dit Harry Reynolds. Qu'est-ce qui vous est arrivé ?

— Je me suis bagarrée avec un airbag. »

Jetant un coup d'œil à Courtney, la fée dépenaillée, il dit : « Bonjour, mon petit chou, t'as pas l'air très fraîche non plus. La magie ne marche pas fort ? Ta "maman" va devoir t'acheter une baguette neuve, hein, maman ? » fit-il en haussant un sourcil sarcastique à l'adresse de Tracy. Puis il ajouta sur un autre ton : « Vous ne pouvez pas voyager dans cet état. On dirait que vous vous êtes coiffées avec un râteau. De vrais épouvantails. Vous et le vilain petit canard, il vous faut une tenue correcte. Vous ne voulez pas attirer l'attention. » Elle n'imaginait que trop facilement comment ce serait de se mettre mal avec

Harry Reynolds. Terrifiant. Tracy avait depuis longtemps dépassé le stade de la peur.

Vilain petit canard, comment osait-il ? Elle aurait dû l'envoyer au tapis ici même dans son séjour encombré et surchauffé. Le balancer dans son bassin à carpes koi hors de prix, laisser Harry Reynolds nager avec les poissons. Au lieu de ça, elle dit : « Ouais, merci pour le conseil, Harry. Malheureusement, j'ai été obligée d'abandonner mes bagages Vuitton, et toutes mes robes Gucci se trouvaient dedans.

— Vous avez des ennuis, commissaire ? Plus qu'avant ? Si c'est humainement possible. Je n'en veux pas chez moi, débrouillez-vous pour les laisser à la porte.

— C'est une menace ?

— Juste un conseil amical. » Il regarda l'horrible horloge soleil et dit : « Susan sera bientôt là avec Brett et Ashley. Ils font un saut ici avant d'aller à Alton Towers. » C'était énoncé comme un fait, mais censé être un avertissement. Pas d'offre de scones cette fois. Strictement professionnel. « Et je dois aller à des obsèques », ajouta-t-il.

Il prit une grande enveloppe en papier kraft sur son buffet des années 60. « Tout y est. Nouveaux passeports, extraits de naissance. Une adresse à Ilkley – inutile de prétendre que vous n'êtes pas du Yorkshire, vous vous trahirez dès que vous ouvrirez la bouche –, factures d'électricité et de gaz à votre adresse, vous pourrez ouvrir un nouveau compte en banque n'importe où. Vous allez en France, c'est ça ? Vous devriez choisir un pays qui n'extrade pas. Nouveau numéro de sécurité sociale également et, en prime, vous avez votre profil sur Facebook où vous serez heureuse d'apprendre que vous avez déjà dix-sept amis. Bienvenue dans le meilleur des mondes, Imogen Brown. »

Tracy lui tendit une enveloppe pleine à craquer. « C'est pas donné », fit-elle. La seconde enveloppe de la semaine, celle-ci contenait beaucoup plus d'argent que la première. Elle avait bel et bien adhéré à l'économie monétaire.

« Vous n'êtes guère en mesure de marchander, commissaire.

— Je me contentais de constater.

— Vous avez dit à votre notaire de mettre votre maison en vente ?

— Oui. »

Il poussa un soupir d'entrepreneur martyrisé. « Faut des foutues semaines pour acheter ou vendre une maison, toutes ces vérifications et ces rapports d'expertise. Une bureaucratie ridicule. L'argent d'un homme et sa parole devraient suffire. Et ne me parlez pas de la réglementation sur le blanchiment d'argent. Fini le bon vieux temps où on pouvait s'acheter une belle petite propriété en liquide.

— Ouais, le bon vieux temps, fit Tracy. Tout le monde le regrette. Surtout les criminels.

— Vous êtes mal placée pour jeter la pierre, commissaire. De toute façon, ne vous inquiétez pas, je peux activer la manœuvre. Accélérer la vente. Restez en contact avec votre notaire. Il me vend la maison, je prélève ma commission d'intermédiaire, si je puis dire, et je verse le restant sur le nouveau compte en banque que vous ouvrirez.

— J'ai jeté mon téléphone.

— Sage initiative. On peut vous trouver n'importe où aujourd'hui si vous avez un téléphone. Attendez », fit-il avant de disparaître. Tracy l'entendit marcher au premier. Le visage collé aux portes du patio, Courtney regardait le bassin. Tracy entraperçut un gros poisson marbré bleu et blanc qui glissait comme un sous-marin en maraude.

Harry Reynolds revint avec un sac de vêtements. « Ce sont des affaires qui ont appartenu à Ashley et à ma femme. C'était une femme forte, elles devraient vous aller. J'aurais dû les trier avant, les donner à une organisation charitable ou autre. Susan est toujours sur mon dos. Elle n'aime pas voir les vêtements de sa mère dans la maison quand elle vient. » Ses épaules s'affaissèrent, il fut soudain un vieil homme sans épouse. Il remarqua l'empreinte de la bouille sale de Courtney sur les portes vitrées du patio et sortit machinalement un mouchoir pour l'effacer.

« Tenez », fit-il. Il plongea la main dans le sac de vêtements et en sortit deux portables qu'il remit à Tracy en disant : « Jetez-les après la première utilisation. Ils ont des cartes prépayées.

— Je m'en doute », dit Tracy. Un retraité avec une penderie remplie de portables de dealer, qu'y avait-il de surprenant à ça ?

On sonna à la porte et Harry Reynolds se hâta d'aller ouvrir.

« Ça doit être Brett et Ashley », fit Tracy en haussant un sourcil à l'adresse de Courtney qui lui répondit énigmatiquement de la même façon.

Les petits-enfants de Harry Reynolds se ruèrent dans la maison et s'arrêtèrent net à la vue de Courtney, le coucou déplumé qui usurpait leur place dans le nid. Brett était en tenue de l'équipe de foot Leeds United et Ashley en jeans et sweat à capuche de velours rose

High School Musical. Courtney regarda bouche bée cette vision inaccessible de chic préado.

Leur mère entra en coup de vent dans la pièce derrière eux et dit : « C'est quoi tout ça ?

— Rien, Susan, fit Harry Reynolds apaisant, légèrement intimidé. Une vieille amie de passage. Elle est venue me dire un petit bonjour. »

Tracy se demanda si la fille de Harry Reynolds savait quel genre de « vieux amis » son père avait eus ou si elle croyait que tout ça – le rosbif, les frais de scolarité, les carpes koi – était la juste récompense d'une vie honnête et laborieuse. « Ne vous inquiétez pas, nous partions, fit Tracy.

— Je vous escorte jusqu'à la porte », fit Harry sur le ton d'un policier.

L'Avensis était garée devant la maison. Appuyé au capot, Brian Jackson fumait. Il leva sa cigarette en guise de salutation muette en les apercevant.

« Qui c'est ? dit Harry Reynolds entre ses dents.

— Personne, fit Tracy.

— Bon, eh bien, coulez des jours heureux, commissaire, fit Harry Reynolds.

— Je ferai de mon mieux », dit Tracy.

21 mars 1975

Une bambine ! Adorable dans son pyjama, dormant à poings fermés, emmitouflée dans une vieille couverture sale. Il y avait eu un accident ? Ray Strickland était livide comme s'il venait d'être témoin d'une catastrophe.

« Entrez, il fait un froid de canard là dehors », dit Ian. Il emmena Ray dans la salle de séjour, le fit asseoir, lui versa un double whisky. La main de Ray tremblait tellement qu'il n'arrivait pas à porter le verre à ses lèvres.

« Qu'est-ce qui s'est passé, Strickland ? » demanda Ian. Il était accroupi à côté de lui, vérifiait que la petite n'était pas blessée. Kitty ressentit une bouffée de fierté devant la compétence de son époux. « Qui c'est ? » s'enquit Ian, mais Ray se contenta de secouer la tête.

« Elle va bien ? » demanda Ray, et Ian hocha la tête et dit « À première vue, oui ». Kitty enleva la petite fille des bras de Ray et l'emmitoufla dans une couverture propre. « Voilà, chaude comme une caille », dit-elle en la prenant dans ses bras. La fillette ne remua pas. Le poids compact de l'enfant était absolument merveilleux. Imagine qu'elle soit à toi, que tu puisses la tenir comme ça tous les jours. *Kitty Winfield chassa les cheveux des yeux de sa fille endormie.*

« Vous voulez bien la prendre ? fit Ray.

— La prendre, répéta Kitty. Pour la nuit ?

— Pour toujours.

— Pour qu'elle soit à moi ? Que je puisse la garder ? À jamais ? fit Kitty.

— Pour qu'elle soit à nous », dit Ian.

Quinze jours plus tard, devant un agréable dîner aux chandelles à la maison, Ian lui versa un verre de vin et dit : « On m'a offert un poste en Nouvelle-Zélande, j'ai pensé qu'il valait mieux accepter.

— Oh, mon Dieu, oui, chéri, fit Kitty. C'est parfait. On peut tout laisser derrière nous, repartir de zéro dans un endroit où personne ne sait rien de nous. Tu es très malin. »

Samedi

La peste soit de ces hurlements[1]. Les eaux déchaînées grondaient dans sa tête. Sortie en courant de Bluebell Cottage avec l'écho des insultes de Saskia dans les oreilles, Tilly était montée dans sa voiture et partie. Elle voulait rentrer chez elle à Londres. Il lui fallait un train, les trains se trouvent dans les gares, la gare était à Leeds. Il lui était arrivé quelque chose de terrible à Leeds, mais impossible de se rappeler quoi. Ça concernait un enfant. Un enfant, un pauvre, pauvre enfant. Une petite chose noire dans la neige. Son petit bébé noir.

Lorsqu'elle avait embrassé son charmant Nigérian à la station de métro de Leicester Square, il lui avait dit : « Je passe te prendre ce soir, tu aimerais peut-être aller au cinéma, dîner quelque part ensuite ?

— Ce serait merveilleux, avait répondu Tilly.

— Je passe te chercher vers sept heures. »

Elle avait pensé à lui toute la journée, s'était demandé comment s'habiller, se coiffer. Elle avait été mauvaise comme un cochon aux répétitions, mais elle s'en fichait,

---

1. Shakespeare, *La Tempête* (I, 1).

son cœur faisait des bonds. Elle rentra à six heures, se prépara à toute vitesse puis resta debout à la fenêtre à regarder la rue en contrebas, à guetter l'arrivée de son nouvel amant, le beau Nigérian.

Elle attendait toujours à huit heures, à neuf heures. À dix heures, elle comprit qu'il ne viendrait pas. Qu'il ne viendrait jamais.

Ce n'est que beaucoup plus tard qu'elle apprit qu'il s'était perdu. Il n'avait pas noté son adresse, avait cru pouvoir retrouver facilement le chemin de son appartement, mais une fois à Soho, il se rendit compte qu'il s'était trompé de rue. Il arpenta le quartier, en quête d'un point de repère familier, d'un détail qui lui rappelle l'endroit de la veille. Il sonna même à quelques portes où on l'envoya promener à cause de sa couleur, sauf certaines dames qui avaient leur carte de visite au-dessus de la sonnette. Il était presque minuit quand il renonça et rentra chez lui.

Le lendemain, il essaya à nouveau de retrouver sa trace. Il fit la tournée des théâtres et dans l'un d'eux quelqu'un l'adressa à Phoebe qui s'apprêtait à entrer en scène pour une matinée de *Pygmalion*. Il se souvint de l'avoir vue à la soirée de l'ambassade. Oui, elle connaissait Tilly, en fait, Tilly était sa meilleure amie et lui avait tout raconté au sujet de son « rendez-vous galant », et « J'ai bien peur d'avoir une mauvaise nouvelle à vous annoncer », dit-elle, la main sur le cœur, ou là où il se serait trouvé si elle en avait eu un. Tilly s'était aperçue à la froide lumière du jour qu'elle ne souhaitait pas le revoir. C'était une erreur, elle s'était laissé emporter. « Vous comprenez ? » dit Phoebe. Il comprenait. « Désolée donc, fit Phoebe, on va frapper les trois coups, il faut que j'y aille. »

« J'avais ton intérêt à cœur, expliqua Phoebe, assise à son chevet à l'hôpital après qu'elle eut perdu le bébé. Il t'arrive d'être plutôt bête. » *Stupide Tilly.* « Ça se serait terminé par un désastre, Tilly. »

C'était déjà fait.

Quand elle se sentit plus vaillante, elle se rendit à l'ambassade du Nigeria, il fallait qu'elle s'excuse auprès de lui, qu'elle lui explique la trahison de son amie. Il y avait un homme à la réception, mais que lui dire ? « Avez-vous un certain John qui travaille ici ? » Le réceptionniste la regarda avec ce qui ressemblait à du mépris, un peu comme les infirmières à la maternité, et répondit : « Nous avons plusieurs personnes qui travaillent ici et qui portent ce prénom. Il me faudrait un nom de famille. »

Que faire ? *Ce cri, ce cri qui m'a frappée au cœur*[1] *!* Elle était rentrée chez elle en pataugeant sous la pluie, vaincue. Ils avaient peut-être renoncé trop facilement tous les deux. Elle s'était déjà dit ça au sujet de la princesse Margaret et de Peter Townsend. Le devoir avant l'amour. Quelle foutaise. L'amour devrait toujours passer en premier. Ce n'était pas comme si la princesse Margaret était *nécessaire* au pays. Plutôt le contraire.

Peut-être qu'elle n'aurait pas perdu le bébé si elle n'avait pas perdu son père. Peut-être que c'était dû au stress. Elle avait commencé à acheter de la layette, des moufles et des petits chaussons. Elle avait conservé une des petites moufles pendant des années au fond de son sac à main jusqu'à ce qu'elle se désintègre. C'était bête, non ?

1. Shakespeare, *La Tempête* (I, 2), trad. Yves Bonnefoy, Gallimard.

C'était terrifiant à la gare de Leeds : tout le monde se précipitait dans tous les sens, le visage inquiet, tous les gens couraient pour attraper un train, impatients envers autrui, envers eux-mêmes. Et que je te pousse, et que je te bouscule. Aucun savoir-vivre !

Les tours couronnées de nuées, les magnifiques palais. Tout n'était qu'illusion, n'est-ce pas ? La réalité elle-même n'était rien. Des mots, tout n'était que des mots, une fois qu'on perdait les mots, on perdait le monde. La tempête hurlait autour d'elle. En mer par vent violent. Les hommes sur les chalutiers, leurs corps sombrant en tournoyant dans les profondeurs froides, glaciales après le torpillage de leurs braves petits bateaux. Tombant, tombant, tombant au fond de la mer. *Perles sont devenus ses yeux.* Un trésor dans les profondeurs océanes.

Elle eut à nouveau une sensation d'obscurité, de voir le rideau de l'aurore boréale. Elle était sur un vaisseau fendant les eaux sombres. En perdition. Les espars se brisaient, le mât principal craquait, les voiles pendaient en lambeaux. La figure de proue était un bébé nu hurlant dans le vent. Il y avait des bébés partout, accrochés désespérément au gréement, cramponnés aux flancs du navire qui commençait à sombrer dans la mer glacée, huileuse. Il fallait qu'elle les sauve, il fallait qu'elle les sauve, mais impossible, elle sombrait avec le navire. *Pitié de nous ! Nous coulons, nous coulons*[1] !

Puis soudain, elle apparut dans la gare, tel un rayon de soleil, un port dans la tempête – la petite « Étincelle, étincelle ». Ailes écrasées, comme un pauvre petit papillon, une fée dépenaillée, voltigeant dans la foule, sur la passe-

1. Shakespeare, *La Tempête* (I, 1), trad. Yves Bonnefoy.

relle au-dessus des quais. Tilly avait une seconde chance de la sauver. Quelqu'un devait faire quelque chose. Tilly devait faire quelque chose. De l'audace, Tilly ! Sois audacieuse !

Courtney. Le prénom lui revint spontanément à l'esprit (*Putain, Courtney, tu vas la fermer, oui ou merde ? Tu me fais chier !*) « Courtney », chuchota Tilly, la voix soudain enrouée. La fillette tourna la tête et la regarda. « Courtney », répéta Tilly avec plus d'assurance, cette fois. Elle sourit et tendit la main. Courtney s'avança vers elle et glissa sa menotte dans la vieille main de Tilly comme si elle obéissait à des instructions invisibles. Tilly se rappela son rêve, la patte veloutée du lapin dans sa main tandis qu'ils volaient. « Viens avec moi, ma chérie », dit Tilly.

∽

Tracy avait enfilé les vêtements de l'épouse décédée de Harry Reynolds. Un pantalon Marks & Spencer à taille élastique et une tunique à motif de jungle qui l'aurait rendue invisible dans une forêt tropicale. C'était pas le cas à Leeds. Courtney qui marchait tranquillement à son côté s'en sortait mieux, mais tout juste : elle arborait un vieux pantalon corsaire en denim d'Ashley et un haut Peppa Pig. Elle avait insisté pour passer par-dessus les lambeaux de son costume de fée. Tant pis pour « la tenue correcte » de Harry Reynolds, on aurait dit deux SDF, mais c'était sans importance, personne ne s'intéresse aux SDF.

On annonça le passage d'un « train direct » et on leur demanda de s'éloigner de la bordure du quai. Le quai grouillait de monde – le long week-end, supposa Tracy – et elle serra la main de Courtney comme si la gosse risquait d'être emportée au Kansas. Tracy avait une fois été témoin d'un « incident » : quelqu'un avait été précipité d'un quai bondé sous un train. Le coupable – un type très ordinaire – avait dit que ç'avait été plus fort que lui. Plus il se répétait de ne pas pousser, plus il se sentait forcé de le faire. Il avait l'air de croire que c'était une raison, il n'avait même pas plaidé la folie passagère. L'incident avait été enregistré par une caméra de surveillance, le gars condamné à perpète, il sortait dans cinq ans. « Reste éloignée du bord », dit Tracy à Courtney.

Elle ne savait pas du tout comment ça s'était produit. Il y eut un mouvement dans la foule – qui crut peut-être que le train s'arrêtait au lieu de poursuivre sa route – mais une seconde elle tenait la gamine et la suivante elle lui avait échappé. La panique étreignit la poitrine de Tracy qui pivota sur ses talons pour rattraper Courtney et se retrouva presque nez à nez avec Len Lomax.

Ça faisait des années qu'elle ne l'avait pas vu. Costard trois pièces en soie, cravate de deuil noire, lunettes de jeunot. Il devait avoir soixante-dix ans facile, mais toujours fière allure compte tenu du fait qu'il avait passé le plus clair de sa vie à fumer, boire et Dieu sait quoi d'autre.

« Tracy, ça fait un bail, dit-il comme s'ils étaient à une garden-party.

— Pas maintenant, patron », répondit-elle en fouillant du regard le quai bondé pour retrouver la gamine. Ça faisait plus de quinze ans qu'il n'était plus son patron, mais la subordination lui venait naturellement.

Elle repéra Courtney un peu plus loin sur le quai, emmenée par une vieille femme. La gosse suivrait sans doute n'importe qui. Un chien aurait plus de bon sens. Les vieilles femmes étaient dignes de confiance, non ? Les vieilles femmes trouvaient les petits enfants et les emmenaient aux Objets trouvés en leur fourrant une pièce de six pence dans la main. (C'est ce qui était arrivé jadis à une minuscule Tracy à la gare de York. Elle avait espéré que la vieille femme l'emmènerait chez elle.) À moins qu'elles ne soient de méchantes sorcières, évidemment, auquel cas elles emmenaient les petits enfants chez elles et les engraissaient avant de les mettre au four.

Dans la cohue, elle perdit la vieille femme de vue, commença à hyperventiler. Garde ton calme. Ton sang-froid. Elle aperçut de nouveau la vieille femme et se mit à se frayer un chemin dans la foule, mais quelque chose la tirait en arrière. Pas quelque chose, quelqu'un. Len Lomax une fois de plus. À quoi jouait-il ? Il l'attrapa par le haut du bras et elle sentit sa poigne surprenante sur son biceps. Il ne voulait pas la lâcher, c'était une ancre qui l'arrachait à la gamine et il dit « C'est difficile de mettre la main sur vous, Tracy. Vous et moi avons un brin de causette à faire ». *De qui je devrais avoir peur ?* avait-elle demandé à Brian Jackson. « De Strickland et de son comparse Lomax », avait-il répondu. C'était bizarre, car Tracy avait toujours cru le contraire : que c'était Strickland le comparse de Lomax. « Ils essaient d'étouffer le passé, avait expliqué Brian Jackson, mais la vérité finit toujours par éclater. »

« Foutez le camp, lâchez-moi. » Elle essaya de se dégager, mais Lomax tenait bon. « Désolée, patron », fit-elle, et de lui flanquer un bon coup de genou dans les roustons.

« Garce ! » l'entendit-elle crier lorsqu'elle fila. Elle était à deux pas de la gamine quand un des gars du Land Cruiser se planta soudain devant elle comme un mur. Elle tira enfin les conclusions, elle avait mis le temps. Les voyous à veste de cuir étaient des hommes de Lomax. Des anciens taulards qui avaient croisé son chemin. « Vous êtes un témoin clé, lui avait expliqué Brian Jackson entre Fountains et Leeds. Vous étiez là quand ils ont enfoncé la porte. » Elle n'avait été témoin de rien, elle était loin d'être une clé dans cette affaire.

Sans s'arrêter, Tracy lui balança un pain dans la tronche et continua à avancer à toute vapeur vers la gamine. Elle aperçut l'autre gros bras à veste de cuir – rien de surprenant – qui se faufilait dans la foule dans sa direction. Partout les loups se rapprochaient. Il s'attendait à ce qu'elle l'esquive, mais au lieu de ça, Tracy le Taureau chargea et l'encorna pour se frayer un passage.

La foule recula, rien de tel qu'une vache folle déchaînée pour faire le vide. Courtney aperçut Tracy et lâcha la main de la vieille femme pour courir vers elle. Tracy l'attrapa et la serra à l'étouffer dans ses bras. Sauve la gamine, sauve le monde. La gamine était le monde. Le monde, tout le monde, rien que le monde. « J'peux plus respirer, murmura Courtney.

— Pardon », fit Tracy en desserrant son étreinte et en cherchant du regard l'escalator. Pas d'issue de secours, trop de gens. Et voici que réapparaissait cet enfoiré de Len Lomax, qu'est-ce qui clochait chez ce vieux salopard ? Il était fou furieux, il n'avait jamais aimé être contrarié, surtout pas par une femme. « Je veux vous parler, putain, OK ? » fit-il.

Il fonça et essaya d'attraper la gamine, commença à l'arracher à Tracy. Agrippée à Tracy comme un bébé koala, Courtney se mit à gueuler comme un putois et à lui donner des coups de baguette magique. Autant frapper un éléphant avec un brin d'herbe.

Perruque de travers, la vieille femme se précipita sans crier gare sur Lomax – dire qu'elle lui tomba dessus serait plus juste – et elle le ceintura. Lomax pivota pour lui faire face et, l'espace d'une seconde, ils eurent l'air d'un couple de retraités dans un thé dansant qui aurait tourné au vinaigre.

La vieille femme avait déséquilibré Len Lomax et ils tanguèrent périlleusement tandis qu'il tentait de se remettre d'aplomb. Il y eut une seconde annonce plus urgente au sujet du train direct dont l'approche fut signalée par un appel d'air et un grondement. Ceux qui étaient assez près des vieux danseurs titubants pour voir le danger poussèrent un « han » d'horreur collectif. Les gens se mirent à crier et à hurler et deux types bondirent pour tenter en vain de les tirer en arrière.

Il y eut une seconde quantique de silence qui compta pour du beurre dans une dimension et s'étira à l'infini dans l'autre. Durant la valse-hésitation entre triomphe et désastre, Tracy pressentit l'inévitabilité du dénouement.

Le bruit revint de plus belle lorsque le train fit son entrée tapageuse en gare et Tracy vit, incrédule, Len Lomax et la vieille femme toujours enlacés, basculer et passer sous les roues impitoyables de la locomotive. Tracy plaqua une main sur les yeux de la gamine, mais en une minute tout fut fini. Un crissement aigu de freins couvrit les cris et les hurlements de la foule sur le quai. Ce n'était plus un train sans arrêt.

Tournant la tête, Tracy aperçut les deux malabars en veste de cuir, ressuscités tel un duo de méchants de BD, qui s'enfuyaient à toutes jambes sur l'escalator. Leur maître marionnettiste n'étant plus là, inutile pour les pantins de s'attarder dans les parages.

« Je vois plus rien, fit Courtney.

— Pardon », dit Tracy en enlevant sa main.

Deux agents de la police des chemins de fer dévalaient l'autre escalator pour plonger dans le pandémonium. Deux quais plus loin, un train attendait patiemment. « Viens », dit Tracy à la gosse. Le chef de gare n'allait pas tarder à porter son sifflet à sa bouche pour annoncer la fermeture des portes. Elles montèrent dans le train juste avant qu'il ne gonfle les joues pour siffler.

Elles allèrent à l'autre bout du train, s'installèrent tranquillement comme des voyageuses ordinaires. Tout ce qui restait de la baguette magique était l'étoile argentée. La gamine la rangea dans son sac à dos.

Tracy trouva une vieille banane pleine de taches de rousseur à côté de sa torche au fond de son sac à main. La gosse leva le pouce. Fit l'étoile de mer avec ses mains à la fenêtre.

L'espace d'un moment hallucinogène, Tracy crut voir le conducteur de la Saab à côté de Brian Jackson sur le quai.

Au revoir, Leeds. Bon débarras, songea-t-elle. Elle ne reviendrait jamais. Elle en avait terminé avec le passé. Elle était une astronaute qui s'était aventurée trop loin. Pas de retour sur terre pour Tracy. Elle n'était plus Tracy, de toute façon. Elle était Imogen Brown. Elle avait dix-sept amis sur Facebook et du liquide à la banque. Plus une gosse à élever. Dormir, manger, protéger. Rebelote.

∽

Pauvre vieille Tilly avec ses genoux flageolants et sa hanche qui se démanchait dansant sa dernière valse dans les bras d'un homme. Une brève rencontre sur un quai de gare. *Rien ne dure au fond. Ni le bonheur ni le désespoir. Même la vie ne dure pas très longtemps.* Elle avait joué Laura Jesson jadis, une affreuse production – au Wolsey d'Ipswich, à moins que ce n'ait été au Theatre Royal de Windsor ? Ça n'avait plus d'importance à présent. À l'époque, elle était trop jeune pour comprendre la notion de sacrifice ou les exigences de l'amour.

Un méchant homme qui voulait faire du mal à la petite « Étincelle, étincelle ». L'espace d'une seconde, elle crut reconnaître son père.

Puis elle se mit à rouler, rouler et se dit : ça ira, je ne tomberai pas de bien haut en tombant sur la voie, mais le train était arrivé. Stupide Tilly.

Notre petite vie est au creux d'un sommeil[1]. Sa perruque était peut-être tombée. Elle ne voulait pas manquer de dignité à la fin. *Si seulement c'était l'histoire*

1. Shakespeare, *La Tempête* (IV, 1), trad. Yves Bonnefoy, Gallimard.

de quelqu'un d'autre et non la mienne[1]. Descendant en tournoyant dans l'eau froide, escortée de gros poissons d'argent qui la protégeaient tandis qu'elle sombrait lentement au fond de l'océan. N'aie crainte, l'île est pleine de bruits. Ses os sont déjà changés en corail. Ses yeux aveugles comme des perles. Le reste est silence.

∽

Un Cerf blessé – bondit plus haut[2]. Empruntant la passerelle de verre qui enjambait les voies, il vit se dérouler tout le drame. Il reconnut la distribution bizarre de l'étrange spectacle improvisé – la mère de Vincent Collier, la femme qui lui avait volé sa Saab, la petite fille, Twideuldeume et Twideuldie. Le seul acteur nouveau était le vieil homme qui était passé sous le train avec la mère de Vince Collier. De l'endroit où Jackson se trouvait, on avait l'impression qu'elle aurait pu le pousser. Quel était le titre de la chanson de Mary Gauthier déjà ? *Mercy Now*[3] ?

Décidément, Jackson n'aimait pas le train.

Il devrait descendre, prendre la situation en main, porter secours. Il ramassa le chien, il l'imaginait trop facilement piétiné dans la mêlée, dévala l'escalator et se

1. *Brève rencontre*, pièce de Noël Coward adaptée au cinéma par David Lean.
2. Emily Dickinson, trad. Françoise Delphy, Flammarion.
3. C'est-à-dire « *Pitié à présent* », Mary Gauthier se définit comme une « chanteuse folk du Sud ».

retrouva coincé sur le quai au milieu des cris. Il aperçut son auto-stoppeuse doublée d'une voleuse remorquant la petite fille. Elle montait dans un autre train, semant une fois de plus le chaos dans son sillage. Il se précipita, mais le train quittait déjà le quai. Il vit la petite fille lui dire au revoir en faisant l'étoile de mer avec ses mains jusqu'au moment où elle disparut de son champ de vision.

Une main sur son épaule le fit sursauter. Brian Jackson. Le faux Jackson, comme il s'était mis à l'appeler. Pour on ne sait quelle raison, Jackson – le vrai – ne fut pas surpris.

« Une vraie anguille, cette Tracy Waterhouse.

— Voulez-vous me répéter ça, fit Jackson pendant que les rouages de son esprit se mettaient en branle. C'était Tracy Waterhouse ?

— Et vous vous dites détective ?

— Je ne comprends pas », fit Jackson. Il ne savait pas pourquoi il ne se faisait pas tatouer cette phrase sur le front.

« Je crois que nous cherchons tous les deux la même chose, fit Brian Jackson. Mais nos points de départ sont différents. » La police et les ambulanciers commençaient à arriver sur les lieux. « Quel gâchis, dit Brian Jackson. Partons. »

Jackson hésita. Ne devrait-il pas aider, à tout le moins faire une déposition sur ce qu'il avait vu ?

« Nous sommes des témoins innocents, fit Brian Jackson en le poussant vers l'escalator, tel un chien de berger ramenant une brebis récalcitrante dans le troupeau. Allez, j'ai quelqu'un que vous aimeriez rencontrer. Quelqu'un qui aimerait vous rencontrer.

— Qui ça ?

— Mon client. Un homme du nom de Michael Braithwaite. On aimerait tous les deux savoir pour qui vous travaillez. »

« Vous me téléphonez, dit-elle.

— Oui, fit-il.

— Vous ne m'envoyez pas d'e-mail ni de SMS, fit Hope McMaster. Vous me parlez. Vous avez du nouveau. Qu'est-ce qui s'est passé ? » Le poids fébrile de l'attente avait fait passer tous les points d'exclamation à la trappe.

« Eh bien, fit prudemment Jackson, ça se présente de la façon suivante. Bonne nouvelle, mauvaise nouvelle, bonne nouvelle. D'accord ?

— D'accord.

— D'abord, la bonne : j'ai découvert qui était votre mère biologique. La mauvaise : c'était une prostituée qui a été assassinée par votre père.

— OK, fit Hope. Je digérerai ça plus tard. Et l'autre bonne nouvelle ?

— Vous avez un frère. »

Hope McMaster. Michael Braithwaite. Deux éléments d'un puzzle qui s'imbriquaient parfaitement.

Hope McMaster était Nicola Braithwaite, la sœur de Michael.

(« Pourquoi vous ne me l'avez pas dit ? avait demandé Jackson à Marilyn Nettles le matin même.

— Parce que vous ne me l'avez pas demandé », avait-elle répondu.)

Nicola Braithwaite, deux ans. Il n'y avait pas eu d'interdiction de divulgation à son sujet, pas d'injonction ni de nécessité de la « protéger », parce qu'elle n'existait pas. Elle n'était pas allée à l'école ni chez le médecin. Carol Braithwaite avait évité les infirmières à domicile. Elle avait déménagé sans cesse. Les voisins ne l'avaient même pas remarquée.

« Disparue », selon Marilyn Nettles. « Elle n'était pas dans l'appartement quand ils ont enfoncé la porte, ils ne connaissaient donc pas son existence. Enfin, certaines personnes étaient au courant naturellement... J'ai dû beaucoup creuser pour découvrir le pot aux roses, mais je n'en ai jamais parlé à personne. Elle a eu une belle vie ?

— Oui, fit Jackson. Je suppose que oui. »

« Oh, c'est une histoire merveilleuse, fit Julia, les larmes aux yeux.

— Enfin, seule la fin est merveilleuse, fit Jackson, pas l'histoire.

— La découverte d'un enfant, fit Julia. Est-ce que ce n'est pas ce qu'il y a de plus beau au monde ?

— Ce qui restait au fond de la boîte », fit Jackson.

∽

Il se rendit en voiture dans la lande au-dessus d'Ilkley, monta jusqu'à Upper Barden Reservoir. Il n'y avait pas âme qui vive. Le ciel était marbré de nuages teintés d'opale. On aurait dit un tableau, c'était merveilleux. Barry imagina Carol Braithwaite montant au ciel. L'Assomption. Carol Braithwaite main dans la main avec Amy. Carol et Amy, une dans la tête, une dans le cœur.

Deux buses décrivaient des cercles au-dessus de sa tête, l'attendaient.

21 mars 1975

Elle était mal lunée quand il avait débarqué à l'appartement de Lovell Park. On ne savait jamais à quoi s'attendre avec elle, quelquefois elle était complètement camée, à d'autres moments, elle s'apitoyait sur son sort, avait le moral dans les chaussettes. Ses changements d'humeur étaient si rapides que parfois on les voyait arriver, on voyait son visage se modifier. Ce soir, elle avait bu, ce qui n'arrangeait rien – elle avait le vin mauvais – et elle lui agita une bouteille de pinard sous le nez en guise de bonsoir.

« Les gosses dorment », dit-elle.

Seul Michael était au lit – vraisemblablement, car il n'y avait aucune trace de lui. Nicola était sur le canapé où elle avait dû s'endormir. Elle avait la figure et les mains sales, un pyjama crasseux. Quel espoir avait cette gosse ?

« Je t'ai apporté l'argent. » Il lui tendit un billet de cinq livres. Comme un client. Ça faisait deux ans qu'il n'avait pas couché avec elle, mais il y avait des erreurs qu'on payait toute sa vie. Elle ne savait pas qui était le père du garçon. Mais pour la fille, il n'y avait aucun doute, disait-elle. La fille aurait pu être de n'importe qui, répliquait-il, mais au fond de son cœur il savait qu'elle était de lui. Et s'il le niait, elle irait voir sa femme. Elle l'en menaçait sans cesse.

« Il faut qu'on parle, dit-elle en s'allumant une cigarette.

— Ah bon ? »

Les photos étaient étalées sur la table basse en verre bon marché. « Regarde-moi ça, dit-elle en lui désignant une photo qui les montrait tous les quatre. Comme une vraie famille.

— Pas vraiment », fit-il. Elle avait sorti un jeune de sa baraque à frites et lui avait demandé de les prendre « tous les quatre ensemble ».

Depuis Noël, elle le tannait pour qu'ils fassent une sortie en famille et ils avaient atterri à Scarborough, un jour d'avis de tempête. Il n'y avait pas un chat. Ça avait au moins l'avantage que les chances pour qu'il tombe sur une connaissance étaient de zéro.

Elle courut vers la mer, enleva ses souliers et ses collants et les abandonna sur le sable. On aurait dit une vieille peau de serpent. Elle se précipita dans l'eau et dansa dans les vagues. « Putain, elle est glacée ! lui cria-t-elle. Viens donc, c'est délicieux.

— Ne dis pas de bêtises.

— Dégonflé ! Ton papa est un dégonflé, mon chou, dit-elle au garçon en revenant en courant sur la plage.

— Ne m'appelle pas comme ça, dit-il agacé, je ne suis pas son père. » Il avait pris le garçon à part et l'avait prévenu : « Ne m'appelle pas papa. Ni p'pa. Je te l'interdis. Compris ? Je ne suis pas ton père. Je ne sais pas qui est ton père. Si ta mère ne le sait pas, pourquoi je devrais le savoir, putain ? »

Elle était imprévisible, c'était gênant d'être vu en sa compagnie. « J'aime pas faire les choses à moitié », disait-elle, mais il y avait autre chose. Il se demandait si elle ne souffrait pas d'une maladie mentale.

Elle avait apporté un appareil photo acheté d'occasion et insisté pour prendre sans arrêt des photos. Il avait tenté d'éviter de se trouver dessus, mais avait fini par accepter de figurer sur une pour qu'elle la ferme.

« Voyons si on peut trouver un marchand de glace ouvert. » On était début mars, ce n'était pas la saison et il faisait un froid de canard, personne ne mangeait de glaces au bord de la mer en hiver. « Ou des frites ! dit-elle en s'échauffant. Mangeons tous des frites ! »

Il tenait la fillette dans ses bras pour essayer de la protéger du vent. « Allez, on fait la course », cria-t-elle au garçon, mais il était absorbé à creuser un château dans le sable humide, boueux. Carol se mit à courir vers la jetée. On avait l'impression que le vent la portait. Il aurait bien voulu qu'il l'emporte à jamais.

« Comme une famille », dit-elle en passant la main sur les photos et en les regardant à travers la fumée de sa cigarette. Elle s'était mise à parler d'eux comme d'une « vraie famille », à suggérer qu'il pourrait quitter sa femme. Elle se fourrait le doigt dans l'œil jusqu'au coude.

À partir de là, les choses n'avaient fait qu'empirer. Elle avait menacé d'aller voir sa femme, d'emmener les enfants avec elle et de lui faire honte devant tout le voisinage. Il lui avait dit « Calme-toi, tu vas finir par le réveiller, le voisinage ». Elle commença à le frapper, à le bourrer de coups de poing. Il se défendit en lui balançant une grande claque dans la gueule, il croyait que ça suffirait à l'arrêter, mais ça l'avait rendue hystérique et elle s'était mise à gueuler comme un putois. Elle avait sorti ses griffes et, sans savoir comment, il s'était retrouvé dans la chambre, les mains autour de son cou. Franchement, ça faisait du bien. De lui fermer son clapet pour une fois. De l'arrêter.

Ce fut fini en quelques secondes. C'était une telle force de la nature qu'il ne s'attendait pas qu'elle devienne toute molle comme ça. Il s'agenouilla et lui prit le pouls, néant. Il n'arrivait pas à y croire. Il n'avait pas eu l'intention de la *tuer.* Il leva les yeux et aperçut le gamin qui le regardait, les yeux écarquillés dans le couloir, mais il n'avait qu'une idée : se casser. Il descendit l'escalier en courant, impossible d'attendre l'ascenseur, monta dans sa voiture, alla dans un pub en ville où il éclusa un double whisky. Ses mains tremblaient. Sa vie était fichue. Il allait tout perdre : son boulot, son mariage, sa réputation.

Il resta à picoler. Il en fallait beaucoup pour qu'il soit ivre. Il perdit la notion du temps.

« Le coup de l'étrier, inspecteur ? » dit le barman et il répondit « Non », alla aux WC et vomit.

Il y avait une cabine téléphonique au coin de la rue et il se réfugia dans sa lumière froide, blanche. Il appela la seule personne capable de le tirer de ce pétrin : Walter Eastman. « Sir ? C'est Len Lomax. Je suis dans de sales draps. » Il ne mentionna pas le garçon.

Ray lui remit les photos le lendemain et dit : « Nous voilà quittes. Ne me demande plus jamais de service, d'accord, Len ?

— Elle était bien morte, hein ? » demanda-t-il. Il avait passé le reste de la nuit à se retourner dans son lit à côté d'Alma, à imaginer Carol Braithwaite débarquant et le désignant d'un doigt accusateur.

« Oui, fit Ray. Elle était morte. » Il avait l'air dégoûté. « J'ai emmené la gamine chez les Winfield. Ils ne poseront pas de questions, fais-moi confiance. » Ray ne mentionna pas le garçon car il ignorait son existence.

C'est Eastman qui avait eu l'idée des Winfield. « Je vais demander à Strickland de porter la gosse chez eux, avait-il dit. Tu n'es pas en état de faire quoi que ce soit. Rentre auprès d'Alma. T'as les clés ? De son appartement ? »

Le lendemain, Eastman invita Len à faire une partie de golf. « T'es pas le mauvais bougre, Len, dit-il en pratiquant son swing. Il t'est arrivé un gros pépin, ça ne veut pas dire que ta vie devrait être détruite, pas à cause d'une pute morte. Et ta gosse est dans un foyer merveilleux, pense à tout ce qu'elle aura. » Len n'avait toujours pas mentionné le garçon.

Il escomptait qu'on trouverait Carol. C'est ce qui se produisait : les gens mouraient, d'autres gens les trouvaient. Puis le temps s'écoula et il ne se passait rien. L'affaire commença à lui paraître irréelle, il se mit à croire qu'elle ne s'était jamais produite. Il avait eu une cousine, Janet, il l'avait toujours, mais personne ne parlait plus beaucoup d'elle. À l'âge de quatorze ans, elle avait accouché dans sa chambre à la maison. Personne ne savait qu'elle était enceinte, tout le monde croyait seulement qu'elle avait pris un peu de poids. Quand sa mère lui avait demandé pourquoi elle n'avait rien dit, Janet avait répondu qu'elle espérait que le problème disparaîtrait si elle l'ignorait. C'est ce qu'éprouvait Len. Il ne se demandait jamais si le garçon était mort ou vivant, il ne pensait jamais vraiment à lui.

« Qu'est-ce que tu rumines ? s'enquit Alma.

— Rien », fit-il, et il lui raconta des craques au sujet du stress au travail.

Quand ils reçurent l'appel téléphonique, ce fut un choc, un coup comme si un type lui était rentré dedans sur un terrain de rugby. « Cadavre de femme découvert dans l'immeuble de Lovell Park, policiers en tenue envoyés sur les lieux. » Personne n'avait encore mentionné le garçon. Len se demanda s'il n'avait pas disparu pour de bon. S'il ne s'était pas volatilisé.

« Putain, fit Strickland. Ça va être coton. Le cadavre est là depuis des semaines. »

Eastman les rattrapa avant qu'ils ne montent en voiture. « Du calme, les gars, du calme, fit-il. Gardez la tête sur les épaules. »

Len mentionna enfin le garçon.

« Espèce de connard, fit Eastman. T'aurais dû en parler, j'aurais pu t'aider à nettoyer ce bordel beaucoup plus tôt. »

Il ne lui était jamais venu à l'esprit que le garçon puisse être encore en vie. Il s'attendait à trouver deux cadavres. Quand il le vit dans les bras de la policière, il n'en crut pas ses yeux.

Le garçon était un témoin, bien sûr. Eastman « dit deux mots » à l'assistante sociale. Ni Len ni Ray ne savait ce qu'il lui avait dit. Il l'avait sans doute menacée de lui enlever son gosse. C'était bien d'avoir Eastman de son côté, mais terrifiant de l'avoir contre soi. Ray prit le relais, la cueillit à la sortie de l'hôpital et l'emmena prendre un verre à la Cemetery Tavern. « On peut lui faire confiance, rapporta-t-il à Len. Elle est terrorisée. Eastman lui a dit que la Brigade des stups "trouverait" des drogues dures chez elle. »

Eastman obtint une interdiction de divulgation « afin de protéger le garçon », on changea son nom et on le plaça dans un orphelinat catholique. Len n'entendit plus jamais parler de lui. Les Winfield avaient obtenu de nouveaux papiers pour Nicola, c'est cette ordure de Harry Reynolds qui s'en était occupé et ils avaient foutu le camp pour la Nouvelle-Zélande. Ç'aurait pu être aussi bien Jupiter ou Mars en ce qui le concernait. Tout n'avait été qu'un cauchemar, se disait-il, un terrible cauchemar. Un abîme s'était ouvert à ses pieds puis refermé.

∽

Eastman lui avait téléphoné, lui avait donné des instructions. Passe prendre la gamine à l'appartement de Lovell Park et ferme à clé derrière toi. Il lui avait remis un trousseau de clés. « Oublie ce que tu verras à l'intérieur. » Il lui avait dit d'emmener la gosse chez les Winfield. « On agit sagement, Ray, avait dit Eastman. Ce n'est peut-être pas la lettre de la loi, mais c'est un impératif moral. Donner un bon foyer à la gamine au lieu qu'elle finisse Dieu sait où. J'ai téléphoné à Ian Winfield, il sait à quoi s'attendre, mais il fera mine d'être surpris. Pour sa femme, tu comprends, elle a les nerfs fragiles. »

Quand ils étaient arrivés à l'appartement de Lovell Park, trois semaines plus tard, il avait dit à Len « Je peux pas retourner à l'intérieur, Len. Je peux pas affronter ce qu'on va trouver là-dedans ». Ils s'étaient disputés avant de prendre l'ascenseur. « On est tous frères, avait dit Len en lui tapant sur l'épaule avec plus d'agressivité que d'affection. Tous pour un, un pour tous. » La devise d'Eastman.

Len était au *courant*. Il savait qu'il y avait un gosse dans l'appartement et il l'avait laissé enfermé.

« Je pensais qu'on le trouverait, avait dit Len. Puis, je sais pas, moi, c'est devenu irréel. » C'était une tentative de meurtre en ce qui concernait Ray. Il avait rendu son petit déjeuner en voyant l'état du gamin. S'il avait été au courant de son existence, il n'aurait pour rien au monde laissé ce gosse enfermé dans cet appartement.

Ray était allé voir Carol Braithwaite le jour de l'An. Il était ivre, regrettait les parties de jambes en l'air avec Anthea et n'avait aucune envie de retourner auprès de Margaret, sobre et très maîtresse d'école dans ses chemises de nuit en coton. Il était donc allé voir la pute de Lomax. Il n'avait encore jamais fait ça de sa vie, n'était jamais allé avec une prostituée. « Une baise sans complications », entendit-il Len dire dans sa tête.

Carol Braithwaite vint lui ouvrir et lui dit catégoriquement « Je ne travaille pas ce soir, allez voir ailleurs ». Elle avait l'air fatiguée, vieillie avant l'âge. Elle tenait une petite fille dans ses bras. Ça semblait injuste que des femmes comme ça deviennent mères en ouvrant les jambes au premier venu et que son épouse ne puisse pas avoir de bébé. Il ignorait à l'époque que la gamine était de Len. Aucune trace du garçon.

« Qu'est-ce que vous attendez ? Allez vous faire foutre », dit Carol.

À pareille heure, il avait évidemment renvoyé Barry Crawford dans ses foyers. Aucun espoir de trouver un taxi aux premières heures de 1975. Il était rentré chez lui à pied, la queue entre les jambes, s'était glissé dans son lit à côté de Margaret. Lui avait dit qu'il l'aimait.

Le pire n'était pas ce qui était arrivé au petit garçon, ni que Len ait assassiné Carol Braithwaite, ni qu'Eastman ait aidé à couvrir le tout, le pire, c'était que lorsque lui, Ray, avait fait disparaître la petite fille – quand il l'avait volée au fond – et qu'il était assis avec elle sur la banquette arrière de la Cortina de Crawford, il s'était rendu compte qu'ils passaient devant chez lui. La lumière était allumée en bas, Margaret l'attendait sans doute, en tricotant, en écoutant la radio. Elle préférait la radio à la télévision. Il aurait pu s'arrêter dans son allée, sonner et faire le plus beau des cadeaux à sa femme. Au lieu de ça, il avait donné cette petite fille à Kitty Winfield. Et le garçon. Il aurait pu sauver ce petit garçon, l'élever comme son fils. Il avait laissé passer deux chances.

« J'y suis pour rien », avait-il dit à Barry. « Ils disent tous ça », avait répondu Barry.

∽

En entrant dans l'appartement, Barry avait failli dégobiller. Il ne s'attendait pas du tout à ce qu'il y ait quelqu'un de *mort* là-dedans, il avait seulement cru que Strickland avait pris la gosse. Mais quand il avait vu le petit garçon, il s'était rendu compte qu'il avait été abandonné cette nuit-là. Imaginez ce que sa mère aurait dit de ça. Elle qui adorait les gosses, avait hâte que Barry se marie et devienne père. Eastman l'avait appelé. Lui avait dit d'aller nettoyer le bordel. Il n'avait pas dit qui en était responsable, mais pour Barry, ça crevait les yeux : c'était Ray Strickland.

Samedi

Elle dormait paisiblement. Il regarda sa poitrine gonfler et s'affaisser. Elle ne se réveillerait jamais, ne serait plus jamais Amy. Elle aurait détesté être ici, dans cet état, aurait supplié Barry d'y mettre fin. La dernière chose qu'on souhaiterait pour son enfant s'avérait être la seule chose qu'il fallait faire. Il enleva l'oreiller qui lui soutenait la tête et l'appuya sur son visage. « Je t'aime, mon lapin », dit Barry. Il essaya de trouver quelque chose d'autre à dire, quelque chose de plus élaboré et de plus important, mais il n'y avait rien, il avait dit la seule chose qui comptait. Il avait cru qu'elle se débattrait, mais non. La seule différence quand il retira l'oreiller, c'est que sa poitrine ne bougeait plus.

Il se sentit complètement vide. Ça faisait du bien. Il consulta sa montre. Midi. Ivan sortait de prison à treize heures. Il ferait mieux d'y aller. Barry sentit le poids du revolver dans sa poche. Il aimait le toucher, ça lui donnait l'impression d'être maître de la situation. Un Baikal. L'arme de choix des gangs. Modifié en Lituanie, ici on payait vingt fois le prix que ça coûtait là-bas, apparemment. Il n'en avait en fait encore jamais vu. Il lui avait été offert par Harry Reynolds. Tous ces vieux types qui refusaient de raccrocher. Strickland, Lomax, Harry Reynolds.

Il était passé le prendre en chemin. Il avait trouvé Harry Reynolds en train de se débattre avec une cravate noire. « J'ai de l'arthrose dans les pouces, fit-il. Qu'est-ce qu'on dit déjà ? Le grand âge ne vient pas tout seul. » La maison embaumait la tarte aux pommes. Harry lui remit le Baikal et Barry lui donna une enveloppe : « Transmettez ça à Tracy, fit-il.

— Vous auriez pu lui donner vous-même si vous étiez venu plus tôt. Elle est loin à présent.

— Parfait. Je vous dois combien pour l'arme ?

— C'est un cadeau, commissaire Crawford. Pour vous remercier d'avoir fermé les yeux pendant toutes ces années. »

Il quitta la chambre d'Amy sans se retourner. Comment pouvait-on se retourner ? C'était impossible. Une dans la tête, une dans le cœur. Bang bang.

« Ivan », dit-il. Ivan le regarda en écarquillant les yeux comme un cerf surpris par les phares d'une voiture, Barry crut un instant qu'il allait tourner les talons et s'enfuir. Ou tambouriner à la porte de la prison et supplier les gardiens de le reprendre.

« Barry », fit Ivan.

C'est reparti, songea Barry, il m'appelle Barry. Il tâta le revolver dans sa poche. Enleva la main de sa poche et la lui tendit. Lentement, avec hésitation, Ivan la prit. La serra.

« Je suis désolé, fit Barry. J'ai été dur. Ma fille vous aimait. J'aurais dû davantage en tenir compte.

— Vous vous excusez ? fit Ivan d'un air indécis.

— La clé USB que vous aviez perdue ? Barbara l'a retrouvée derrière le canapé après votre départ un dimanche où Amy et vous étiez venus déjeuner. Elle n'avait aucune idée de ce que c'était bien sûr, elle connaît que pouic à l'informatique. Je savais que c'était à vous, je l'ai collée dans un vase sur le manteau de cheminée. J'ai juste pensé... je ne sais pas ce que j'ai pensé, vous emmerder. J'ignorais que la clé contenait toutes les coordonnées de vos clients, que c'était important.

« Barbara ne m'a pas dit ce qui s'était passé. J'ai cru que votre affaire avait périclité. Elle ne m'a pas expliqué pourquoi, elle s'est dit que je vous prendrais pour encore plus abruti et plus incompétent que je ne le croyais. Remarquez, vous êtes bel et bien un abruti incompétent », ajouta Barry. Il n'était pas homme à battre sa coulpe sans réserve. « Mais, conclut-il, vous ne méritiez pas ce qui est arrivé.

— Aucun de nous ne le méritait », dit Ivan.

Barry remonta dans sa voiture et s'éloigna. Le dialogue ne l'intéressait pas. Il ne dit pas à Ivan qu'Amy était partie pour toujours. Ivan pourrait refaire sa vie. Barry, non. Mais d'abord, il devait aller à des funérailles.

Les obsèques de Rex Marshall avaient lieu au crématorium. L'endroit était plein à craquer de gros bonnets venus lui faire leurs adieux. Couvert de médailles brillantes, le cercueil occupait la place d'honneur. Des couronnes et des bouquets étaient alignés à l'entrée de la chapelle. Barry sentit une odeur de freesia qui lui fit tout drôle l'espace d'une seconde. Il vit Ray Strickland en train de prononcer l'éloge funèbre devant un lutrin.

« … un officier de police haut placé qui a toujours su rester très simple, un homme du peuple… » *Blablabla.* Les conneries habituelles. Ray hésita en apercevant Barry à la porte.

Des hommes trop gros en costumes coûteux, des femmes trop maigres dans le genre de vêtements que Barbara aurait aimé pouvoir s'offrir, ils se retournèrent tous pour voir ce qui avait interrompu Ray au beau milieu de sa phrase. Barry aperçut Harry Reynolds au dernier rang. Rendant un dernier hommage. S'obligeant à ne pas le regarder lorsqu'il se dirigea au pas de charge vers le cercueil et y frappa bruyamment. « Toc toc toc, fit-il. Y a quelqu'un là-dedans ? » Un murmure de détresse s'éleva de ceux qui se trouvaient le plus près.

« Je vérifie, c'est tout », dit Barry à une femme corpulente qui serrait le programme photocopié du service. Il lui adressa un grand sourire et elle recula, horrifiée. Il lui arracha le programme des mains. Déroulement de la cérémonie. Du papier bon marché, un programme de troupe de théâtre amateur. En couverture, une photo de Rex Marshall à la fleur de l'âge. Barry tapota la photo et dit sur le ton de la conversation à la grosse bonne femme : « C'était le dernier des salauds. Et je sais de quoi je parle. »

Autour de lui, les gros bonnets commencèrent à protester, mais en sourdine, car personne n'ose défier au grand jour quelqu'un qui est à l'évidence dérangé. Du coin de l'œil, Barry vit Harry Reynolds s'éclipser. Aucun signe de Len Lomax. Barry fut surpris qu'il ne l'ait pas encore taclé, mais il continua à remonter l'allée centrale sans encombre. La veuve éplorée tressaillit à son approche et le pasteur – d'une jeunesse ridicule – s'agita comme s'il envisageait de l'affronter. « Je te le conseille pas, mon gars. »

Il arriva à la hauteur du lutrin et Ray, tout conciliant, lui dit avec une familiarité excessive « Allons, Barry, sois raisonnable. Assieds-toi sur un banc et fais montre d'un peu de respect ». Barry pencha la tête de côté comme s'il pesait l'argument, puis se retourna, regarda la multitude de gros bonnets et s'éclaircit la gorge tel un maître de cérémonie s'apprêtant à dire aux invités de lever leur verre. « Raymond James Strickland, déclara-t-il, je t'arrête pour le meurtre de Carol Anne Braithwaite, la mise en danger par imprudence de Michael Braithwaite et l'enlèvement de Nicola Jane Braithwaite. Tu n'es pas obligé de parler, mais si tu ne mentionnes pas lors des interrogatoires un élément que tu invoqueras par la suite au tribunal, cela pourrait nuire à ta défense. Tout ce que tu diras pourra être retenu contre toi. »

Ray ne broncha pas. Barry s'attendait plus ou moins qu'il s'écroule par terre sous le choc, mais il resta planté là où il était, les yeux écarquillés. « J'y suis pour rien », fit-il.

Barry éclata de rire. « Ils disent tous ça. Tu devrais le savoir, Ray. »

Barry n'avait pas beaucoup réfléchi à l'étape suivante. Il avait ses menottes sur lui pourtant – il ne s'en séparait jamais – et il en passa une au poignet de Ray et l'autre à la barre de cuivre qui bordait l'avant du lutrin. Puis il sortit son portable de sa poche, appela le commissariat et réclama deux policiers en tenue.

Tout le monde dans le crématorium avait l'air d'avoir perdu son appétence pour la mort. Barry vit deux femmes en noir design déguerpir de la chapelle comme des gazelles qui s'aperçoivent tout à coup qu'elles se sont aventurées dans l'enclos des lions. Puis ils se mirent tous à se volatiliser. Tous les gros bonnets.

Le pasteur tournait autour de lui comme un serveur nerveux et lui demanda s'il désirait quelque chose. « Non, mon gars, mais merci quand même. »

« Pas de quartier, dit Barry à Ray.

— C'était il y a trente-cinq ans, Barry, fit Ray. C'est de l'histoire ancienne, l'eau a coulé sous les ponts

— Je ne comprends pas », fit une voix douce. Margaret, la femme de Ray. Si Barry avait été bien disposé, il aurait dit « Demandez à votre mari de vous expliquer », mais ce n'était pas le cas, alors il dit « Votre mari a fait un enfant à une prostituée du nom de Carol Braithwaite et après avoir assassiné cette Carol Braithwaite il a pris l'enfant – sa fille – et l'a donnée à votre grande amie, Kitty Winfield ». La vérité allait éclater de toute façon, autant que ce soit lui qui la révèle. *Dire la vérité au pouvoir.* C'est ce que disaient les Quakers, il en avait arrêté quelques-uns dans les années 80, des pacifistes qui n'avaient que les mots « action directe » et « missiles de croisière » à la bouche. Pour des gens dont le culte est basé sur le silence, ils avaient la langue bien pendue.

« Ray ? fit Margaret.

— J'y suis pour rien, répéta Ray, à Margaret cette fois. Je te le jure. » Il se tourna vers Barry et dit : « Tu ne connais que la moitié de l'histoire, Barry.

— Va raconter ça au juge, Ray. »

Un agent en tenue solitaire arriva, ç'aurait pu être Barry, trente-cinq ans plus tôt. Prêt à faire tout ce qu'un officier supérieur lui dirait de faire. Se boucher les yeux ? Oui, patron. La fermer ? Oui, patron. Tout ce que vous voulez, patron. Un larbin, quoi.

« Patron ?

— Placez-moi ce monsieur en garde à vue. Il est inculpé de meurtre. Je ne viens pas. Une fois au commissariat, allez dans mon bureau. Vous y trouverez une lettre. Je veux que vous la remettiez à l'inspectrice principale Gemma Holroyd, elle prendra le relais.

— Oui, patron.

— Vous êtes un brave garçon. »

Octobre 1975

Le corps de Wilma McCann fut découvert la veille d'Halloween par une matinée brumeuse typique de Leeds, sur un terrain de sport dans le quartier de Chapeltown. Deux blessures à la tête, quinze coups de couteau. Condamnations pour ivresse, trouble à l'ordre public et vol. Quatre enfants laissés seuls dans une maison d'une saleté répugnante. Encore une noceuse.

Wilma McCann n'était qu'un assassinat sordide parmi d'autres, rien de spécial, pourtant trois mois plus tard, il avait mobilisé 137 policiers qui y avaient consacré 53 000 heures, pris 538 dépositions et accumulé 3 300 fiches de renseignements. Tout ça pour rien. Tout le monde ignorait encore royalement qu'elle était la première victime officielle de Peter Sutcliffe, l'Éventreur du Yorkshire. Il n'y en aurait pas d'autre avant janvier 1976. Carol Braithwaite, par contre, ne semblait pas intéresser du tout la police.

Tracy ne participa pas à l'enquête sur le meurtre de Wilma McCann. Elle était encore en tenue, une professionnelle de plus qui arpentait le macadam.

« C'est différent de toute façon, fit Barry. Ta bonne femme.

— Ma bonne femme ?

— Carol Braithwaite a été tuée chez elle. Étranglée, pas assommée et poignardée.

— Tu parles comme si tu étais déjà à la PJ, Barry. Ça rapporte la lèche, hein ?

— Fous-moi le camp. »

Leeds, Manchester, Huddersfield, Bradford. Emily Jackson en janvier 1976. La liste s'allongeait sans cesse. Plus seulement des prostituées, n'importe quelle femme faisait l'affaire. Les deux dernières en 1980. Au mauvais endroit au bon moment. Le portrait-robot fourni par Marilyn Moore avait été un des meilleurs qu'ils aient eu. Le collier de barbe, la moustache, les petits yeux méchants. Plus de cinq millions de véhicules recensés. C'était le diable et il était insaisissable.

Le passé était un endroit sombre, un monde d'hommes. Il y avait eu une époque où les agents escortaient les agentes et le personnel féminin jusqu'au parking. Elle avait entendu un type dire « Je me ferais pas de souci pour Tracy Waterhouse. Je plains l'Éventreur s'il la tacle ».

Une fois que Peter Sutcliffe eut fait régner la terreur, Carol Braithwaite fut complètement oubliée. Pourtant, elle avait bien le profil de ses victimes. Mais le profil des victimes, ça ne se faisait pas vraiment à l'époque. Tracy se demanderait pendant des années si Carol Braithwaite n'avait pas été une des premières proies de Sutcliffe.

Tracy avait fini 1975 en beauté en s'achetant une Datsun Sunny vieille de cinq ans. Fin décembre, le marché de Kirkgate brûla et elle utilisa sa carte de police pour franchir les barrières de sécurité et regarder le sinistre de plus près. Voir tout partir en fumée semblait une bonne façon de dire adieu à l'année.

1977 fut une année chargée pour l'Éventreur. Barry grimpa les échelons et devint policier en civil en 1980. Tracy eut un nouveau copain. Un vendeur d'instruments médicaux de vingt-huit ans, costard chic et licence. Pas de quoi se vanter : une mention passable en gestion d'entreprise obtenue dans une nouvelle université en béton, mais une licence de plus que Tracy.

Il l'avait emmenée jusqu'à Durham et Flamborough Head dans la Ford Capri vert-jaune qu'il conduisait comme un pilote d'essai détraqué. Tracy ne se casait jamais dans le siège-baquet sans se dire qu'elle risquait la mort avant la fin du voyage. Ça faisait partie du charme, sans doute.

Ils avaient bu dans les jardins de pubs de tout le nord-est de l'Angleterre de la bière traditionnelle suivie d'un petit verre de rhum Old Navy pour lui et des pintes de lager cidre pour Tracy. Puis ils allaient dans son appartement à lui, mangeaient des plats indiens à emporter et il s'allumait un gros pétard en disant « Vous allez me passer les menottes, madame l'agent ? » La même « plaisanterie » à chaque fois. Tracy ne s'était jamais jointe à lui : elle préférait les ravages de l'alcool à ceux de la drogue. Côté sexe, c'était pas mal, bien qu'elle n'eût que Dennis, le moniteur d'auto-école, comme point de comparaison, mais ça devait être ce qui la retenait parce que le mec était, regardons les choses en face, le roi des branleurs. Quand il l'avait plaquée pour un modèle plus aérodynamique, elle l'avait dénoncé anonymement à la Brigade des stups. N'avait jamais su s'il y avait eu des suites. Il était mort dans un accident en

1985 : son coupé TVR s'était enroulé autour d'un arbre mal placé.

Une Ford Capri vert-jaune – l'Éventreur conduisait la même voiture en 1975. Elle aurait dû le dénoncer pour ça aussi. Tracy n'avait jamais sérieusement envisagé qu'il puisse être un tueur en série. Il était trop égocentrique pour se donner la peine d'occire quiconque. N'empêche qu'elle avait eu sa première peine de cœur. Elle franchissait lentement mais sûrement les étapes de la vie.

Linda Pallister se mit en ménage avec un gars du parti travailliste et s'installa près de Roundhay, dans une maison mitoyenne traditionnelle de l'entre-deux-guerres. Elle donna le jour à Chloe l'année où Barbara accoucha d'Amy. Au lieu d'un baptême, Barry et Barbara firent une « petite fête » en l'honneur du bébé. Friands, pâté en croûte, gâteau fait par la mère de Barbara et une caisse d'Asti Spumante. Tracy n'avait pas été invitée.

Linda Pallister organisa une fête pour son nouveau bébé également. Tracy n'y fut pas invitée non plus. Pas de pâté en croûte pour Linda. Le bruit courait qu'elle avait servi le placenta du bébé. Cru ou cuit ? se demandait Tracy.

Ray Strickland ne fut jamais promu au-delà d'inspecteur divisionnaire. Ça lui convenait parfaitement : ne plus taper que sur des ordinateurs ne l'intéressait pas, disait-il en plaisantant à moitié. Lomax par contre grimpa tous les échelons, rafla tous les lauriers.

La vie suivit son cours. Tracy avait à peine eu le temps de se retourner qu'elle avait fait ses trente ans de carrière et se saoulait la gueule à son pot de départ.

TRÉSOR

Juin

« Et tu as été témoin de l'accident ? Tu as vu la pauvre vieille Tilly passer sous le train ? Qu'est-ce que tu fichais là-bas ?

— C'est par le plus grand des hasards, fit Jackson.

— L'enquête a établi qu'il s'agissait d'un accident, fit Julia. J'aime autant ça parce que je ne crois vraiment pas que Tilly était du genre à se suicider. Elle en était aux premiers stades de la démence sénile, la pauvre vieille, je suppose donc qu'on ne sait pas ce qui a pu lui passer par la tête. Je suis allée aux obsèques, à l'église St Paul de Covent Garden. C'était une belle cérémonie en fait, des tas de gens ont dit des choses gentilles sur cette chère Tilly. Son amie, Dame Phoebe March, a prononcé l'éloge funèbre, elle en a fait des tonnes, évidemment, mais c'était chouette, vraiment émouvant – toutes sortes d'anecdotes au sujet de Tilly quand elle était jeune. »

Il suffisait de remonter Julia comme un jouet mécanique et de la lâcher.

Jackson était passé la chercher sur le plateau de *Collier* pour la déposer à l'aéroport. Elle avait quinze jours de congé. Son personnage de médecin légiste, Beatrice

Butler, était dans le coma après s'être fait agresser par le parent fou d'un… oh, et puis flûte.

Julia accroupie s'amusait avec le chien, lui passait la main sur la colonne vertébrale comme une masseuse. « Roule-toi et meurs pour la patrie », lui ordonna-t-elle, et le chien roula sur le dos, les pattes en l'air.

À le voir, n'importe qui aurait cru que le chien en pinçait pour Julia. Julia était bien sûr amoureuse de tous les chiens de la planète. Malheureusement, le moindre chien la faisait aussi éternuer.

« C'était un chien de femme, fit Julia.

— Oui, ben, à présent, c'est un chien d'homme », dit Jackson d'un ton de défi.

Il était en train d'installer le siège enfant qu'il avait enfin acheté pour Nathan. (« Il était grand temps », avait commenté Julia.) Grâce au Traqueur de Brian Jackson, Jackson avait réussi à récupérer une Saab reconnaissante et mystérieusement dépouillée de sa Sainte Vierge lumineuse à la fourrière de la police avant qu'elle ne soit vendue aux enchères. On l'avait retrouvée abandonnée dans le parc de Fountains Abbey, ce qui n'avait pas manqué de dérouter Jackson. C'était comme si Jane avait su où il voulait aller et essayé de l'y précéder. « C'est ridicule », avait dit Julia.

Nathan le suivait en lui parlant de dinosaures dont il prononçait les noms en trébuchant à peine. « Velociraptor, Avaceratops, Diplodocus. » Jackson se demanda si son fils était au courant qu'ils avaient disparu, il ne voulait pas lui poser la question de peur de lui gâcher le plaisir : ce serait un peu comme lui dire que le Père Noël ou la petite souris n'existaient pas. Jackson ignorait que des gamins de quatre ans étaient capables de prononcer des mots comme « Avaceratops ». C'est tout juste s'il se rappelait sa fille Marlee au même âge – son incarnation boudeuse actuelle ayant effacé ses avatars précédents plus enjoués. Bien sûr, il y avait un tas de choses qu'il ignorait sur les garçons de quatre ans. Il voyait son fils comme un bébé et c'était perturbant de voir tout le chemin qu'il avait déjà parcouru sur la voie menant à l'âge viril. Un jour, ce garçon le distancerait, le doublerait dans la course de relais de l'existence. Et il en irait ainsi jusqu'à ce que le soleil se refroidisse, qu'un météore frappe la terre, ou que le maudit supervolcan de Yellowstone se réveille.

« Tout meurt, fit Julia occupée à gratter le ventre du chien en retenant un éternuement. Ainsi va le monde. *Omnia mors aequat.* Nous sommes tous égaux devant la mort.

— Nous venons des ténèbres et aux ténèbres nous retournerons, fit sombrement Jackson.

— Je crois que c'est poussière et non ténèbres, fit Julia. Et je préfère penser que nous venons de la lumière et que nous retournons à la lumière.

— Tu es vraiment le genre à voir la moitié pleine du verre.

— Il faut bien que l'un de nous deux le soit. Autrement le verre serait complètement vide. » *L'un de nous deux*, comme s'ils étaient un couple. N'empêche qu'elle partait en vacances en Italie, « avec un ami ».

« Qui ça ? » demanda Jackson, et elle haussa les épaules et dit : « Juste un ami.

— Difficile d'être plus vague. »

Jackson avait pourtant suggéré qu'ils pourraient peut-être partir en vacances à trois pendant ces quinze jours de congé. Un pas vers une réconciliation, un rabibochage peut-être.

« Des vacances en famille ? » avait-elle demandé, et Jackson de réfléchir et de répondre « Oui, je suppose que c'est ce que je veux dire ». Julia avait froncé le nez et dit « Non, mon chou, je ne crois pas ».

L'ampleur de sa déception l'avait surpris. Mais les femmes sont pleines de surprises. Toutes autant qu'elles sont, à tous points de vue, tous les jours.

« À propos, où est Jonathan ? » s'enquit-il.

Elle leva un bras comme un agent de la circulation arrêtant un énorme poids lourd. « Je ne parlerai pas de Jonathan. Compris ?

— Je ne demande pas mieux que de ne plus jamais mentionner son nom.

— Ce pauvre garçon », dit-elle en entourant le sien d'un bras protecteur. Leur garçon.

« Michael ?

— Il a tellement souffert.

— Il va bien à présent.

— Comme toi et moi ? fit Julia. Après ce qui nous est arrivé étant gosses ?

— Ouais, c'est ça. »

Michael Braithwaite était en ce moment même dans un avion à destination de la Nouvelle-Zélande. Les retrouvailles d'un frère et d'une sœur. C'était un type sympa, habillé de pied en cap en denim, trop gros, en mauvaise santé, joyeux. Il n'aimait rien tant qu'un barbecue avec sa femme et ses gosses près de sa piscine. Il avait fait fortune dans la ferraille. Certaines personnes vivent leur vie contre toute attente.

« Toi et moi aussi, mon chou », fit Julia en lui tapotant la main.

Linda Pallister allait comparaître devant un tribunal, devoir répondre de ses actes. (« Ah, le tour de roue du temps amène les représailles[1] », avait dit Julia.) Elle avait aidé un témoin de quatre ans à disparaître. L'avait mis dans un foyer catholique de Roundhay, avait changé son nom. Et n'avait jamais soufflé mot de sa sœur à quiconque. Elle avait raconté aux religieuses qu'il était menteur, qu'il mentait tout le temps, prétendait avoir une sœur, que son papa avait tué sa maman. À l'âge de dix-huit ans, Michael avait obtenu un extrait de naissance et découvert son nom, mais Linda Pallister ne s'était jamais présentée pour lui dire la vérité sur sa mère ou sa sœur. « On lui a forcé la main, dit Michael Braithwaite, on a menacé son gosse.

— C'est pas une excuse », s'exclamèrent en chœur les deux Jackson. Brian Jackson, Michael Braithwaite et Jackson déjeunaient au bistro du 42 The Calls. Toujours pas remis de la scène dont il avait été le témoin à la gare, Jackson prit un double whisky pur malt en guise de déjeuner.

Les souvenirs de Michael Braithwaite s'étaient estompés jusqu'à ce que l'ardoise soit effacée, mais il s'était rendu compte qu'il y avait dans sa vie un vide qui finirait par le détruire. « Thérapie en cure de désintoxication, dit-il en haussant les épaules. Je m'appelle Michael Braithwaite et je suis alcoolique, tout le toutim. » Jackson reposa son whisky d'un air coupable. « J'ai décidé de chercher, fit Michael Braithwaite.

— Et il m'a trouvé, dit Brian Jackson radieux. J'ai vingt ans de Metropolitan Police derrière moi. Donnez-moi une tâche et je suis comme un chien avec un os. » Jackson – Dieu sait pourquoi – avait cru discerner en Brian Jackson son double, mais il voyait à présent qu'il

1. Shakespeare, *Le Soir des rois* (V, l), trad. F.-V. Hugo, Classiques Garnier.

était en réalité son contraire. « J'ai pris R-V avec Linda Pallister après avoir retrouvé sa trace, fit Brian Jackson. Chien, os, etc. Elle a craché le morceau, la plus grande partie en tout cas, elle avait l'air contente de vider son sac. Puis elle a changé d'avis, elle a pris peur, bien sûr. »

Le portable de Brian Jackson sonna – les premières mesures de la Cinquième de Beethoven, *Pom, pom, pom, pom.* Ça paraissait ringard sur un portable. Il ne prit pas l'appel. « Je suis très demandé », dit-il à Jackson.

Brian Jackson n'avait pas caché Linda Pallister. Elle s'était simplement enfuie malgré les protestations de sa fille Chloe. « Carapatée, fit Brian Jackson, pour éviter d'affronter la tempête. » Elle avait pris le premier vol Easy Jet à destination de Malaga et s'était terrée dans un appartement bon marché de la Costa del Sol comme un desperado.

« Tout ça est très banal au fond, hein ? fit Julia. Des gens qui ont peur de perdre leur boulot, leur réputation, leur mariage. On a le sentiment que la tragédie devrait être plus *opératique* d'une certaine façon. »

La réaction instinctive de Jackson fut de s'inscrire en faux, mais en y réfléchissant il se dit que Julia pourrait avoir raison. Sa sœur Niamh, toute belle qu'elle était, plus belle qu'il n'était possible de l'être dans ses souvenirs, ne voulait rien de plus que la plus ordinaire des vies et elle avait eu droit au plus ordinaire des assassinats. Un acte de violence aveugle. La fille qui avait ouvert la mauvaise boîte. En ce qui concernait son assassin, Niamh aurait sans doute pu être n'importe qui, la fille d'avant, la fille d'après. Mieux valait brûler sur le bûcher, sauter du haut d'une montagne, être déchiquetée par des loups que de voir son sort tranché par un branleur attendant à un arrêt de car.

« L'Ambassadeur adore qu'on lui chatouille le ventre », dit Julia.

Pas de doute, Jackson allait appeler le chien autrement. Il se demanda comment Louise, à Édimbourg, avait appelé le chiot qu'il lui avait offert. Elle ne l'avait sans doute même pas gardé.

« Tu vas où maintenant ? lui demanda Julia au moment des adieux à l'aéroport de Manchester.

— Le voyage s'arrête, fit-il.

— Au rendez-vous d'amour[1] ?

— J'en doute. »

Il cherchait toujours une maison, un endroit où se poser. Il cherchait aussi toujours, supposait-il, sa voleuse de femme, mais son enthousiasme à la traquer avait refroidi. Il soupçonnait aussi qu'il pourrait en avoir terminé avec les voyages. Il prit Nathan, « le garçon », dans ses bras et l'embrassa pour lui dire au revoir. Et pan.

À sa grande surprise, à sa grande inquiétude, son cœur chavira : le lien infrangible, sacrificiel. L'amour. Il savait qui il était, il était le père de ce garçon. Comme quoi, on ne sait jamais ce qu'on va ressentir avant de l'avoir ressenti. C'était terrifiant, même si Julia, la moitié pleine du verre, aurait dit « merveilleux ».

« Arrête de me faire dire des choses que je n'ai pas dites », fit-elle.

∽

1. Shakespeare, *Le Soir des rois* (II, 3).

Au QG du Merrion Centre, Grant, les pieds sur son bureau, lisait le journal au lieu de regarder les écrans. Leslie apercevait la manchette « Assassinat de la prostituée de Leeds – un homme est mis en garde à vue », puis quelque chose à propos d'un « nouvel Éventreur ».

« C'est sans fin, dit-elle.

— C'est des putes, qu'est-ce que tu attends d'autre ? fit Grant en attrapant un paquet de Monster Munch.

— Je m'attends à ce que les gens se conduisent mieux.

— Tu risques d'attendre longtemps. Qu'est-ce que t'as là ?

— Un porte-monnaie. » Quelqu'un l'avait trouvé sur le parking et rapporté. Le porte-monnaie était plein à craquer : cartes de crédit, cartes de fidélité, cartes de R-V chez le dentiste, le coiffeur, certaines périmées depuis longtemps. Des petits mots du type « Ne pas oublier de… » *Miss Matilda Squires.* Leslie se souvenait de la vieille femme : elle était bouleversée. Tout au fond, elle trouva un bout de papier avec un nom et une adresse. « Mon adresse », disait-il obligeamment au cas où quelqu'un voudrait lui voler son identité ou se présenter à sa porte et la dévaliser sous la menace d'un couteau. « Matilda Squires, fit Leslie. C'est pas le nom de l'actrice qui est tombée sous le train ?

— J' sais pas », dit Grant. Il tourna la page et resta ouvertement bouche bée devant la fille de la page 3, quasiment à poil. Leslie regrettait Tracy. Elle n'autorisait pas la presse cochonne ni les grignotages. Leslie se demanda pourquoi elle n'était jamais rentrée de vacances.

« Elle est peut-être morte », fit Grant qui s'anima à cette perspective. Elle n'était pas morte. Elle avait envoyé à Leslie une carte postale du London Eye et écrit au verso « Je ne reviendrai pas, ravie de vous avoir connue, je vous souhaite d'avoir une belle vie. Amitiés, Tracy ». Leslie n'en avait pas parlé à Grant. Le message ne s'adressait pas à lui.

Leslie fichait le camp aussi. Elle ne l'avait dit à personne, mais son vol à destination du Canada partait dans deux jours. Elle marchait sur les traces de Tracy, elle allait simplement disparaître. Elle se trouverait un boulot pour l'été, irait au bord du lac avec ses parents, son frère et son chien, et puis ensuite elle entamerait sa belle vie. Laisserait cet endroit loin derrière elle.

∽

La meilleure chambre. La « suite de la Belle au Bois Dormant ». Elle était destinée à une famille plus grande, évidemment, mais Tracy voulait du grand et ce qu'il y avait de mieux pour la gamine. Elle avait eu de la chance de l'obtenir, n'avait réussi à l'avoir que parce que l'hôtel avait eu une annulation de dernière minute. Tout le monde, en l'occurrence toute l'Europe, avait l'air de prendre ses vacances au même moment à Disneyland Paris.

Elle s'attendait à ce qu'il n'y ait que des parents avec des enfants dans le parc, mais il y avait toutes sortes de permutations – des groupes de jeunes gens, des bandes de filles qui pouffaient de rire, des vieux couples et des jeunes mariés en voyage de noces. Tracy n'arrivait pas à comprendre qu'on ait envie de passer un week-end en amoureux au centre du cœur battant du capitalisme.

Il y avait même de temps à autre un homme solitaire. « Méfie-toi », murmura Tracy à la gamine.

C'était surprenant de voir combien il était facile de passer d'une vie à une autre. Elles avaient séjourné une quinzaine de jours à Londres où personne ne savait qui vous étiez ni ne se souciait de vous. Elles avaient testé leur nouvelle identité sur des médecins, des dentistes et des opticiens. La gamine s'était fait déboucher les oreilles, examiner la vue, elle portait des lunettes à présent. Ça ajoutait à son charme. Tracy, ou plutôt Imogen Brown, avait ouvert un nouveau compte en banque et Harry Reynolds y avait transféré des fonds blanchis avec une histoire crédible. Elle fut surprise, elle avait cru qu'il se contenterait de vendre la maison et d'empocher l'argent.

Au contrôle des passeports à St Pancras, Tracy s'attendait à des questions, à des regards soupçonneux. À ce qu'un officiel sans expression les prenne à part et dise « Voulez-vous me suivre, madame ? », mais elles étaient montées à bord de l'Eurostar sans difficulté et d'un coup d'aile elles furent au Royaume Magique.

La gamine avait ses priorités. À la boutique de l'hôtel, Tracy lui acheta un nouveau costume de fée – la tenue verte de Clochette. La baguette magique assortie était surmontée d'un papillon. La moitié des gosses de l'hôtel étaient déguisés, des dizaines de fées et de Peter Pan, de temps à autre un pirate. On ne pouvait pas parcourir un couloir sans tomber sur un adulte prétendant être Dingo ou Mary Poppins. C'était surréaliste et vaguement alarmant. La gamine trouvait tout ça parfaitement normal.

« Miroir, mon beau miroir, dit Tracy lorsqu'elles rentrèrent dans leur suite, qui est la plus belle de toutes les fées ?

— Moi », dit Courtney en apercevant son reflet. Ses petites mains firent l'étoile *Étincelle, étincelle.*

« Tu es ravissante, dit Tracy.

— Oui », acquiesça Courtney.

Elles descendirent Main Street pour se diriger vers l'enceinte sacrée du *Château de la Belle au Bois Dormant**. « C'est du français », expliqua Tracy à Courtney. Tout était en français, car à la différence des autres pays, la France avait refusé de transiger sur ce point. Tracy aurait aimé être une petite souris pendant les réunions préparatoires. Voir tous les cadres de Disney, les Mouse's Men, assis devant un café et des croissants autour d'une table avec des officiels français s'obstinant à dire que (*Non**) il n'y aurait pas de traduction, et les Américains essayant de concevoir la chose.

Tracy se demanda si Disneyland Paris était une enclave américaine et si elle pourrait s'en remettre à la merci de Mickey et demander l'asile. Elles s'installeraient aux États-Unis, dans un endroit calme, reculé, en Oregon, au Nouveau-Mexique, dans une petite ville du Midwest, un endroit où personne n'irait les chercher.

Tous ces endroits brillamment éclairés. On était loin de la lueur du feu et des étoiles. Très très loin. Elles firent la queue. Et elles refirent la queue. Et après avoir fait la queue, elles remirent ça. Elles firent la queue pour voir le château de la Belle au Bois Dormant, elles firent la queue pour voir la maison de Blanche-Neige, qui, franchement, ne cassaient rien ni l'un ni l'autre. Elles firent la queue pour s'envoler avec Peter Pan pour le Pays Imaginaire qui leur plut bien à toutes les deux. Elles firent la queue pour monter dans les tasses géantes du Chapelier fou et sur le dos de Dumbo. Elles firent la queue pour les Voyages de Pinocchio, carrément nuls, et pour les Pirates of the Caribbean qui valaient vraiment le coup mais qui faisaient, elles furent d'accord sur ce point, un tout petit peu peur. Coincées entre des barrières dans une file d'attente qui ressemblait à un gros serpent, elles firent le pied de grue pendant une éternité avant d'embarquer sur des bateaux, d'être emportées par le courant et jetées sans y pouvoir rien dans le terrifiant univers animatronique de « It's A Small World ! » Quand elles s'en échappèrent enfin et retrouvèrent le monde grandeur nature, elles passèrent une autre éternité dans l'étreinte d'une queue de python pour monter dans le Disneyland Railroad.

La gamine était héroïque dans les queues.

Elles regardèrent le défilé dans Main Street et mangèrent de la glace. À la fin de la journée, Courtney avait de nouveau son air ahuri d'enfant maltraitée. Tracy se disait que si elle se regardait dans un miroir, elle aurait la même expression. La musique de « It's A Small World ! » lui trottait, lancinante, dans la tête. Elle se demanda si elle arriverait à s'en débarrasser un jour.

« Et on peut tout recommencer demain », dit-elle quand elles regagnèrent leur hôtel, titubantes de fatigue par la porte de derrière.

C'est ce qu'on faisait quand on avait une maladie incurable, non ? On remplissait ses journées au maximum, on prenait l'hélicoptère pour survoler les Chutes Victoria, le bateau pour descendre le Nil, le train pour Venise, l'ascenseur pour monter au sommet de l'Empire State Building. On allait en safari en Afrique et on jouait aux machines à sous à Las Vegas parce qu'on était soudain avide de voir le monde qu'on s'apprêtait à perdre. Ou alors on tournait dans des tasses à thé géantes en mitraillant une gamine qui levait le pouce pour dire que c'était super. Et on se demandait combien de temps ça durerait.

De retour dans leur suite de la Belle au Bois Dormant, elles trouvèrent une enveloppe glissée sous la porte : elle arborait le logo Disneyland et était adressée à *Mme Imogen Brown.* Tracy se dit qu'il devait s'agir de renseignements sur les activités du parc, mais elle contenait une autre enveloppe sur laquelle était écrit à la main « Tracy ». On l'avait découverte. Ses mains tremblèrent en ouvrant l'enveloppe. Une troisième enveloppe. C'était ridicule. Comme des poupées gigognes. Allait-elle continuer à ouvrir des enveloppes de plus en plus petites jusqu'au message final ? *Je vous ai bien eue !* ou *Le trésor, ici, c'est vous !* Retournant la troisième enveloppe, elle trouva un message écrit sur le rabat. De la part de Harry Reynolds. Elle ne devrait peut-être pas s'étonner qu'il ait été capable de la retrouver.

> *Tracy,*
>
> *Barry m'a demandé de vous envoyer ceci. Je lui dois deux ou trois services. Je ne sais pas si vous êtes au courant, mais il est mort. Il a tué sa fille avant de se flinguer. Il a laissé un sacré bordel derrière lui. Len Lomax est passé sous un train et Ray Strickland s'est fait épingler pour le meurtre d'une grue, commis il y a plus de trente ans. Je me suis dit que vous aimeriez le savoir.*
>
> *Bien à vous,*
>
> *Harry.*

Tournez le dos une minute et le monde avait pivoté sur son axe. Harry avait ajouté un post-scriptum :

« *Comme promis, j'ai porté au Polonais l'argent que vous lui deviez.* »

Elle trouva un dessin animé à la télé pour la gamine et lut la lettre de Barry, découvrit enfin la vérité sur Michael Braithwaite. Il avait une sœur. Le cœur de Tracy tomba de dix étages. C'était la première chose que le gosse lui avait dite. *Elle est où ma sœur ?*

« Qu'est-ce que tu as préféré ? demanda Tracy à Courtney tandis qu'elles faisaient une fois de plus la queue pour entrer au restaurant.

— Ma robe », répondit-elle sans hésiter.

Le serveur les conduisit à une table près de la fenêtre d'où elles avaient une vue imprenable sur le château illuminé de la Belle au Bois Dormant. Elles trinquèrent avec du vin pour Tracy et un Coca pour Courtney. Tracy se contenta d'une demi-bouteille de rouge alors qu'elle aurait pu boire la production d'un vignoble. Elle repensa à la gamine assise à côté d'elle pendant qu'elles s'envolaient pour le Pays Imaginaire. Au sentiment qu'elle avait eu de chérir un petit être sans défense. Elle repensa à Michael Braithwaite, à toutes ces années pendant lesquelles personne ne s'était soucié de son sort. Un Garçon Perdu. Elle savait gré à Barry de lui fournir un heureux dénouement. Pauvre vieux Barry, il n'avait jamais eu de pot de départ pour finir. Elle porta un toast silencieux en son honneur.

Mickey fit le tour des tables. De même que Dingo et Pluto. Courtney leva le pouce à chaque fois. Tracy prit photo sur photo. Maladie incurable.

Après le dîner, Courtney enfila son nouveau pyjama Minnie acheté à la boutique de l'hôtel, elles commandèrent un chocolat chaud au room-service et regardèrent un DVD au lit. Un film de Disney, ça va sans dire.

La gamine avait étalé ses possessions sur le lit.

Le dé à coudre en argent terni
La pièce chinoise trouée au centre
Le porte-monnaie arborant la tête d'un singe qui souriait
La boule à neige contenant une maquette en plastique du palais de Westminster
Le coquillage en forme de cornet à la crème
Le coquillage en forme de chapeau de coolie
La pomme de pin
La bague de fiançailles en saphir de Dorothy Waterhouse
La feuille en filigrane trouvée dans le bois
Les maillons d'une chaîne en or bon marché
L'étoile argentée de la vieille baguette magique
La Sainte Vierge lumineuse de la Saab

Encore deux ans comme ça et il leur faudrait un camion pour transporter le butin de la gosse. *Encore deux ans.* Tracy n'arrivait pas à se projeter dans l'avenir car, bien que ce fût le début de quelque chose, elle avait le sentiment d'une fin. L'avait toujours eu. L'aurait toujours.

Elle passerait désormais son temps à regarder pardessus son épaule, à attendre qu'on frappe à la porte. Des caméras les traquaient partout, si on les cherchait, on les trouverait. Harry Reynolds l'avait fait. Et si les méchants ne les rattrapaient pas, les bons le feraient probablement.

En achetant la gamine Tracy avait passé un contrat avec le diable. Elle aurait quelqu'un à aimer, mais il lui en coûterait tout ce qu'elle avait. Elle songea à la petite sirène dont chaque pas était une torture, une douleur comme si elle marchait sur le fil d'une épée. Rien que pour être humaine, rien que pour aimer.

La gamine donna un coup de baguette magique sur Tracy. Pour lui accorder un vœu ou pour lui jeter un charme, difficile à savoir. Courtney s'était tricotée dans l'âme de Tracy. Que se passerait-il si on la lui arrachait ?

C'était l'amour. Il n'était pas gratuit, le prix en était la souffrance. Mais personne n'a jamais dit que l'amour était facile. Enfin, si, mais ceux qui disent ça sont des imbéciles.

Son portable sonna. Nouveau téléphone, nouveau nom, nouveau numéro. Personne n'avait son numéro. C'était peut-être son opérateur. Ou un coup de fil anonyme. Ou un truc plus sinistre. Elle éteignit son téléphone et regarda le DVD. La fée Clochette cherchait le trésor perdu. Est-ce que ce n'était pas le cas de tout le monde ?

Avril 1975

Quand il se réveilla, il mit immédiatement la main sous son oreiller pour récupérer sa petite auto préférée, une voiture de police bleu et blanc. Il descendit du lit qu'il partageait avec sa sœur. Ils dormaient tête-bêche, serrés l'un contre l'autre. « Comme des sardines », disait sa mère. Sa sœur n'était plus là. Elle avait dû se glisser dans le lit de leur mère pendant la nuit.

Sa mère lui disait qu'il avait le diable au corps. *Tu pètes le feu.* Des fois sa mère riait, le serrait contre elle et disait qu'il était *minuscule.* Il avait quatre ans. D'autres fois, quand elle était fâchée, elle disait *Putain, t'es un grand garçon maintenant, Michael, pourquoi tu te conduis comme un bébé ?* Des fois elle dansait dans la cuisine avec lui, il mettait ses pieds sur les siens et elle le faisait tourner, tourner, tourner en riant, riant jusqu'à ce qu'il lui crie d'arrêter. D'autres fois, elle lui disait d'aller se cacher et de ne plus se montrer : *Hors de ma vue et que je ne te revoie pas !* Il ne savait jamais à quoi s'attendre.

Il avait faim et alla se chercher des céréales à la cuisine. Il n'y avait pas d'endroit où s'asseoir dans la cuisine et il emporta son bol dans le séjour en faisant bien attention. Il mangea ses céréales avant de partir à la recherche de sa mère. Elle était couchée par terre dans la chambre. Il essaya de la réveiller. Il alluma la bouilloire électrique et lui prépara une tasse de thé comme il l'avait vue faire. Il en renversa pas mal et oublia d'y ajouter du lait et du sucre. Elle disait qu'il lui fallait une tasse de thé et une clope pour commencer la journée. Il alla chercher ses clopes. Posa la tasse de thé et les cigarettes près de sa tête, mais elle ne se réveillait toujours pas. Il essaya de lui mettre une cigarette entre les lèvres.

« Maman ? » dit-il, et il la secoua. Comme elle refusait de se réveiller, il s'allongea à côté d'elle et essaya de lui faire un câlin. (*C'est qui le trésor à sa maman ? Un p'tit câlin ?*) Au bout d'un moment, il en eut marre, se releva et alla chercher ses autres petites voitures.

Plus tard, comme elle n'était toujours pas levée, il traîna une chaise jusqu'à la porte d'entrée et essaya de l'ouvrir. Il l'avait déjà fait avant, mais il n'y avait pas de clé dans la serrure cette fois-ci et elle refusa de s'ouvrir.

Cette nuit-là, il prit une couverture sur son lit et se coucha à côté de sa mère. Il fit ça pendant deux ou trois nuits, mais après ça il comprit que ce n'était plus possible. Sa mère commençait à sentir mauvais. Il ferma la porte de sa chambre et n'y remit plus jamais les pieds.

Il traîna la chaise jusqu'à la fenêtre et de temps à autre il montait dessus et tentait d'attirer l'attention des gens en bas en tapant au carreau et en agitant la main, mais personne ne l'apercevait. Les gens avaient l'air de fourmis. Au bout d'un moment, il renonça.

Il avait regardé partout dans l'appartement pour trouver sa sœur : il s'inquiétait qu'elle soit restée coincée dans un placard ou sous un lit en jouant à cache-cache, mais il ne la trouva nulle part. Il n'arrêtait pas d'appeler

Nicky ? Ou criait parfois *Nicola ! Viens ici !* Comme le faisait sa mère quand elle était fâchée. Sa sœur était rigolote, elle n'arrêtait pas de faire des bêtises. Sa mère disait *Oh, tu es tellement sérieux, Michael, tu seras un vieux bonhomme sérieux. Ta sœur sera comme moi, Nicky sait s'amuser.* Sa sœur lui manquait plus que sa mère. Il se disait que quelqu'un allait bientôt venir. Mais personne ne venait.

Il fut réveillé par la sonnerie de la porte d'entrée. Quelqu'un tapait dans la porte en disant qu'il était de la police. Papa était policier. Il n'aimait pas qu'il l'appelle papa. Il se traîna jusqu'au vestibule et vit que la boîte aux lettres était ouverte. Il aperçut une bouche, la bouche remuait, disait quelque chose. *Tout va bien, tout va bien à présent. Est-ce que maman est là ? Ou ton papa ? On va t'aider. Tout va bien.*

La grosse femme policier le serrait très fort. *Elle est où ma sœur ?* murmura-t-il, et elle lui chuchota *Qu'est-ce que tu dis, mon chou* ? et l'autre femme, celle qu'il connaîtrait sous le nom de Linda, dit « Il n'a pas de sœur, il délire ». Puis elle le fit monter dans une ambulance. Une fois à bord, il redemanda « Elle est où ma sœur ? », et elle fit « Chut, tu n'as pas de sœur, Michael. Il faut que tu arrêtes de parler d'elle ». C'est ce qu'il avait fait. Il l'avait enfermée là où on met ce qu'on a de plus précieux et il ne l'avait pas ressortie pendant plus de trente ans.

Juin

Fountains. Enfin.

Il y avait des cerfs, des arbres anciens et les ombres longues d'une soirée d'été. Les arbres étaient en pleine feuillaison, l'alchimie du vert qui se transforme en or. De doux oiseaux chantaient. Julia aurait adoré.

Il était arrivé après la fermeture des portes et avait dû trouver un moyen d'entrer un tantinet moins légal.

Les cerfs étaient paisibles, pas du tout surpris par un homme et son chien. Le chien était en laisse. Ils passèrent devant une grande maison et une église, toutes les deux « œuvres de Burges ». Jackson était peut-être un intrus, mais il était un intrus bien informé. L'endroit était mieux sans visiteurs. C'était vrai de la plupart des endroits, selon lui. « Rien que toi et moi », dit-il au chien.

L'abbaye ne le déçut pas, même si Jackson continuait à préférer les ruines plus accueillantes de Jervaulx. Il détacha la laisse du chien et monta jusqu'à High Ride, le sentier qui court au sommet de la vallée abritant Fountains. Il s'arrêta au Anne Boleyn's Seat pour contempler le magnifique panorama de pelouses et d'eau menant aux ruines de l'abbaye au loin. Aucune trace de femme décapitée. Crépuscule.

En Écosse, là où habitait Louise, ils avaient un autre mot qui lui échappait.

Il redescendit et erra parmi les ruines de l'abbaye. Le chien détala comme un guépard pourchassant un lapin. Jackson s'assit sur un vieux muret de pierre. Il se dit qu'il devait faire partie du cloître mais il s'aperçut en déchiffrant le panneau que c'était une partie des latrines. Il serait sans doute temps qu'il se fasse faire ces fichues lunettes.

« *Ceci est ma lettre au Monde / Qui ne M'a jamais écrit*[1] », dit-il au chien de retour sans lapin. Le chien pencha la tête de côté. « Je ne sais pas ce que ça veut dire non plus, fit Jackson. Je crois que c'est tout l'intérêt de la poésie. »

L'espace d'une seconde, il crut voir sa sœur, vêtue de blanc, courir et rire, les pétales tomber de ses cheveux. Mais c'était de la poésie également. Ou une certaine oblique de lumière.

Parce que tout le temps, partout où il était allé, lorsqu'il était dans les ruines de chœurs et les hangars à locomotives résonnants, dans les salons de thé et les pubs, sa sœur était là dans l'ombre, riant et secouant les fleurs de ses vêtements, de ses cheveux comme une jeune mariée, une averse de pétales qui avaient l'air d'empreintes de pouce roses sur le voile noir de sa chevelure.

Elle était enfermée dans la chambre sonore de son cœur comme la Reine de mai, une sainte vierge. (« À jamais, disait d'un air farouche Julia en se frappant la poitrine puis en gardant les bras croisés dessus comme

1. Emily Dickinson.

un guerrier faisant serment d'allégeance. Morte pour le monde, mais vivante dans ton cœur. » L'éternel paradoxe des disparus.) Elle était partie avant lui et il ne la rattraperait jamais. Ça ne le dérangeait pas, décida-t-il. Ce n'était pas comme s'il avait le choix.

« Sur la route, une fois de plus, dit Jackson en remontant dans la Saab. Des kilomètres à parcourir avant de dormir[1], et ainsi de suite. »

Docile au pied du siège passager, son copilote émit un petit jappement d'encouragement. Jane attendait les instructions.

Il y avait encore une chose qui le taraudait. Ce n'était ni Michael ni Hope ni Jennifer, la petite fille de Munich – songer à son frère disparu l'avait amené à poser la bonne question à Marilyn Nettles.

C'était autre chose. Une cicatrice, un signe particulier, une tache de naissance ayant la forme de l'Afrique. Quelque chose qu'il avait vu récemment. Il supposait que les petits hommes qui géraient son cerveau finiraient par remettre la main dessus.

Il s'apprêtait à démarrer quand son portable sonna. *Louise*, l'informa l'écran. Jackson hésita, imagina ce qui risquait d'arriver s'il ne répondait pas.

Et ce qui arriverait s'il le faisait.

1. *Stopping by the Woods on a Snowy Evening*, poème de Robert Frost (1923).

'Hope' is the thing with feathers –
That perches in the soul –
And sings the tune without the words –
And never stops at all –

And sweetest – in the Gale – is heard –
And sore must be the storm
That could abash the little bird
That kept so many warm.

I've heard it in the chillest land –
And on the strangest Sea –
Yet, never, in Estremity,
It asked a crumb – of Me.

Emily DICKINSON

L'espoir est la chose à plumes,
Qui se perche dans l'âme,
Chante l'air sans les paroles
Et ne s'arrête jamais.

C'est dans la tourmente que son chant est le plus doux
Et il faudrait une rude tempête
Pour abattre le petit oiseau
Qui a réchauffé tant de gens.

Je l'ai entendu sur les terres les plus glaciales
Et sur les mers les plus inconnues –
Pourtant, jamais, même à la dernière extrémité,
Il ne m'a demandé la moindre miette.

REMERCIEMENTS

Toutes les erreurs sont miennes, certaines sont délibérées. Je ne m'en suis pas nécessairement tenue à la vérité.

Je tiens à remercier Russell Equi comme d'habitude ; Malcolm Graham, commissaire divisionnaire de la Police du Lothian et des Borders ; Malcolm R. Dickson, ex-inspecteur adjoint de la Police nationale écossaise ; et enfin David Mattock et Maureen Lenehan d'avoir revisité Leeds et les années 70 avec moi.

Table

Du même auteur
aux éditions de Fallois :

DANS LES COULISSES DU MUSÉE, 1996, Prix Whitbread, Meilleur livre de l'année (Lire).

DANS LES REPLIS DU TEMPS, 1998.

SOUS L'AILE DU BIZARRE, 2000.

C'EST PAS LA FIN DU MONDE, 2003.

LA SOURIS BLEUE, 2004, Prix Westminster du roman anglais.

LES CHOSES S'ARRANGENT, MAIS ÇA NE VA PAS MIEUX, 2006.

À QUAND LES BONNES NOUVELLES ?, 2008.

ON A DE LA CHANCE DE VIVRE AUJOURD'HUI, 2009.

Composition réalisée par Datagrafix

Achevé d'imprimer en janvier 2012 en France par
CPI BRODARD ET TAUPIN
La Flèche (Sarthe)
N° d'impression : 66111
Dépôt légal 1re publication : février 2012
LIBRAIRIE GÉNÉRALE FRANÇAISE
31, rue de Fleurus – 75278 Paris Cedex 06

31/6183/3